# Literatura románica
# de la Edad Media

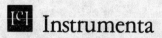 Instrumenta

# Letras e Ideas

Colección dirigida por
FRANCISCO RICO

# ALBERTO VÀRVARO

# LITERATURA ROMÁNICA DE LA EDAD MEDIA

## Estructuras y formas

EDITORIAL ARIEL, S. A.

BARCELONA

Título original:
STRUTTURA E FORME DELLA LETTERATURA
ROMANZA DEL MEDIOEVO

Traducción de
LOLA BADIA y CARLOS ALVAR

Adiciones bibliográficas de
CARLOS ALVAR

Primera edición: octubre 1983

© 1968: Alberto Vàrvaro

Derechos exclusivos de edición en castellano
reservados para todo el mundo
y propiedad de la traducción:
© 1983: Editorial Ariel, S. A.
Córcega, 270 - Barcelona-8

ISBN: 84 344 8367 X

Depósito legal: B        -1983

Impreso en España

# Capítulo I

# NOCIONES PRELIMINARES

1. UNIDAD Y VERTEBRACIÓN DEL MUNDO ROMÁNICO MEDIEVAL

Podríamos plantear una introducción a las literaturas románicas medievales desde distintos puntos de vista.[1] Cabría escoger, por ejemplo, la descripción de su desarrollo histórico según el esquema habitual de las historias de la literatura; sin embargo habría que considerar si resulta factible encajar en una única sucesión cronológica la totalidad de la producción literaria desde Lisboa hasta Londres y Palermo, si no se impone la necesidad de desgajar la exposición en seis secciones paralelas. Pero, incluso suponiendo que consiguiéramos presentar una visión crítica unitaria, las restricciones de espacio inherentes a la naturaleza de toda introducción transformarían nuestro trabajo en una árida enumeración de nombres y títulos.

He aquí por qué creemos más conveniente tomar un camino completamente distinto; renunciando en parte a la presentación del desarrollo histórico, pretendemos identificar las formas principales de la experiencia literaria medieval, así como esclarecer su significación a través de textos ejemplares por distintas razones, destacando su valor y su configuración específica, sin olvidar en cada caso la relación dialéctica que media entre lo concerniente

---

1. Se trata de las literaturas italiana, francesa, provenzal, catalana, castellana y gallego-portuguesa. Las literaturas rumana y retorromance no tuvieron fase medieval. Téngase en cuenta que el área lingüística que llamamos francesa incluye solamente la mitad norte de Francia y también la actual Inglaterra en la que, tras la conquista normanda de 1066, el francés fue la lengua de las clases altas y de casi toda la producción literaria hasta por lo menos el siglo XIV. La mitad meridional de Francia pertenece al área provenzal.

a un autor en concreto o a un fragmento literario, y las marcas o perspectivas valederas para la totalidad de un período histórico. De esta manera nos parece que se puede ofrecer una versión más auténtica del mundo cultural de la Edad Media románica, de sus posibilidades y de sus logros poéticos, con la condición de que se tenga presente que nuestra iniciación requiere un ahondamiento complementario de los conocimientos adquiridos tanto por lo que respecta a la cronología como a las caracterizaciones nacionales de cada una de las literaturas románicas medievales; sólo así devolveremos a nuestra materia de estudio la complejidad cultural y literaria que le es propia y que nos vemos obligados a sacrificar o a minimizar.

Pero en primer lugar cabe preguntarse si la autonomía de cada tradición lingüística —y por ende literaria— no desautoriza cualquier estudio unitario de la materia, aun desde el punto de vista expuesto. Y es que no nos proponemos realizar un trabajo de literatura comparada, que permite ver los problemas desde el exterior, sino arrojar luz sobre todo un conjunto interiormente diferenciado y, sin embargo, unitario. Pero, ¿qué entendemos por unitario?

A los comienzos del período que tomamos en consideración,[2] no cabe duda de que no existía todavía una conciencia precisa y divulgada de las distintas identidades nacionales. En Francia la monarquía de los Capetos tenía una fuerza y un peso más que modestos y estaba lejos de ejercer una función catalizadora del sentimiento nacional, sentimiento que por descontado no compartían los súbditos del duque de Normandía, que desde 1152 era también rey de Inglaterra y duque de Aquitania. En el sur de Francia, por otro lado, la soberanía del rey de París era un hecho meramente nominal. En la Península Ibérica la fragmentación política era menos aguda pero más tajante; las monarquías portuguesa, leonesa, castellana y aragonesa (implantada en Cataluña ya desde 1137) poseían una fisonomía duradera y definida (sin olvidar que había todavía una parte de la península dominada por los musulmanes). El cuadro ibérico no se simplificó hasta finales

---

2. Que va desde los primeros monumentos literarios en vulgar hasta el siglo xv, excepto en el caso de Italia ya que la figura de Petrarca representa la transición entre la Edad Media y el Humanismo. Generalmente y de acuerdo con las circunstancias, la implantación de la cultura humanística en las distintas formas que adopta según los ambientes que la acogen, se considera como meta final de la descripción de las literaturas medievales.

del siglo XV con la unión de las coronas de Aragón y Castilla y con la caída del reino de Granada. Resulta ocioso hacer hincapié en la fragmentación política de la Italia de los barones, de las ciudades francas y más tarde de los principados: el sur de Italia (Sicilia y Nápoles) constituyó un reino floreciente que duró desde 1137 a 1282 y en el que se sucedieron tres dinastías: la normanda, la suaba y la de Anjou, introducida por el Papado; mientras tanto, el norte de Italia se organizaba en ciudades independientes, vinculadas al Imperio o al poder papal, más por razones económicas que espirituales; los enfrentamientos de güelfos y gibelinos, genoveses y pisanos, florentinos y sieneses constituyen una norma a lo largo de la Edad Media, con frecuentes repercusiones literarias. Añadamos además que la identificación entre territorios políticos y conciencia nacional quedaba obstaculizada por la heterogeneidad lingüística. El rey de Francia no era el soberano de todos los hablantes franceses (que en parte eran súbditos del Imperio) y lo era, en cambio, de provenzales y flamencos; el rey de Inglaterra reinaba sobre normandos, sajones y bretones y, en el continente, sobre franceses, bretones y provenzales; el rey de Aragón sobre gentes de dialecto aragonés, pero también sobre catalanes y provenzales, aparte de las poblaciones de lengua árabe y hebrea, sometidas a todos los soberanos ibéricos. En resumen, los sentimientos nacionales se fortalecieron a lo largo del período que nos interesa paralelamente a la solidificación de las instituciones monárquicas, y no siempre en correspondencia con unidades lingüísticas (y por lo tanto literarias).

Si el carácter de la fragmentación política en el fondo no negaba una unidad de base (que se puso de manifiesto, por ejemplo, en las Cruzadas), la diferenciación lingüística, por el contrario, era más neta. Debe quedar clara una cosa: el área lingüística románica, vista en toda su extensión, presentaba fracturas claras y profundas únicamente en casos aislados. Normalmente la diferenciación era un fenómeno progresivo y casi imperceptible que se manifestaba en todas partes en un gran número de dialectos más o menos equidistantes el uno del otro en idénticas circunstancias de contigüidad. Poco a poco, sin embargo, y por un conjunto de factores en mínima parte literarios (mayor o menor frecuencia de los contactos comerciales o sociales en general, incidencia de determinados centros políticos, eclesiásticos o mercantiles, formación de convenciones de lengua escrita con finalidades jurídicas, documentales o comerciales, etc.), las distintas áreas dialectales se fueron articulando —generalmente a partir de afinidades pre-existentes— en unidades más complejas que tendían a utilizar un tipo de expresión escrita y hasta hablada (a determinados niveles) que les era común. Generalmente esta tradición de lengua común (que se suele llamar *scripta*) es anterior a las obras literarias que conocemos; pero el gran prestigio de algunas *scriptae* nació con el establecimiento de una tradición literaria y a partir de este prestigio se fue fijando en cada área dialectal un punto de convergencia y 'poniendo en marcha todo un proceso de unificación lingüística y de eliminación de dialectos que en nuestros días ha llegado a sus últimas fases. Ya hemos señalado cuáles son las seis lenguas literarias principales de la Edad Media románica. Cabe precisar ahora dos puntos. Únicamente hacia el final de nuestro período, y en algunos casos solamente con posterioridad a él, las lenguas literarias unitarias se impusieron definitivamente sobre tradiciones afines de base más limitada; por ello, podemos encontrar durante la Edad Media textos franceses con un barniz dialectal, más o menos manifiesto, normando, anglo-normando, picardo, franco-provenzal, etc., o un texto castellano con formas leonesas o aragonesas, o un texto italiano con modalidades sicilianas o paduanas. En realidad no se trata de «barnices» en el sentido de una inadecuada asimilación de la lengua literaria común, sino de resistencias o tentativas de creación de una lengua literaria sobre bases dialectales algo distintas de las de la modalidad que a la larga se impuso; es decir que nos hallamos ante soluciones menos afortunadas pero de igual validez. Sin embargo no hemos de caer en una sobrevaloración de la base dialectal, ya que ésta obedece siempre a una serie de convencionalismos que proceden de una tradición de lengua *scripta*. Con ello llegamos al segundo punto que queríamos subrayar. Las tradiciones lingüísticas de las obras literarias medievales, tal como las conocemos, no atestiguan necesariamente una determinada procedencia geográfica, precisamente por su convencionalismo intrínseco. Es suficiente destacar que durante algún tiempo el provenzal fue la lengua de la poesía lírica en Italia, especialmente en la región paduana, y lo fue también en Cataluña; el francés fue la lengua de las obras narrativas, didácticas o históricas, de escritores que no lo tenían como lengua materna (así por ejemplo Brunetto Latini, Rustichello de Pisa, Marco Polo);

el gallego-portugués se impuso como lengua de la poesía lírica en ambientes de habla castellana, etc. Además en el interior del área de una determinada tradición literaria vemos, por ejemplo, que registrar una gran cantidad de obras francesas con barniz dialectal normando o picardo no indica que aquellas zonas fueron especialmente fértiles en escritores en un momento determinado, sino que durante ciertos períodos y para determinados géneros se tuvo preferencia por las *scriptae* de base dialectal picarda o normanda.

Dentro del ámbito que se ha señalado y en el sentido que se ha intentado precisar, debemos hablar de distintas tradiciones en la literatura románica medieval; tradiciones con marcadas diferencias pero que por dos razones principales mantuvieron una unidad fundamental. En primer lugar, todo ambiente cultural románico se formó y definió sus características en una relación esencial y constante con la escuela, que conservaba y difundía la tradición latina. Pero la organización de la escuela medieval y sus prácticas de enseñanza eran iguales prácticamente en todo el occidente europeo, si no en cuanto a conocimientos, por lo menos en el tipo de planteamiento cultural; por lo tanto, también era común a toda Europa el patrimonio de saber que se transmitía, y, por distintas que fueran las posiciones de cada ambiente cultural románico respecto a la tradición, ésta les confería una indiscutible homogeneidad de fondo. Basta señalar que en todas las escuelas se estudiaba latín y que todas las personas cultas estaban capacitadas para hablarlo bien o mal; ello permitía un intercambio de personas y de ideas que podía ser limitado pero que fortalecía los cimientos de una unidad de base. Un maestro italiano podía enseñar sin ninguna dificultad en Inglaterra; un estudiante podía viajar a París desde Coimbra, un literato de la corte de Barcelona, a la de Enrique II de Inglaterra; una obra en latín compuesta en Salerno se difundía rápidamente por toda la Europa culta, exactamente igual que otras obras escritas en Montpellier, en Compostela o en Canterbury.[3]

Pero hay más. Cada una de las culturas románicas, además de estar en contacto con la cultura latina unitaria, no se cerraba en sí misma en un aislamiento desdeñoso. Ya se ha señalado que las áreas lingüísticas y las de lengua literaria no coincidían y ello

3. Es más, hay que añadir que el ámbito de la cultura latina es mucho más amplio que el ámbito románico ya que incluye Irlanda y los países germánicos y posteriormente también Polonia, Bohemia y Hungría.

constituye ya una prueba de la existencia de contactos y de aperturas. Pero hay que añadir que las literaturas románicas medievales se pueden considerar en cierta medida unitarias a causa de la fuerza de cohesión que representó el predominio cultural francés, que se concretó en la irradiación de modas, de temas, de formas y sobre todo de ideales y de ejemplos. Al decir cultura francesa no queremos olvidar el mediodía del país, pues Provenza fue la cuna de la mayor parte de la lírica romance, igual que el norte lo fue de la narrativa y de la producción didáctica. Y esta influencia francesa se imponía a través de las obras, pero también a través de los viajes de los escritores [4] y, en un porcentaje que no es menos elevado, a través de los múltiples canales de la juglaría internacional, ya que los juglares (recitadores de poesía épica, de novelas, de anécdotas, intérpretes de poesía lírica, etc.) superaban todas las barreras lingüísticas y políticas y contribuían de forma capilar pero impresionante a la difusión de la producción literaria romance.[5]

4. Por la historia de la literatura italiana sabemos que fueron muchos los trovadores que viajaron más al este de los Alpes: Peire Vidal, Raimbaut de Vaqueiras, Aimeric de Peguilhan, para citar sólo los más importantes. Tampoco faltaron las visitas de autores franceses; se podría decir más o menos lo mismo para los demás países. Sobre los trovadores que vinieron a la Península Ibérica léase el cuidadoso libro de C. Alvar, *La poesía trovadoresca en España y Portugal,* Madrid, 1977, y *Textos trovadorescos sobre España y Portugal,* Madrid, 1978.

A la difusión de la cultura francesa contribuyó el extraordinario auge adquirido por las órdenes de Cluny y de Císter, que llegaron a dominar sobre más de un millar de monasterios, con la riqueza que ello suponía. Los cluniacenses comenzaron a mostrar su fuerza en la Península Ibérica en tiempos de Alfonso VI; antes de que acabara el siglo XI, los monasterios más importantes y una gran parte de los obispados (entre ellos Toledo y Valencia) eran regidos por monjes franceses; pero también contribuyó de forma importante la explosión demográfica que se experimentó a lo largo del siglo XI y que puso en movimiento el comercio, dando lugar a una clase nueva —los mercaderes— que no se dedicaban ni a la guerra ni a las letras, ni al trabajo de la tierra: muchos de los comerciantes asentados en la Península Ibérica procedían del centro de Europa y, en especial, de Francia (cfr. R. Lapesa, *Historia de la Lengua Española,* Gredos, Madrid; 1980,[8] pp. 170 ss.; M. Defourneux, *Les français en Espagne aux XI et XII siècles,* París, 1949; F. Rico, «Las letras latinas del siglo XII en Galicia, León y Castilla», *Abaco,* 2 [1969], pp. 9-92; P. García Mouton, «Los franceses en Aragón [siglos XI-XII]», *Archivo de Filología Aragonesa,* XXVI-XXVII [1980], pp. 7-98; F. López Estrada, *Introducción a la literatura medieval española,* edic. renovada, Gredos, Madrid, 1979).[4]

5. Además de los libros de C. Alvar citados en la nota anterior, debe consultarse: R. Menéndez Pidal, *Poesía juglaresca y orígenes de las literaturas románicas,* Instituto de Estudios Políticos, Madrid, 1957;[6] P. Dronke, *La lírica en la*

## 2. LAS ARTES LIBERALES

De todo lo expuesto hasta ahora se deduce la necesidad de examinar la organización de las escuelas medievales como punto de partida para un conocimiento coherente de la cultura de la época. El desarrollo del tema es menos difícil de lo que se puede prever, precisamente por la unidad y la relativa inmovilidad de la tradición escolar medieval, que se basaba en el esquema de las artes liberales. Tales artes liberales constituían en la Antigüedad tardía el ciclo completo de la educación secundaria, que se consideraba propedéutico al estudio de la filosofía. En la primera Edad Media, por lo menos hasta Abelardo, se consideró que las artes liberales eran suficientes para una educación completa y preparaban para los estudios de teología.

En la Antigüedad las artes liberales se distinguían de las *artes mechanicae*: pintura, escultura y todas las técnicas artesanas incluyendo a la arquitectura. La separación entre unas y otras está basada en la ausencia o presencia de finalidad práctica y en una clara valoración negativa de ésta. Sólo las *artes* sinceramente desinteresadas, que no llevan a ningún lucro, son consideradas *liberales,* «quia homine libero digna sunt» («porque son dignas del hombre libre»), como dice Séneca (*Ep.* 88, 2). Esta discriminación duró muchos años, atribuyéndose una dignidad muy distinta al poeta y, por ejemplo, al pintor; solamente con la llegada del Renacimiento se devolvió a las artes figurativas un prestigio comparable al de las disciplinas literarias.[6]

A medida que fue avanzando la Edad Media se produjeron tales cambios, tanto en la estructura de la sociedad (con la modificación de la división entre esclavos y libres), como en la relación de las distintas clases con la instrucción, que una definición sociológica como la de Séneca, aludida más arriba, se hizo problemática. Pero en la carta que hemos citado el filósofo antiguo ofrecía ya una alternativa muy interesante. Decía Séneca: «Ceterum unum studium vere liberale est, quod liberum facit... cetera

---

*Edad Media,* Seix Barral, Barcelona, 1978; E. Faral, *Les jongleurs en France au Moyen Âge,* París, 1930; C. Alvar, *Poesía de trovadores, trouvères y Minnesinger,* Alianza Editorial, Madrid, 1981.

6. Respecto a estas cuestiones se puede consultar A. Hauser, *Historia social de la literatura y del arte,* Guadarrama, Madrid, 1969.³

pusilla et puerilia sunt» (*Ep.* 88, 2) («Por otra parte solamente
hay un estudio liberal, el que confiere la condición de libre... lo
demás son nimiedades y cosas infantiles»). Aquí las artes liberales están vistas como elemento activo de la formación humana, de
la que constituyen el fundamento. La educación no es el reflejo
de una condición social, sino que es el factor determinante del
lugar del hombre dentro del mundo a través de una renovación
profunda ejercida en su íntimo.

Esta segunda concepción, con los matices de rigor, es la más
frecuente en la Edad Media. Leyendo determinadas declaraciones
del abad premonstratense Felipe de Harvengt (muerto en el año
1183), se nos hace patente el orgullo propio del sabio que es
consciente de su superioridad interior, pues afirma que la *scientia
liberalis* «a confuso vulgi consortio et a multitudine liberat pu-
blicana, ne pressus et oppressus teneatur compede et hebetudine
rusticana»[7] («libra de la confusa compañía del vulgo y de la multitud pública, de manera que no seas prisionero de la llaneza y de
la estupidez rústicas ni estés oprimido por ellas»). En las palabras
de la abadesa alsaciana Herrada de Landsberg (*Hortus deliciarum,*
1175-1185) la definición abre, en cambio, perspectivas místicas,
ya que la cultura está vista como instrumento del conocimiento
de Dios: «Ideo dicuntur liberales quia liberant animam a terrenis
curis et faciunt eam expeditam et paratam ad cognoscendum
Creatorem»[8] («Se llaman liberales porque libran al alma de los
cuidados terrenales y la dejan preparada y a punto para conocer
al Creador»). El maestro de retórica Conrado de Hirsau se remitía
incluso a un texto de San Pablo: «"In libertatem uocati sumus",
studiis liberalibus regi nostro seruiamus»[9] ("Hemos sido llamados
a la libertad", sirvamos a nuestro rey con los estudios liberales»).

En los tiempos de Séneca no existía todavía un canon bien
definido de las disciplinas liberales. Pero ya antes del *De Nuptiis
Philologiae et Mercuri* (410-439) de Marciano Capella, que trata
de ellas con detalle, su número estaba fijado en siete: gramática,
retórica, dialéctica, aritmética, geometría, astronomía y música.[10]

7.  *Patrologia latina,* CCIII, col. 152.
8.  Cfr. J. Leclercq, *Cultura umanistica e desiderio di Dio,* Florencia, 1965,
pp. 360-361.
9.  *Dialogus super auctores,* edición R. B. C. Huygens, Berchem-Bruselas, 1965,
líneas 1581-1582. Cfr. San Pablo, *Ad Galat.* V, 13.
10.  Las artes liberales son aquí un regalo de Apolo a la novia (la Filología),
lo que ofrece la ocasión al autor de realizar una minuciosa descripción de éstas.

Más tarde se introdujo una precisión más; las últimas cuatro, que se consideraban afines por el fundamento matemático que les era común, fueron reunidas por Boecio (muerto en el 524) bajo el nombre de *quadruuium* (y más tarde también *quadriuium*); paralelamente, pero sólo a partir del siglo IX, las otras tres se conocieron con el nombre de *triuium*.

Las siete artes liberales constituyeron durante toda la Edad Media el *curriculum* escolar normal. A menudo sucedía que en algunos centros sólo se enseñaba el *triuium*, puesto que se le consideraba suficiente para una formación cultural no demasiado profunda, pero con clara conciencia de que se trataba de un ciclo incompleto. Únicamente a partir del siglo XII en determinados centros la enseñanza fue más allá de las artes liberales; pero se trata ya de otra problemática que va ligada al desarrollo de las Universidades y que trataremos más adelante. Por otro lado incluso en las Universidades el estudio de las artes era propedéutico a las demás facultades.[11]

## 3. LA GRAMÁTICA

Un breve examen de las *artes* que más importancia tienen para el tema que desarrollamos, nos permite hacer una comprobación de notable peso: la escuela medieval no sólo no modificó los esquemas de la Antigüedad tardía, sino que incluso conservó sus programas prácticamente inalterados.

Veamos, pues, qué debemos entender por *gramática*. Tal disciplina abría el ciclo educativo, y no sólo formalmente; era la primera que se enseñaba. El porqué, es evidente. Ahora bien, enseñarla en primer lugar se hacía indispensable cuando aprendían *gramática* escolares cuya lengua materna no era el latín sino un

11. Para los temas tratados en este párrafo recomendamos la lectura de H. I. Marrou, *Historia de la Educación en la Antigüedad,* Editorial Universitaria de Buenos Aires, 1970;² E. R. Curtius, *Literatura europea y Edad Media latina,* México, FCE, 1955 (2.ª reimpresión, Madrid, 1976), cap. 3.º (el original alemán ha sido traducido también al francés y al inglés); P. Riché, *Education et culture dans l'occident barbare,* du Seuil, París, 1962 (tr. italiana, Roma, 1967); también se puede consultar P. Abelson, *The Seven Liberal Arts,* Nueva York, 1965 (pero 1906). Resulta útil, además, la consulta de P. Riché, *Ecoles et enseignement dans le Haut Moyen Age,* Aubier Montaigne, París, 1979, y el clásico libro de C. S. Lewis, *La imagen del mundo (Introducción a la literatura medieval y renacentista),* Antoni Bosch, edit., Barcelona, 1980.

habla romance o una lengua completamente distinta, como, por ejemplo, el alemán o el inglés. Sin embargo, en todos los casos se utilizaban los mismos manuales, los mismos métodos de enseñanza. El texto clásico inicial era el *ars minor* de Donato (siglo IV); diez páginas escasas sobre las partes de la oración, explicadas en un tono muy elemental y en forma de diálogo, de manera que resultase cómodo memorizarlas. Posteriormente se pasaba a la *ars maior* del mismo autor, más amplia y desarrollada, o a la *Institutio de arte grammatica* de Prisciano (siglo VI).

El estudio no estaba encaminado al conocimiento activo de la lengua, aunque se terminara por adquirirlo tras una práctica prolongada; tal conocimiento, por otra parte, era indispensable para toda persona culta. Y en este aspecto la antigua tradición, que se remontaba a los tiempos en que el latín era la lengua materna de los estudiantes, atribuía a la gramática un contenido y una finalidad distintos. Quintiliano, en efecto, la había definido «recte loquendi scientiam et poetarum enarrationem» («ciencia de hablar correctamente e interpretación de los poetas») (II, 1, 4), mientras que la tradición medieval tal vez puso más de relieve el segundo término. En efecto, en el escritor carolingio Rabano Mauro (siglo IX), en verdad muy poco original, pero de una gran autoridad —en parte precisamente por esto, porque fue transmisor de una tradición secular—, leemos: «Grammatica est scientia interpretandi poetas atque historicos et recte scribendi loquendique ratio» («La gramática es la ciencia de interpretar a los poetas y a los historiadores y la disciplina de escribir y hablar correctamente»).[12] Se trata de definiciones que coordinan dos finalidades que a nuestro modo de ver son harto distintas: por un lado, y no siempre en primer plano, el aprendizaje normativo de la lengua; y por el otro, el estudio de las obras literarias y el interés por ellas. Únicamente a partir de la segunda mitad del siglo XII, con el gramático Pedro Helías, y sobre todo en el siglo siguiente, con la adopción de nuevos manuales provistos de ejemplos construidos *ad hoc,* la definición de la primera de las *artes* se limitará exclusivamente al aspecto lingüístico.[13]

Pero la fusión de intereses lingüísticos y literarios no desaparece ni siquiera entonces y encuentra su explicación en la práctica

12. *Patrologia latina,* CVII, col. 395.
13. Cfr. Ch. Thurot, *Extraits de divers manuscrits latins pour servir à l'histoire des doctrines grammaticales au moyen âge,* París, 1869, pp. 121-122.

de las escuelas. El alumno, en efecto, no aprendía las reglas gramaticales latinas a través de la formulación abstracta del manual, ni tan sólo a través de los ejemplos que el maestro construía sobre la marcha, como en nuestras gramáticas. El estudiante se enfrentaba lo antes posible con el texto literario latino que tenía que interpretar y que era a la vez fuente de reglas y modelo de escritura. No era otro el proceso de la *lectio,* piedra angular de la enseñanza medieval.

Se empezaba con textos relativamente sencillos, como por ejemplo las fábulas derivadas más o menos directamente de las de Fedro; Aviano o *Aesopus latinus,* y también con los *Disticha Catonis,* un breve poema didascálico-moral de un Catón del siglo III y que tuvo gran difusión; luego se pasaba gradualmente a poetas más difíciles, para llegar finalmente al clásico por excelencia: Virgilio.

El *curriculum* de los textos que se leían en la escuela (los *auctores*) variaba como es lógico según las existencias de las bibliotecas y según el grado de preparación del maestro, pero, en última instancia, se trataba siempre de los mismos autores, con oscilaciones más bien modestas. Por ejemplo, podemos citar el de Conrado de Hirsau,[14] más nutrido de lo corriente, que contaba hasta veintiún autores: el gramático Donato, Catón (el autor de los *Disticha*), Esopo (es decir una colección tardía de fábulas en prosa latina que derivaban de las del poeta griego cuyo nombre llevaban), Aviano (hacia el 400), Sedulio (poeta cristiano del siglo V), Juvenco (poeta cristiano del siglo IV), Próspero de Aquitania (otro poeta cristiano del siglo V), Teodulo (siglo V), Arator (siglo VI), Prudencio, Cicerón, Salustio, Boecio, Lucano, Horacio, Ovidio, Juvenal, Homero (es decir una exigua reducción latina atribuida a un tal Píndaro), Persio, Estacio, Virgilio.

Observando esta lista, claramente ordenada según una gradación de dificultades, salta a la vista la total ausencia de nuestro criterio de distinción entre autores clásicos, de la edad de plata, de la latinidad tardía y medievales. Es evidente, en cambio, que el punto de vista es unitario y está basado en una escala de valores según la cual Boecio está, por lo menos, al mismo nivel que Cicerón, Juvenal al mismo que Ovidio y Estacio apenas por

14. En el *Dialogus* citado.

debajo de Virgilio.[15] También se aprecia la falta de cualquier
discriminación entre escritores cristianos y paganos, los primeros
más numerosos en la parte inicial del *curriculum,* los otros en la
final. Si profundizáramos en nuestro estudio veríamos que se
toman en consideración sólo algunas obras de los autores mayores
y tendríamos que explicar las razones de esta elección.

Lo que interesa subrayar ahora es que un estudio gramatical
de estas características se transformaba, en la práctica, en el
instrumento de una rica preparación literaria. A través del minucioso examen a que se sometía cada obra, seguido del proceso
de memorización que la escasez y alto coste de los libros hacían
necesario,[16] la escuela daba a todo aquel que había estudiado
gramática un bagaje literario tan amplio que condicionaba profunda
e indeleblemente su cultura. En este sentido son muy significativas
algunas frases de Hugo de San Víctor (1097-1141) en su *Didas-*
*calicon de studio legendi,* frases que él aplica a todas las artes
liberales, pero que valen especialmente para la primera de
ellas:

15. La *Tebaida* de Estacio se difundió a finales del siglo I d. J. C. El éxito
que obtendría esta obra durante la Edad Media se debió al paralelismo entre las
ideas paganas del autor y las cristianas medievales: este paralelismo facilitó una
primera fase en la asimilación de la obra; por otra parte, determinadas ideas (respeto hacia la virginidad, personificaciones de carácter alegórico, etc.) tuvieron
una indiscutible repercusión posterior; pero, sin duda, una gran parte del influjo
de Estacio se debe al consciente abandono de la tensión épica y su búsqueda
de variaciones novelescas: es un precursor del entretejido de motivos diversos,
que tanto éxito tendrá en siglos posteriores. Cuando Estacio se presenta como
poeta serio, se convierte en poeta alegórico; todo ello explica el porqué autores
como Dante o Jean de Meung muestran clara huella de este escritor, en especial con las personificaciones de Virtud, Clemencia, Piedad y Naturaleza. En
el caso concreto de Dante, además, se debe añadir que —según una difundida
leyenda— Estacio se convirtió al Cristianismo por la lectura de la profecía incluida
en la *Égloga IV* de Virgilio, arrepintiéndose de sus culpas anteriores. Estacio
representa, así, el eslabón que une a Virgilio con Beatriz (razón y fe) y por eso
acompaña a Dante en los últimos pasos del *Purgatorio* (XXII, 66). Cfr. especialmente, C. S. Lewis, *La alegoría del amor. Estudio sobre la tradición medieval,*
Eudeba, Buenos Aires, 1969 (el original inglés es de 1936); vid. también, H. R.
Jauss, «Entstehung und Strukturwandel der allegorischen Dichtung», *Grundriss*
*der Romanischen Literaturen des Mittelalters* (citado *GRLMA*), VI/1, pp. 146-244.

16. Citamos de J. Leclercq, *Cultura umanistica e desiderio di Dio,* Florencia,
1965, p. 159, un pasaje de la *Vita Sugerii* de Guillermo de Saint-Denis: «Gen-
tilium vero poetarum ob tenacem memoriam oblivisci usquequaque non poterat,
ut versus horatianos utile aliquid continentes usque ad vicenos, saepe etiam ad
tricenos memoriter nobis recitaret» («No podía olvidar nunca a los poetas gentiles
a causa de la fidelidad de su memoria, de manera que nos recitaba hasta veinte
versos de Horacio cuyo contenido fuera útil, y a veces hasta treinta»). Se preferían
los textos poéticos porque entre otras cosas eran más fáciles de memorizar.

Has septem quidam tanto studio didicisse leguntur, ut plane ita omnes in memoria tenerent, ut quascumque scripturas deinde ad manum sumpsissent, quascumque quaestiones solvendas aut comprobandas proposuissent, ex his regulas et rationes ad definiendum, id de quo ambigetur, folium librorum non quaererent, sed statim singula corde parata haberent.[17]

(En verdad se lee que estas siete se aprendían con tal afición que fácilmente todos las tenían en la memoria. Asimismo, cualesquiera textos tomasen en sus manos, cualesquiera cuestiones se propusieran resolver o comprobar, partiendo de aquellas reglas y razones para explicar lo que desearan, no necesitaban las hojas de los libros, sino que les bastaba con tener sólo su memoria preparada.)

## 4. LA RETÓRICA Y LOS «TOPOI»

La segunda de las *artes,* la retórica, había sido en la Antigüedad el arte de hablar correctamente, de construir con elegancia la expresión oral, pero ya en la época imperial había ido perdiendo parte de sus funciones prácticas como consecuencia de los cambios sufridos por la vida política; y Tácito, en su *Dialogus de oratoribus,* ya empezaba a verlo. La definición que dio Quintiliano de «ars bene dicendi» («arte de hablar correctamente») se transmitió a la Edad Media y así la repitió, por ejemplo, Rabano Mauro, pero, en la práctica, las antiguas divisiones clásicas de *inventio, dispositio, elocutio, memoria* y *actio* quedaron reducidas a algunos sectores: la *inventio* para las técnicas del exordio, de la *narratio,* y todavía más de la *amplificatio,* y la *elocutio* para toda la teoría del *ornatus,* con la metáfora, la hipérbole, la anáfora, la *adnominatio,* etc.

También en este caso la enseñanza no quedaba limitada a la teoría (sabemos que los manuales medievales de retórica fueron muy numerosos, pero generalmente breves y sumarios), sino que se complementaba con textos, los mismos de la gramática utiliza-

17. *Patr. lat.,* CLXXVI, col. 768, o en la traducción inglesa de *The Didascalicon of Hugh of St. Victor,* trad. de J. Taylor, Nueva York-Londres, 1961, p. 87. Respecto a la enseñanza de la gramática, ver Curtius, *op. cit.,* cap. 3.º; Thurot, *op. cit.;* para comprender el sentido medieval de *auctor,* cfr. S. Battaglia, *La coscienza letteraria del medio evo,* Nápoles, 1965, pp. 34 ss., cfr. también F. López Estrada, *Introducción a la literatura medieval española,* cit.

dos como repertorios, mostrando a la vez cómo y en qué lugares debían utilizarse los artificios retóricos.

Durante la Edad Media se añadió al legado de la Antigüedad tardía un sector entero de la retórica completamente nuevo: el *ars dictandi*.[18] Se trata de la fijación de las técnicas de redacción de una carta o de un documento administrativo, elementos muy importantes en el mundo político medieval y especialmente en el de las ciudades francas. Al multiplicarse los contactos sociales, que se realizaban en un primer momento por vía oral, se impuso la necesidad de la escritura; a partir de finales del siglo XI se crearon escuelas de *ars dictandi* y se compusieron manuales para su enseñanza. Hubo regiones en que las escuelas de retórica estaban dedicadas exclusivamente a estas nuevas doctrinas; ello ocurrió, por ejemplo, en la Francia meridional y en la Italia del norte. En la Francia septentrional, en cambio, se compusieron en estos años unos nuevos tratados de retórica (*poetriae*) que codificaban las enseñanzas tradicionales, con todas las reglas y los ejemplos antiguos, pero desvinculadas ya de las finalidades oratorias de la época romana, con lo que quedaban definitivamente ajustadas a las exigencias y a la práctica de la literatura latina contemporánea.

La enseñanza de la retórica también ha tenido un peso enorme en las literaturas romances, llegando a caracterizar de manera determinante toda la cultura medieval. Vamos a detenernos, para poner un ejemplo, en uno de los *topoi* o lugares comunes que se enseñaban en la retórica para ser utilizados en los exordios. Al principio del *Paradiso* (II, 7) Dante dice:

> L'acqua ch'io prendo già mai non si corse.

> (El agua por la que yo me aventuro jamás fue surcada.)

Posteriormente Ariosto replicó con su:

> Diró d'Orlando in un medesmo tratto
> Cosa non detta mai in prosa né in rima.

(I.2)

---

18.  *Dictare* significa originariamente «dictar» pero luego (a partir del siglo V) adquiere también el valor de «componer», «escribir» y especialmente «escribir poesía». P. Zumthor, «Rhétorique et poétique latines et romanes», *GRLMA*, I, pp. 57-91, y C. Segre, «Le forme e le tradizioni didattiche», *GRLMA*, VI/1, páginas 58-145; es clásico el libro de E. Faral, *Les arts poétiques du XII<sup>e</sup> et du XIII<sup>e</sup> siècle*, Champion, París, 1924.

(En un mismo fragmento diré cosas de Orlando jamás dichas ni en prosa ni en verso.)

En ambos casos no nos podemos limitar a relacionar estas afirmaciones con la novedad objetiva de la materia poética. Debemos tener presente, en efecto, que se inscriben en una cadena muy larga de aseveraciones semejantes. Ya Horacio (*Carm.*, III, 1, 2) había prometido «carmina non prius / audita Musarum sacerdos / virginibus puerisque canto» («sacerdote de las Musas canto para doncellas y muchachos poemas jamás escuchados») y lo había imitado Manilio, que en II, 53 habla de los *integra prata* que pisará. En el siglo XIII la poetisa Maria de Francia escribe en el prólogo de sus *lais* que había pensado que se podía hacer algo interesante traduciendo del latín al romance:

> Mais ne me fust guaires de pris:
> Itant s'en sunt altre entremis!
> Des lais pensai, k'oïs aveie.
>
> (vv. 31-33)

(Pero me di cuenta de que no valía la pena, pues hay tantos que ya lo han probado. Entonces pensé en los *lais* que había oído.[19])

Y con ello María implícitamente reivindica la absoluta novedad de sus composiciones, por lo menos en la forma que ella les imprimió. Más tarde encontraremos de nuevo a Dante proponiéndose al principio de la *Monarchia* (I, 1, 3) «intemptatas ab aliis ostendere veritates» («mostrar verdades que nadie ha intentado mostrar»).

Veamos ahora otro *topos* propio del exordio. En el mismo prólogo que hemos citado de Maria de Francia leemos:

> Ki Deus ad duné escience
> E de parler bone eloquence
> Ne s'en deit taisir ne celer,
> Ainz se deit voluntiers mustrer.
>
> (vv. 1-4)

19. Maria de Francia, *Lais*, traducción castellana de Luis Alberto de Cuenca, Editora Nacional, Madrid, 1975; hay otra traducción debida a Ana M.ª Valero, Espasa-Calpe, Madrid, 1978.

(Quien ha recibido como don de Dios doctrina y elocuencia de bellas palabras, no debe callarse ni esconderla, sino que debe mostrarse de buena gana.)

También en este caso no hay demasiadas dificultades en reconstruir la cadena de la tradición. Se podrían buscar los antecedentes en Teógnides, vv. 769 ss., o en Séneca, *Ep.* 6, 4, pero para los medievales el punto de partida está en la Biblia. Leemos en *Ecclesiasticus* 20, 32: «Sapientia absconsa et thesaurus invisus, quae utilitas in utrisque?» («Sabiduría escondida y tesoro oculto, ¿qué utilidad hay en ambos?»); y en Mateo, 5, 14-15:

> Vos estis lux mundi: non potest civitas abscondi supra montes posita, neque accendunt lucernam et ponunt eam sub modio, sed super candelabrum, ul luceat omnibus, qui in domo sunt.[20]

> (Vosotros sois la luz del mundo: no se puede ocultar una ciudad situada sobre un monte, no se enciende una lámpara y se pone bajo el celemín, sino sobre el candelero, para que ilumine a todos los que están en la casa.)

Los ejemplos se podrían multiplicar enormemente sin demasiadas dificultades. Citaremos algunos. El Archipoeta, uno de los mayores líricos latinos de la Edad Media (siglo XII), empieza así una composición:

> Ne sim reus et dignus odio,
> Si lucernam ponam sub modio,
> Quod de rebus humanis sentio,
> Pia loqui iubet intentio.

> (Para no ser reo y digno de odio si pongo la lámpara bajo el celemín, la intención piadosa recomienda hablar de lo que siento respecto de las cosas humanas.)

Y he aquí la *Vie de St. Nicolas* de Wace (mitad del siglo XII):

---

20. Cfr. también la parábola del talento que no hay que sepultar (Mateo 25, 18).

A ces qui n'unt lectres aprises
Ne lur ententes n'i ont mises,
Deivent li clerc mustrer la lei...
Chescon deit mustrer sa bonté
De ceo que Deus lui ad doné.

(vv. 1-3 y 15-16)

(A los que no han aprendido las letras y no se han dedicado
a ellas, los literatos deben mostrarles la religión... Cada uno debe
mostrar sus capacidades, las que Dios le ha dado.)

Y el gran novelista Chrétien de Troyes (segunda mitad del si-
del siglo XIII:

Car qui son estuide antrelait,
Tost i puet tel chose teisir,
Qui mout vandroit puis a pleisir.

(*Erec*, vv. 6-8)

(Pues quien abandone su estudio, puede ser que pronto calle
cosas tales que luego le producirían satisfacción.)

Posteriormente leemos al principio del *Renart le Novel* de Jac-
quemart Gielée (siglo XIII):

Qui le bien set dire le doit.

(v. 1)

(Quien conoce el bien debe decirlo.)

Del que se hace eco el *Libro de Alixandre,* castellano, también
del siglo XIII:

Deve de lo que sabe omne largo seer
Sy non podría en culpa e en yerro caher.

(estr. 1)

Y de nuevo Dante en el *De Monarchia,* I, 1, 3:

... ne de infossi talenti culpa redarguar.

(... para que no se me culpe de haber enterrado el talento.)

Reunir un amplio conjunto de ejemplos de los principales lugares comunes al uso en la literatura medieval (y a menudo con sus reflejos en la moderna) no es difícil; lo que es mucho más delicado es el problema de valorarlos. Normalmente se tiende a interpretaciones opuestas y extremadas: o se olvida por completo el valor tópico de determinadas frases, otorgándoles una plenitud expresiva que a menudo implica ecos realistas o autobiográficos evidentemente inadmisibles, o bien se interpreta el lugar común como un ejemplo más de un determinado tipo, vacío de cualquier expresividad que no sea la simple confirmación de la existencia del *topos* mismo.

Si, por ejemplo, el poeta castellano del siglo XIII Gonzalo de Bereo escribe en su *Vida de Santa Oria*:

> Avemos en el prólogo mucho detardado,
> Sigamos la estoria, esto es aguisado:
> Los días non son grandes, anochezrá privado,
> Escrivir en tiniebra es un mester pesado.
>
> (estr. 10)

es fácil que un comentarista superficial señale la nota realista, la confesión autobiográfica del poeta en la celda del monasterio invadida poco a poco por las tinieblas; el que, en cambio, ha identificado el *topos* de conclusión, ya que se encuentra en Cicerón (*De oratore,* III, 209) y lo ha ido siguiendo hasta Milton, despoja los versos de Berceo de todo contenido anecdótico.

Claro está que la primera actitud es demasiado ingenua, pero también la segunda es demasiado aséptica. El uso sistemático de lugares comunes no tiene por qué estar privado de expresividad; tiene la suya propia, más secreta y difícil. Pensemos en el lenguaje humano: en sus esquemas elásticos pero siempre limitados, cada uno de nosotros moldea su propia expresividad que aparece en formas siempre nuevas y capaces de infinitas variedades. Un sentimiento de alegría que yo tenga, por ejemplo, no sólo no es igual al de otros de mis semejantes, sino que ni siquiera se parece a los sentimientos de alegría que yo mismo he experimentado en otros momentos. Pero esta variedad se expresa lingüísticamente en un repertorio limitado de términos o de frases que son comunes a mí y a todos los hablantes de mi lengua. De esta manera el lenguaje reduce de manera notable la variedad de las experiencias humanas, pero nosotros estamos ya de tal manera amoldados a sus esquemas que nos contentamos con las posibilidades que nos ofrece y advertimos sin dificultad hasta los matices más pequeños que nos permite expresar. Pues bien, en el campo específico de la composición literaria, la tópica representa una nueva selección y reducción de las posibilidades expresivas, limitadas a una cantidad verdaderamente exigua, pero capaces de encauzar la misma carga de significación. Por otra parte no se pierde totalmente la posibilidad de seleccionar; si para el prólogo se puede recurrir a 10 o 15 lugares comunes está claro que, al escoger uno y rechazar los demás, se selecciona un contenido expresivo con respecto a otros, exactamente igual que cuando se escoge un término en una serie de sinónimos o casi sinónimos (por ejemplo *alegría,* en lugar de *contento, júbilo, gozo, regocijo, placer,* etc.). En segundo lugar, precisamente porque existe una norma, cualquier variación respecto a ella adquiere valor expresivo; si la norma retórica requiere un determinado esquema de descripción de la mujer (y en efecto todos los personajes femeninos de las novelas medievales y todas las mujeres amadas por los poetas tienden a parecerse entre sí), cualquier variación respecto a ésta (la preferencia por los cabellos negros en lugar de rubios, por ejemplo) o también la selección (limitarse a un grupo concreto de detalles) deben tener un sentido preciso. Finalmente cualquier lugar común pierde, sin duda, carga expresiva original, pero a la vez adquiere otro tipo de expresividad derivada de su naturaleza de lugar común; si hoy un novelista describe un prado, una fuente, unos árboles llenos de hojas, esta descripción tiene valor por sí misma o como máximo expresa la visión individual de un paisaje; pero si se encuentran estos mismos elementos en un texto medieval, no cabe duda de que el escritor ha recurrido al lugar común del *locus amoenus,* el paisaje ideal en el que se desarrollan siempre los acontecimientos especialmente significativos. Y hay más; para el poeta medieval es esencial que su materia posea un nivel literario garantizado, porque no todas las materias ni todas las formas de tratarlas tienen suficiente dignidad. Pues bien, recurrir al modelo tópico garantiza automáticamente que se ha alcanzado el nivel deseado, asegura la dignidad literaria.

Por lo tanto, y volvemos ahora a los versos de Berceo, si bien es cierto que el fragmento no responde a un anochecer concreto y autobiográfico del momento en que fue escrito, no deja de ser, a su modo y en el marco de los medios expresivos de la época,[21] un signo indiscutible de la intimidad comunicativa del humilde poeta que ha querido dar a su página un tono directo y espontáneo, creando una relación existencial entre la perfección de los santos que canta y el asombro de los milagros marianos que recoge, por una parte, y su propia realidad de fiel y de monje y la de los lectores, tal vez pecadores y débiles pero atentos a la ejemplaridad, por otra.[22]

## 5. LA ESCUELA MEDIEVAL

No considero oportuno tratar con detalle de la tercera arte del *trivium,* la dialéctica, de secundaria importancia para nosotros y además completamente renovada a partir del siglo XII gracias al desarrollo de la lógica.[23] Es conveniente, en cambio, explicar mejor los métodos y la finalidad de la enseñanza medieval, que está encaminada sin lugar a dudas a algo que va más allá del mero dominio de la lengua latina. En realidad la escuela medieval combina el estudio minucioso y paciente de los *auctores,* con ejercicios personales de composición literaria regidos, claro está, por crite-

21. Que podía ofrecerle formas de preterición más variadas y más rápidas como el «Que vous dirai» («Qué os diré») de los poetas épicos y de los historiadores.

22. Para la retórica medieval ver Curtius, *op. cit.,* cap. 4.º, y los manuales de L. Arbusow, *Colores rhetorici,* Gotinga, 1948, y de H. Lausberg, *Elementos de retórica literaria,* Gredos, Madrid, 1974 (versión original, Munich, 1963) (y del mismo autor el *Manual de retórica literaria,* Gredos, Madrid, 1966); vid. también, E. Faral, *Les arts poétiques,* cit. Son importantes las obras de J. J. Murphy, *Rhetoric in the Middel Ages: a History of rhetorical Theory from Saint Agustin to the Renaissance,* University of California Press, Berkeley 1974 (traducido al italiano: *La retorica nel Medioevo,* Liguori editore, Nápoles, 1983); y, del mismo, *Mediaeval Rhetoric: a select Bibliography,* University Press, Toronto, 1971. Y por lo que respecta a la Edad Media española, no se deben olvidar los trabajos de Ch. Faulhaber, *Latin Rhetorical Theory in Thirteenth and Fourteenth Century Castile,* University of California Press, Berkeley, 1972; y, del mismo, «Retóricas clásicas y medievales en bibliotecas castellanas», *Abaco,* 4 (1973), pp. 151-300. Una exposición clara de los problemas que plantean la retórica y la poética medievales se halla en F. López Estrada, *Introducción a la literatura medieval,* cit. Para la tópica ver Curtius, *op. cit.,* cap. 5.º, y R. Menéndez Pidal, *Castilla, la tradición, el idioma,* Madrid, s. a., pp. 77-85; ídem, *Los godos y la epopeya española,* Madrid, 1956, pp. 243-255.

23. Cfr. Abelson, *op. cit.,* pp. 72 ss., y M. Grahmann, *Die Geschichte der scholarischen* Methode, 2 vols., Berlín, 1957 (especialmente el vol. 2). Vid. también, P. Riché, *École et enseignement,* cit.

rios de imitación y de emulación. Al término de un aprendizaje
de esta clase, era inevitable que el individuo quedara marcado
para siempre, y son precisamente la fuerza y la constancia de la
formación escolar los factores determinantes de la uniformidad
literaria que presentan muchos autores cultos medievales, que se
nos antojan como vinculados unos a otros por un cierto aire de
familia.

Entrar en una escuela medieval y respirar su atmósfera viva no
es empresa fácil ya que nos han llegado escasos testimonios sobre
el tema. El más bello es sin duda el amplio fragmento en el que
Juan de Salisbury recuerda en su *Metalogicus*, I, 24 (compuesto
en 1159) a su maestro Bernardo de Chartres, uno de los más
famosos de sus tiempos:

Excute Virgilium aut Lucanum, et ibi, cujuscumque philoso-
phiae professor sis, ejusdem invenies condituram. Ergo pro capacitate discentis, aut docentis industria et diligentia, constat
fructus praelectiones auctorum. Sequebatur hunc morem Ber-
nardus Carnotensis, exundantissimus modernis temporibus fons
litterarum in Gallia, et in auctorum lectione quid simplex esset,
et ad imaginem regulae positum, ostendebat; figuras grammaticae, colores rhetoricos, cavillationes sophismatum, et qua parte
sui propositae lectionis articulus respiciebat ad alias disciplinas,
proponebat in medio: ita tamen, ut non in singulis universa
doceret, sed pro capacitate audientium, dispensaret eis in tem-
pore doctrinae mensuram. Et quia splendor orationis aut *a pro-
prietate* est, id est cum adjectivum aut verbum, substantivo
eleganter adjungitur, aut *a translatione,* id est ubi sermo ex
causa probabili, ad alienam traducitur significationem, haec,
sumpta occasione, inculcat mentibus auditorum. Et quoniam
memoria exercitio firmatur, ingeniumque acuitur, ad imitan-
dum ea quae audiebant, alios admonitionibus, alios flagellis et
poenis urgebat. Cogebantur exsolvere singuli die sequenti aliquid
eorum, quae praecedenti audierant; alii plus, alii minus: erat
enim apud eos praecedentis discipulus sequens dies. Vesperti-
num exercitum, quod declinatio dicebatur, tanta copiositate
grammaticae refertum erat, ut si quis in eo per annum integrum
versaretur, rationem loquendi et scribendi, si no esset hebetior,
haberet ad manum, et significationem sermonum, qui in communi usu versantur, ignorare non posset. Sed quia nec scholam,
nec diem aliquem decet esse religionis expertem, ea propone-
batur materia, quae fidem aedificaret, et mores, et unde qui

convenerant, quasi collatione quadam, animarentur ad bonum. Novissimus autem hujus declinationis, imo philosophicae collationis, articulus, pietatis vestigia praeferebat; et animas defunctorum commendabat, devota oblatione psalmi, qui in Poenitentialibus sextus est, et in oratione Dominica, Redemptori suo. Quibus autem indicebantur praeexercitamina puerorum, in prosis aut poematibus imitandis, poetas aut oratores proponebat, et eorum jubebat vestigia imitari, ostendens juncturas dictionum et elegantes sermonum clausulas. Si quis autem ad splendorem sui operis, alienum pannum assuerat, deprehensum redarguebat furtum; sed poenam saepissime non infligebat. Sic vero redargutum, si hoc tamen meruerat inepta positio, ad exprimendam auctorum imaginem, modesta indulgentia conscendere jubebat faciebatque, ut qui majores imitabatur, fieret posteris imitandus. Id quoque inter prima rudimenta docebat, et infigebat animis, quae in oeconomia virtus: quae in decore rerum, quae in verbis laudanda sunt: ubi tenuitas et quasi macies sermonis, ubi copia probabilis, ubi excedens, ubi omnium modus. Historias, poemata, percurrenda monebat diligenter quidem, et qui velut nullis calcaribus urgebantur ad fugam: et ex singulis, aliquid reconditum in memoria, diurnum debitum, diligenti instantia exigebat. Superflua tamen fugienda dicebat; et ea sufficere, quae a claris auctoribus scripta sunt: siquidem «persequi quid quis unquam contemptissimorum hominum dixerit, aut nimiae miseriae, aut inanis jactantiae est, et detinet, atque obruit ingenia, melius aliis vacatura; quod autem melius tollit, eo usque non prodest», quod nec boni censeretur nomine; omnes enim schedas excutere et volvere scripturas, etiam lectione indignas, non magis ad rem pertinet, quam anilibus fabulis operam dare. [...] Et quia in toto praeexercitamine erudiendorum, nihil utilius est quam ei, quod fieri ex arte oportet, assuescere, prosas et poemata quotidie scriptitabant, et se mutuis exercebant collationibus, pro quidem exercitio, nihil utilius ad eloquentiam, nihil expeditius ad scientiam, et plurimum confert ad vitam, si tamen hanc sedulitatem regit charitas, si in profectu litterario servetur humilitas.[24]

(Examina a Virgilio o a Lucano, y allí encontrarás condimentación para enseñar públicamente cualquier saber. El fruto de la explicación de los autores se fundamenta con seguridad en la capacidad del alumno y en la técnica y empeño del maestro. Bernardo de Chartres, la más copiosa fuente de humanidades

24.  *Patrol. lat.*, CXCIX, col. 854-856.

que ha tenido la Galia en los tiempos modernos, seguía este procedimiento: mostraba en la lectura de los autores lo que era honrado y estaba dispuesto según el modelo de las reglas; las figuras de la gramática, los colores retóricos, las capciosidades de los sofismas, y aquella parte de su programa que contenía referencias a otras disciplinas, la tenía situada en el medio de éste; de esta manera no enseñaba a los discípulos la totalidad de las cosas, sino que, según la capacidad del auditorio, les ofrecía a su tiempo un saber gradual. Partía de la base de que la brillantez de la oración procede o bien de la *propiedad,* es decir cuando el adjetivo o el verbo se unen elegantemente con el substantivo, o bien de la *traslación,* es decir cuando el discurso se traduce de una causa probable a otra significación; por lo tanto, aprovechando ocasiones oportunas, inculcaba estas cosas en las mentes de los que le escuchaban. Y puesto que con la ejercitación la memoria se fortalece y el ingenio se estimula, obligaba a los discípulos a imitar lo que iban oyendo; a unos con advertencias, a otros con el látigo y los castigos. Cada uno de ellos se veía obligado a poner en práctica al día siguiente alguna de las cosas que había aprendido el anterior; unos más y otros menos; para ellos el día siguiente era discípulo del anterior. La clase vespertina, que se llamaba de declinación, era tan densa de enseñanzas gramaticales que si alguien la seguía durante un año entero y si no era muy obtuso, tenía que dominar a la fuerza los secretos de la lectura y de la escritura y no podía ignorar el sentido de los textos que tratan de cosas de uso común. Pero como no es conveniente que ni la escuela ni ningún día de nuestras vidas esté alejado de la religión, proponía una temática que fortaleciera la fe y las costumbres, de manera que todos los que se reunían a su alrededor se sentían empujados hacia el bien casi por una lógica deducción. En efecto, la última parte de la clase de declinación, o mejor dicho de enseñanza filosófica, versaba sobre temas de piedad; se encomendaban las almas de los difuntos con la ofrenda del salmo *Redemptori suo,* que es el sexto de los Penitenciales y de la oración dominical. A los muchachos que tenían que hacer ejercicios de imitación de prosas y de versos, les ofrecía poetas y oradores y les aconsejaba que siguieran sus huellas, mostrándoles las conexiones entre las frases y las elegantes cláusulas de los discursos. Y si alguien para dar brillo a su obra tomaba ropajes ajenos, en el caso de que el robatorio fuera descubierto, era reprendido; pero muy a menudo las penas no se llegaban a imponer. Y así el alumno también era castigado si lo merecía el uso equivocado que hacía de las palabras para expresar la

imagen de un autor; con modesta indulgencia los obligaba a
elevarse, consiguiendo que los que imitaban a los mayores fueran luego imitados por la posteridad. También enseñaba lo
siguiente entre los primeros rudimentos y se lo inculcaba en
las almas: cuáles son las virtudes de la armonía del discurso;
qué es lo que hay que alabar en el ornato de los conceptos, qué
en las palabras; dónde conviene un discurso breve y casi esque-
lético, dónde una discreta abundancia, dónde riqueza exuberan-
te, dónde moderación en todo ello. Exhortaba también a recorrer
las historias y los poemas con la diligencia y con la lentitud
del que no se siente espoleado a la fuga; y con empeño diligente exigía de cada uno, como deuda diaria, algo que tuviera
guardado en la memoria. Decía, sin embargo, que hay que huir
de lo superfluo; y que son suficientes las cosas escritas por los
autores famosos; ya que «seguir algo que haya dicho alguna vez
un hombre digno de desprecio, o bien nace de una gran miseria o bien de excesiva jactancia, y obstaculiza y embota el ingenio que mejor podría aplicarse en otras cosas; pues en la
medida en que arrebata cosas buenas, en aquello precisamente
no favorece», porque no puede ser designado con el nombre
de bueno. En efecto, trabajar sobre libros que contienen páginas indignas incluso de ser leídas, no es más apropiado a
nuestro propósito que ocuparse de las chácharas de las viejas.
[...] Y ya que en todos los ejercicios de los estudiantes no
hay nada tan útil como someterse a lo que hay que hacer según
una técnica, escribían todos los días prosas y versos y se entre-
naban mucho en la interpretación, pues aparte de este tipo de
ejercicio, no hay nada tan útil para la elocuencia, ni tan reco-
mendable para el conocimiento; además ayuda mucho en la
vida, si la caridad rige este empeño y si en el aprendizaje
literario se respeta la humildad.)

Nos bastará subrayar algunos puntos fundamentales del fragmento. En primer lugar la distinción teórica entre las *artes* queda
superada en la práctica de la enseñanza, porque todos los *auctores*
son maestros de cada una de las siete disciplinas. En ello está
implícito el concepto del poeta *theologus,* capaz de expresar la
multiforme totalidad de una cultura, y que tendrá su máxima expresión en Dante.[25] Este tipo de enseñanza requiere que el maestro tenga no sólo una gran preparación sino también una habilidad

25. Cfr. S. Battaglia, *Esemplarità e antagonismo nel pensiero di Dante,* Nápoles, 1967, pp. 269 ss.

didáctica eficaz, para poder graduar, según convenga, la doctrina que hay que ofrecer al alumno en relación a su madurez. El maestro tenía la obligación de asegurarse que los discípulos le seguían: para ello repetía incansablemente las explicaciones, amonestaba y hasta aplicaba castigos corporales (no es casual que la iconografía de la Gramática presente siempre la férula, como puede observarse en cualquier representación medieval). Claro está que el aprendizaje lingüístico estaba siempre en primer plano, aunque es difícil admitir que se obtuvieran resultados apreciables en un solo año como dice nuestro autor (téngase en cuenta, sin embargo, que en la Edad Media un año escolar equivalía a 300 horas de clase); pero, por la dosificada complejidad de su temática, por la preocupación moral y religiosa constantes, la escuela medieval era, sobre todo, una escuela formativa, una escuela de vida, una escuela total. Fijémonos en que la escuela inglesa, que es la que mantiene vivos más elementos de la herencia medieval, conserva todavía plenamente este aspecto. Considérese asimismo la invitación a componer siguiendo las huellas de los *auctores*; se trataba de un ejercicio tan estrechamente relacionado con la lectura diaria, con la escrupulosa disección de los textos, que a la fuerza tenía que retener ecos y reminiscencias de éstos. Hasta los mejores escritores, los más originales, no podían renunciar a esta íntima relación con los antiguos ni a los esquemas retóricos gracias a los que habían aprendido a escribir.

No cabe duda de que una escuela de estas características imprimía carácter. Juan de Salisbury la recuerda con emoción; Guiberto de Nogent (ss. XI-XII), con disgusto y acritud porque había caído en las manos de un maestro ignorante y amigo de pegar al alumnado. En realidad Guiberto debió tener una preparación de menor calidad que la de Juan, pero inspirada en los mismos principios. Gracias a esta homogeneidad, en la Edad Media, con aplicación y estudio, resultaba siempre factible recuperar el tiempo perdido y alcanzar el nivel de los más cultos.

## 6. El nacimiento de las Universidades

Ahora bien, hablar de la instrucción medieval en un único bloque es realizar una generalización arriesgada; a pesar de lo dicho, existieron diferencias significativas en el espacio y en el tiempo. Sin ir más lejos no se puede silenciar la profunda evolución que, desde comienzos del siglo XI, conduce, tras un siglo de camino, a la creación de las Universidades, una de las instituciones más fecundas de la Edad Media. Y esta evolución tiene para nosotros especial interés porque es estrictamente contemporánea del florecimiento de la literatura romance y se localiza fundamentalmente en Francia.

Antes del nacimiento de las Universidades la escuela europea se basaba en las Capitulaciones de Carlomagno, cuyas disposiciones había conservado con una tenacidad tan providencial como limitada y estéril. Había pocas escuelas y pocos estudiantes, destinados todos ellos a la carrera eclesiástica y en parte a cubrir plazas en las cortes, a pesar del predominio del derecho oral. En los úlimos decenios del siglo XI empieza ya a apuntar una renovación: aumenta el número de los maestros, florecen escuelas en lugares que habían estado privados de ellas desde siglos, crece evidentemente la demanda de cultura, se multiplica el número de los estudiantes. Hacia 1130 ya hay voces en Inglaterra que se quejan del excesivo número de maestros. Las normas que regulan las actividades escolares proliferan, surgen conflictos y discusiones; la estructura de la escuela se tambalea, pero es una crisis de crecimiento.

Lo que es todavía más significativo es el aumento de prestigio de la cultura. Entre los nobles germánicos, y por lo tanto entre las clases altas de los siglos IX-XI, era tradicional el menosprecio por la cultura gramatical y literaria, considerada superflua. El ideal del caballero, el *miles,* estaba perfectamente diferenciado del del *clericus,* el hombre de cultura. Sin embargo, en el siglo XII todo esto tiende a cambiar. Encontramos, por ejemplo, a un rey, Enrique I de Inglaterra, a quien se celebra como *philosophus;*[26] se atribuye a este personaje el proverbio de «Rex illitteratus, asinus coronatus» («Rey ignorante, asno coronado»), que tiene su explicación en una disputa entre el conde Folco de Anjou (942-960) y el rey Luis IV de Francia, que desde su ignorancia comenta irónicamente las habilidades clericales de su vasallo.[27] Ya

26. De Guillermo de Malmesbury, *Gesta Regum Anglorum,* edición Stubbs, v. 390 (vol. II, p. 467).

27. La anécdota está sacada de las *Gesta Consulum Andegavorum* de Breton d'Amboise (entre 1155 y 1173) y su autenticidad es lógicamente algo dudosa: se trata de la proyección de ideales contemporáneos en el pasado.

son numerosos los nobles que saben leer y escribir, que se rodean de escritores, o que por lo menos los protegen y se dejan dedicar obras por ellos.

Estos fenómenos no son más que un indicio de lo que pasaba en mayor escala en el seno de la sociedad. Se trata de un proceso lento, pero el prestigio de la cultura no deja de aumentar gradualmente, el *miles* puede ser también *clericus,* hasta hay alguien que dice que debe serlo.

El florecimiento de las escuelas no es, sin embargo, uniforme. Aparte de las ciudades francas italianas y de algún centro ibérico, en Francia hay zonas de gran actividad y zonas de sombra. Entre las primeras cabe señalar dos. La una va desde las cuencas del Mosa y del Escalda hasta Lieja y se prolonga en tierras de lengua alemana por la Renania, hasta Tréveris, Maguncia y Colonia; la otra tiene su centro en Le Bec, Chartres, París y Reims y llega por el suroeste hasta Angers, Le Mans, Tours, Orléans, Poitiers.[28]

Estas escuelas del siglo XII eran algunas monásticas y otras capitulares. Las primeras pertenecían al tipo que había predominado en épocas anteriores pero que en aquel momento estaba en crisis. La existencia de escuelas para alumnos externos, junto a las destinadas solamente a los novicios, había producido tradicionalmente problemas en los monasterios; la reforma que partía de Cluny en aquellos años atajó la cuestión concentrando la educación en la Biblia y la liturgia y eliminando las escuelas «externas». Las escuelas capitulares, en cambio, nacidas bajo la protección de catedrales o colegiatas y encomendadas a un *scholasticus,* de quien dependía la prerrogativa de conceder a los estudiantes la *licentia docendi,* el título definitivo, fueron adquiriendo mayor importancia, sobre todo porque —a diferencia de los monasterios— estaban situadas en las ciudades, es decir en los nuevos centros de la vida social. Las escuelas de Chartres en las que enseñaba Bernardo, eran de esta clase.

En París había también una escuela capitular, que naturalmente estava vinculada a la catedral de Nôtre Dame; allí empezó a enseñar Abelardo hacia 1115 llevando el método dialéctico a un éxito extraordinario. Hacia mediados de siglo este método se aplicaba ya sistemáticamente a la teología en el *Liber Sententiarum*

---

28. El área de difusión de las principales bibliotecas de la época es prácticamente idéntica.

de Pedro Lombardo. Gracias a tales innovaciones las artes liberales quedaban reducidas a un estudio preparatorio para la nueva teología; por otra parte su curriculum tradicional ya había sido alterado con la introducción de la *Lógica* aristotélica. Estas novedades y la fascinación que ejercían las personalidades de determinados maestros atraían a París a estudiantes de todos los rincones de Europa. Pero no los acogía ningún tipo de organización, puesto que la que podía ofrecer Nôtre Dame era totalmente insuficiente. El remedio apareció hacia mediados del siglo XII sugerido por la misma anarquía de la situación; los maestros se constituyeron en corporación profesional y empezaron a trabajar como grupo. Se fijaron unas normas para el ingreso al cuerpo que representaban a la vez la conclusión del aprendizaje de los alumnos. Esta organización floreció precisamente porque tenía que enfrentarse con problemas muy graves: las relaciones con Nôtre Dame, que reclamaba sus derechos a través de un canciller, la lucha por el reconocimiento de los privilegios clericales para los estudiantes, las tensiones con los habitantes de París, el equilibrio entre el rey de Francia y el papa.

En la primera mitad del siglo XIII nace, a partir de estas primeras experiencias y de manera orgánica, la institución del *studium generale* (tal es su nombre medieval); se trata de un organismo escolar que puede conceder por autorización papal el derecho de enseñar en todas partes. El *studium generale* está formado por distintas facultades (artes liberales, medicina, teología, derecho canónico), la primera de las cuales es propedéutica para las demás. Los profesores y los estudiantes forman la *universitas magistrorum et scholarium* del *studium generale* y están gobernados por un rector que en París es el rector de los «artistas».

Las universidades más antiguas (París, Bolonia, Oxford) nacen todas como organizaciones espontáneas. Posteriormente empiezan a aparecer a su imagen las universidades de fundación papal, por ejemplo Tolosa, o regia, como Nápoles (fundada en 1224 por Federico II Staufen). Otras universidades proceden de una escisión, como Cambridge respecto a Oxford y Padua, a Bolonia. No todas las organizaciones eran idénticas; en Bolonia, por ejemplo, predominaba la *universitas scholarium,* de cuya gestión dependía el *studium generale*; en Oxford se instaura muy temprano la organización de los *colleges,* que sigue viva hoy en día. Tampoco era uniforme el tipo de estudios que se ofrecían; en París no se enseñaba derecho romano, mientras que en Bolonia era la disciplina fundamental.

Lo que más nos interesa es que las Universidades modificaron profundamente el ambiente cultural de la época. Antes actuaban inconstantemente de catalizadores culturales algunas cortes o algunos individuos aislados; desde la fundación de los *studia* la cultura tuvo ya sus piedras angulares y sus tradiciones fuertemente arraigadas. Dentro del ámbito universitario las artes liberales no desaparecieron, sino que sufrieron un reajuste. Ahora bien, el saber por excelencia transmitido por las Universidades es el aristotelismo; de las Universidades nace la filosofía escolástica y de ellas surge el espíritu enciclopédico que caracterizará al siglo XIII. Aparece una sustancia cultural nueva y riquísima que engendra nuevos esquemas de pensamiento y de expresión. Todo esto se realizaba en latín, lengua que gracias a la eclosión del fenómeno universitario adquirió un nuevo vigor totalmente imprevisible y que fue entonces más que nunca la lengua de la cultura europea. El mundo universitario tuvo un peso tal y una fuerza de atracción tan grande, que incluso llegaron a reflejarse en las literaturas vulgares; su influencia fue menor o mayor según los países, los ambientes y los géneros literarios, pero en general se dejó sentir muchísimo. Pensemos, por ejemplo, en Italia en las personalidades de Guittone, Guinizelli, Cino da Pistoya y sobre todo Dante, tan ligado a la escolástica, que tal vez estudió en París. Sin las Universidades no comprenderíamos el *Roman de la Rose* de Jean de Meung, la poesía de François Villon, o la *Celestina*.[29]

## 7. El Cristianismo y los escritores paganos

En el *Dialogus super auctores* de Conrado de Hirsau, en el que dialogan un maestro y un discípulo, este último formula la siguiente pregunta:

29. Puede utilizarse como introducción el excelente libro de H. Wieruszowski, *The Medieval University,* Princeton, 1966. La obra clásica sobre el tema es: H. Rashdall, *The Universities of Europe in the Middle Ages,* editado por F. M. Powicke y A. B. Emden, Oxford, 1936 (la primera edición de esta obra, en tres volúmenes, es de Oxford, 1895). Para el conocimiento de las Universidades españolas, se puede utilizar el libro de C. M. Ajo G. y Sainz de Zúñiga, *Historia de las Universidades hispánicas,* I, «Medievo y Renacimiento», CSIC, Ávila, 1958.

> Itane dabimus operam apprehendende dialectice ceterarum-
> que disciplinarum, cum «stultam mundi sapientiam» Christus
> «dei uirtus et sapientia» fecerit et Paulus, qui sapientiam inter
> perfectos loquitur, nihil nisi Christum et hunc crucifixum
> nouerit? [30]

> (¿Nos esforzamos, pues, en aprender la dialéctica y las de-
> más disciplinas, cuando Cristo ha hecho «necia la sabiduría del
> mundo», siendo él «virtud y conocimiento de Dios», y Pablo,
> que habla del saber entre los más sabios, no ha conocido otra
> cosa que Cristo y su crucifixión?)

El problema es antiguo y crucial: ¿cómo es posible que la
tradición cristiana haya acogido en su seno a la herencia pagana?
Se trata de un problema de saberes, sin embargo no hay que
olvidar sus aspectos prácticos y hasta humanos y sentimentales.

La Iglesia no continuó la tradición judaica para la que la
Sinagoga era esencialmente un lugar de estudio: «quorum [Iudeo-
rum] traditio ad nos transitum fecit, quae per negligentiam ob-
solevit» («cuya [de los Judíos] tradición pasó a nosotros, pero se
extinguió por negligencia»), escribía Ambrosiaster [31] en el siglo IV. Sin embargo, la Biblia y la Liturgia tenían un papel tan
importante en la vida cristiana que se hacía indispensable la presencia de clérigos cultos, cuya preparación sólo podía realizarse
en las escuelas laicas que, en época imperial, eran naturalmente
paganas. El estudio personal enriquecía a posteriori las nociones
aprendidas, imprimiéndoles el sello del cristianismo. Incluso el
*De doctrina christiana* de San Agustín, expresamente dedicado a
la formación intelectual de los fieles, se limita a suponer por
parte de éstos la normal asistencia a la escuela clásica. Las primeras escuelas exclusivamente cristianas fueron, más tarde, las de
los monasterios, que limitaron al mínimo las enseñanzas de gramática y de retórica, especialmente en los primeros tiempos, aunque ni siquiera en ellas se abandonaron nunca los esquemas tradicionales. Es lícito, pues, afirmar que en los primeros siglos de

---

Más asequible pero menos homogénea es la obra de A. Jiménez, *Historia de la Universidad española*, Alianza Editorial, Madrid, 1971. Vid. también, J. Verger, *Les Universités au Moyen Âge*, Presses Universitaires de France, París, 1973.

30. Edición Huygens cit., líneas 1583-1586.

31. Citado de Riché, *Éducation et culture dans l'Occident barbare*, pp. 46-47, nota 29.

la civilización cristiana todas las personas cultas se formaban a partir de los textos paganos tradicionalmente usados en las escuelas.

Pero el Cristianismo llevaba consigo el rechazo de la cultura profana grecolatina frente a un saber más elevado y más verdadero. Escribió San Pablo (se trata del fragmento al que se refiere el *discipulus* de Conrado):

Ubi sapiens? ubi scriba? ubi conquisitor huius saeculi? Nonne stultam fecit Deus sapientiam huius mundi? Nam, quia in Dei sapientia non cognovit mundus per sapientiam Deum, placuit Deo per stultitiam praedicationis salvos facere credentes. Quoniam et Iudaei signa petunt, et Graeci sapientiam quaerunt; nos autem praedicamus Christum crucifixum, Iudaeis quidem scandalum, gentibus autem stultitiam, ipsis autem vocatis Iudaeis atque Graecis Christum Dei virtutem et Dei, sapientiam; quia quod stultum est Dei, fortius est hominibus et quod infirmum est Dei, fortius est hominibus. Videte enim vocationem vestram, fratres; quia non multi sapientes secundum carnem, non multi potentes, non multi nobiles. Sed quae stulta sunt mundi elegit Deus, ut confundat sapientes.[32]

(¿Dónde está el sabio? ¿Dónde el letrado? ¿Dónde el disputador de este mundo? ¿No ha hecho Dios la sabiduría de este mundo? Pues por cuanto no conoció en la sabiduría de Dios el mundo a Dios por la humana sabiduría, plugo a Dios salvar a los creyentes por la locura de la predicación. Porque los judíos piden señales, los griegos buscan sabiduría, mientras que nosotros predicamos a Cristo crucificado, escándalo para los judíos, locura para los gentiles, más poder y sabiduría de Dios para los llamados, ya judíos, ya griegos. Porque la locura de Dios es más sabia que los hombres y la flaqueza de Dios más poderosa que los hombres. Y si no, mirad, hermanos, vuestra vocación; pues no hay entre vosotros muchos sabios según la carne, ni muchos poderosos, ni muchos nobles. Antes eligió Dios la necedad del mundo para confundir a los sabios.)

32. I *Cor.*, 20-27, referido a Isaías 33, 18. Cfr. también el episodio de San Pablo en el Areópago de Atenas en *Actos* 17, 17 ss., y el comentario de W. Jaeger, *Cristianismo primitivo y paideia griega*, FCE, México. Cfr. finalmente II *Tim.* 2, 20. La clara contraposición planteada por San Pablo la hallamos también en Tertuliano, por ejemplo al principio del *De Testimonio animae*, cfr. *Tertulliani opera*, I, Praga-Viena-Leipzig, 1890, pp. 134-136.

Unas palabras como éstas anuncian una renovación total de los valores culturales; queda claro que ningún cristiano desde ahora en adelante puede ya posponer, manteniéndose fiel a sí mismo, la *stultitia* divina a la *sapientia* del mundo. Tampoco podía ser menor la desconfianza del cristiano con respecto a la poesía pagana: en ella, no solamente se reflejaba por entero el patrimonio filosófico y religioso de la cultura clásica, con sus mitos y sus tradiciones; sino que, además, éste aparecía revestido de todas las sugestiones de la belleza formal, estimulando los sentidos de mil maneras y exaltando el triunfo de las pasiones. El amor a la poesía representa, pues, para el converso, un veneno sutil, difícil de combatir y algunas veces hasta de detectar; por ello la postura de los primeros poetas cristianos que escriben su obra dentro de la tradición formal clásica, como Sidonio Apolinar, Draconcio, Casiodoro o Enodio, es considerada equívoca sin remedio alguno.[33]

Ya hemos visto que la primera fase de la educación se recibía en escuelas laicas y sobre textos paganos. Al cabo de unos años se producía inevitablemente en la conciencia del cristiano el choque entre sus hábitos culturales y su compromiso religioso, que se hacía más acuciante por el factor individual del recuerdo de la juventud. A la fascinación que producía la poesía en un determinado momento se sumaba la dulce memoria de la que había producido en otros tiempos. Tenemos más de un testigo de este drama íntimo de muchas almas. San Agustín lloraba conmovido al leer los versos de Virgilio que hablan de Dido, pero intentaba borrarlos de su memoria no pudiendo destruir su hechizo. Y San Pedro Damián (siglo XI) escribe todavía:

> Olim mihi Tullius dulcescebat, blandiebantur carmina poetarum, philosophi verbis aureis splendebant, et Sirenes usque in exitium dulces meum incantaverunt intellectum.[34]

> (Antes Cicerón era dulce para mí, los cantos de los poetas me conmovían, resplandecían los filósofos con sus áureas sentencias, y las seductoras sirenas hechizaron mi mente hasta la perdición.)

---

33. Crf. Riché, *op. cit.,* pp. 127-129.
34. *Ep.* VI, 10 (*Patr. lat.,* CXLIV, col. 391) citado por H. de Lubac, *Exégèse médiévale,* II/1, París, 1961, p. 81, nota.

En el ambiente cosmopolita de Alejandría, sin embargo, parecía apuntar el camino de un equilibrio más sólido. Fue allí donde Filón Hebreo (30 a.C.-45 d.C.) creó una escuela de pensamiento sincretista que fundía perfectamente la tradición judaica con la filosofía neoplatónica. Esta orientación arraigó entre los primeros núcleos culturales cristianos y así Justino, Clemente y más tarde Orígenes fueron poniendo en claro que cabía considerar la teología cristiana no como la antítesis de la herencia cultural clásica, cuya culminación era la filosofía, sino como una especie de suprema coronación de la filosofía misma, como el grado más elevado del conocimiento. Esta concepción llegó en algunas ocasiones a las puertas de la heterodoxia y en otras hasta las traspuso, sin embargo tenemos que considerarla como un hallazgo definitivo; la volvemos a encontrar, por ejemplo, en un pensador tan riguroso y estricto como San Gregorio Magno, que escribe: «Hanc quippem saecularem scientiam omnipotens Deus in plano anteposuit, ut nobis ascendendi gradum feceret, qui nos ad divinae Scripturae altitudinem levare debuisset»[35] («Sin duda Dios todopoderoso dispuso en el llano esta ciencia mundana para que nos ayudara a levantarnos a la divina elevación de la Escritura»).

Es de capital importancia en el proceso de convergencia de las dos tradiciones la figura de San Jerónimo (340 apr.-420 apr.), que fue alumno en Roma del gramático Donato y que poseyó una cultura clásica solidísima. San Jerónimo citaba a los autores paganos con toda naturalidad y su amigo Magno le pidió una justificación, dándole oportunidad de exponer cabalmente en su epístola LXX las razones y motivos del humanismo cristiano del siglo IV. La argumentación se fundamenta en un fragmento de la Biblia en el que se autoriza a los judíos a casarse con esclavas paganas conquistadas en la guerra si se toman determinadas medidas:

quae radet caesariem et circumcidet ungues et deponet vestem in qua capta est sedensque in domo tua flebit patrem et matrem sua uno mense, et postea intrabis ad eam dormiesque cum illa, et erit uxor tua. (*Deuteronomio* 21, 12-13)

35. En I *Reyes* I, 5, n. 30 (*Patr. lat.*, LXXIX, col. 356). Cfr. también ibíd. (pero col. 355): «dum saecularibus litteris instruimur, in spiritualibus adjuvamur» («mientras nos instruyen en las letras seculares, nos ayudan en las espirituales»).

(y ella se raerá la cabeza y se cortará las uñas, y quitándose los vestidos de su cautividad, quedará en tu casa; llorará a su padre y a su madre por tiempo de un mes; después entrarás a ella y dormirás con ella y serás su marido y ella será tu mujer.)

La interpretación alegórica de este pasaje permite afirmar que hay que tratar a la literatura pagana igual que a la esclava de la Biblia, depurándola de sus errores, manteniéndola en una especie de cuarentena que la aísle de su contexto original y la asimile al del cristianismo para hacer de ella finalmente tu esposa, *uxor tua*. ¿No citó el apóstol San Pablo a Arátor (*Acta* 17, 18) e implícitamente a otros autores paganos? Si lo hizo fue para darles una interpretación y un sentido cristianos: «Ideo assumit Paulus verba etiam de his quae foris sunt, ut sanctificet ea»[36] («Por esto utiliza Pablo también las palabras de los que están fuera, para santificarlas»). Y mucho más tarde Rabano Mauro comentará:

Itaque et nos hoc facere solemus, hocque facere debemus, quando poetas gentiles legimus, quando in manus nostras libre veniunt sapientiae saecularis, si quid in eis utile reperimus, ad nostrum dogma convertimus; si quid vero superfluum de idolis, de amore, de cura saecularium rerum, haec radamus.[37]

(Y así pues nosotros solemos hacer esto, y debemos hacerlo, cuando leemos a los poetas gentiles, cuando nos vienen a las manos libros de la sabiduría mundana; convertimos a nuestro dogma todo lo útil que encontramos en ellos, borramos todo lo superfluo referido a los ídolos, al amor o a la preocupación por las cosas mundanales.)

También San Agustín recurría a la Biblia citando el *Exodo* 3, 22 y 12, 35 donde Dios recomienda a Moisés que los judíos despojen a los egipcios de sus riquezas antes del éxodo:

postulabit mulier a vicina sua et ab hospita sua vasa argentea et aurea hac vestes, ponetisque eas super filios et filias vestras, et spoliabitis Aegyptum;

36. Orígenes, citado por De Lubac, *op cit.*, p. 63 y nota. En la misma página aparece un pasaje significativo de Gregorio Magno.
37. *De clericorum instructione*, III, 18 (*Patr. lat.*, CVII, col. 369), citado en Leclercq, *op. cit.*, p. 59, nota. Consultar también a este respecto: J. de Ghellinck, *Le mouvement théologique du XII<sup>e</sup> siècle*, 2.ª ed., Brujas, p. 94.

(sino que cada mujer pedirá a su vecina y a la que vive en su casa objetos de plata, objetos de oro y vestidos, que pondréis vosotros a vuestros hijos y a vuestras hijas, y os llevaréis los despojos de Egipto)

lo que es ejecutado por los israelitas. De la misma manera el cristiano puede y debe adueñarse de todo lo bello y útil que tiene la cultura pagana a condición de que sepa encaminarlo al servicio de la verdad.

Este planteamiento de las relaciones entre cultura cristiana y cultura pagana, basado en los fragmentos bíblicos que hemos transcrito, permitía una recuperación selectiva de la literatura pagana, que, rigurosamente aplicada, habría conducido a la salvación de un limitado número de obras. Sin embargo, el criterio enunciado es enormemente elástico y de ello nos da una prueba el mismo San Agustín. En el *De ordine* habla del entusiasmo que sentía el discípulo Licencio por la fábula ovidiana de *Píramo y Tisbe* y expone cómo él intenta apagar tal entusiasmo a través del ejemplo y de la exhortación; sin embargo cuando ha conseguido que el joven deseche los peligrosos devaneos de los poetas para interesarse por la filosofía, San Agustín aprueba la *eruditio disciplinarum liberalium* («la erudición en las disciplinas liberales»), aunque *modesta sane ac succinta* («ciertamente comedida y sucinta»), precisamente como camino hacia la verdad. Aquí San Agustín admite la poesía a título de ciencia instrumental y parenética, tal como la hemos descrito anteriormente, y lo notable del caso es que propone la recuperación de uno de los textos más sospechosos, el de Ovidio, del que según San Agustín el lector podrá extraer: «illius foedae libidinis et incendiorum venenatorum execrationem» (I, 24) («la execración de aquella nefasta lujuria y exaltaciones envenenadas»).

Una lectura de los clásicos fundamentada en estos principios morales acaba por aportar al patrimonio cultural cristiano la totalidad de la herencia grecolatina, a pesar de las tensiones y disputas entre aceptaciones y rechazos, a la vez que inaugura un estilo de interpretación destinado a constituir un modelo paradigmático para toda la Edad Media. Es una lectura dúctil y abierta a cualquier tipo de textos, hasta a los más peligrosos, y que no hace más que aplicar a un caso particular procedimientos de exégesis sacados de la interpretación de la Biblia.[38]

## 8. Exégesis y alegoría

La confluencia del legado cultural pagano con la tradición cristiana no se explica sin tener en cuenta los hábitos exegéticos medievales; tales procedimientos de interpretación tienen que ser estudiados, entre otras razones porque ayudan al lector a desvelar las potencialidades significativas de los textos medievales, por lo menos en calidad de hipótesis que podrán ser desechadas pero no ignoradas.

Para los hombres de la Edad Media la interpretación de un texto no constituía una tarea fácil que se pudiera resolver en una única dimensión. He aquí lo que Hugo de San Víctor opina de ello:

> Expositio tria continet: litteram, sensum, sententiam. Littera est congrua ordinatio dictionum, quam etiam constructionem vocamus. Sensus est facilis quaedam et aperta significatio, quam littera prima fronte praefert. Sententia est profundior intelligentia quae nisi expositione vel interpretatione non invenitur.[39]

> (El comentario contiene tres grados: literal, de significado y de sentido profundo. La interpretación literal es una ordenación coherente de las palabras a la que llamamos también construcción. El significado es una lectura en cierto modo sencilla y abierta sugerida a nivel superficial por el texto. El sentido constituye una comprensión más profunda a la que no se llega sin exégesis o comentario.)

Vemos, pues, que, dejando de lado la interpretación literal o *littera* que Hugo identifica aquí con la estructura sintáctica, subsiste una distinción entre *sensus* y *sententia,* «significado» y «sentido profundo», ambos presentes a la vez en el texto pero dife-

38. Para desarrollar más ampliamente los temas de este párrafo consúltense las obras de Jaeger y De Lubac citadas anteriormente y también De Ghellinck, *op. cit.,* pp. 94-95, y E. A. Quain, «Accessus ad auctores», *Traditio,* III (1945), pp. 215-264. Para el episodio de San Agustín cfr. S. Battaglia, *La coscienza letteraria,* cit. pp. 51-61.

39. *Didascalicon* III, IX (*Patr. lat.,* loc. cit. cols. 771-772). Cfr. Taylor, *op. cit.,* p. 92.

renciables entre sí. Pues bien, a lo largo de la Edad Media se fue elaborando una técnica de notable complejidad encaminada a detectar y a identificar estos diversos grados interpretativos.

La técnica en cuestión tiene su eje principal (aunque no único) en la alegoría. De ninguna manera se puede sostener que la alegoría es una creación del cristianismo ideada para resolver sus necesidades; el procedimiento se remonta a épocas anteriores, de las que los cristianos las heredaron. Nunca la poesía fue considerada una evasión gratuita y parece verosímil que ya los antepasados de los griegos le atribuyeran las funciones mágicas que suele tener entre los pueblos primitivos.[40] En tiempos bastante antiguos perdió la poesía su contenido mágico, pero no dejó de ser considerada útil; para ser útil la poesía tenía que ser verdadera. Ésta es la concepción que poseyó Hesíodo. Pero, cuando en el siglo VII, antes de Cristo el pensamiento racionalista vino a sustituir formas más arcaicas, se presentó la necesidad de encontrar una nueva interpretación para los mitos religiosos y poéticos, especialmente para los que había cantado Homero y que permanecieron en el corazón de la paideia griega. Esta nueva interpretación es sin duda una lectura alegórica capaz de desvelar en los textos del ayer la verdad del presente.[41] Cuando se hubo alcanzado una perspectiva histórica suficientemente amplia se sometió a Virgilio a una exégesis del mismo tipo en la obra de Macrobio (hacia el 400), que era todavía pagano.

La adopción del método por los cristianos en cierto modo se halla presente ya en San Pablo, cuando en el Areópago interpretó en sentido cristiano el *Ignoto deo* («al dios desconocido») de la inscripción pagana.[42] Sin embargo fue en Alejandría donde, una vez más, se llevó a cabo una ósmosis perfecta del método alegórico por obra de Filón, quien, a través de la exégesis del Antiguo Testamento, supo demostrar que había una armonía total entre el sentido espiritual del texto, el hebraico, y el platonismo. Al cabo de cien años Orígenes volvió a utilizar el procedimiento pero en sentido cristiano, añadiendo una lectura tipológica o figural, de la que hablaremos más adelante, por lo que la exégesis bíblica se movió sobre dos planos: el literal y el alegórico, a los que

40. Cfr. A. Seppilli, *Poesia e magia,* Turín, 1962.

41. Cfr. Séneca, *Ep.* 88, 5 donde se mencionan distintas interpretaciones alegóricas de Homero visto como un estoico, un epicúreo o un académico. Su crítica es una prueba de la difusión y valor de estas lecturas.

42. Cfr. también *Actas* 17, 23 y Jaeger, *Cristianismo primitivo,* cit.

hay que añadir, para el Antiguo Testamento, el tipológico.

La escuela alejandrina, inaugurada precisamente por Orígenes, prevaleció durante la Edad Media sobre la de Antioquía que se limitaba a estudiar el sentido literal, admitía valores tipológicos únicamente en algunos fragmentos y rechazaba la alegoría; esta postura no tuvo repercusión alguna en el occidente latino. En realidad «el método alejandrino daba satisfacción a una necesidad emocional profunda y se inscribía en una visión general del mundo, mientras que el otro método le sorprendía [al pensador del mundo latino] por su frialdad e irrelevancia».[43]

La exégesis alegórica no sólo multiplicaba los sentidos de un texto, sino que daba también amplio despliegue a sus ecos y conexiones. En el *De doctrina christiana* (II, VI, 7) San Agustín recuerda una frase del *Cantar de los Cantares* (4, 2): «Dentes tui sicut greges tonsarum» («Son tus dientes cual rebaño de ovejas de esquila»), para exponer con toda claridad la necesidad de realizar una lectura alegórica, feliz en su libertad:

> nescio quomodo suavius intueor sanctos, cum eos quasi dentes Ecclesiae video praecidere ab erroribus homines, atque in ejus corpus, emollita duritia, quasi demorsos mansosque transferre.

> (no sé cómo podría figurarme mejor a los santos, pues los veo, casi como dientes de la Iglesia, librar a los hombres de los errores, e incorporarlos al seno de ésta, dulcificada su dureza, mordidos y amansados.)

Para San Agustín, el sentido alegórico, como podemos comprobar, no descarta el literal, sino que se combina con él, abriéndolo a infinitas significaciones espirituales.

He aquí, pues, cómo se va organizando una técnica sutil y vertebrada que encontramos ya explícita en Casiano (360-435 aproximadamente)[44] y que se constituyó en norma canónica. La expondremos según el modelo y las definiciones de Rabano Mau-

---

43. B. Smalley, *The Study of the Bible in the Middle Ages,* Nôtre Dame, 1964, p. 19.

44. «Θεωρητιχη vero in duas diuiditur partes, id est in historicam interpretationem et intelligentiam spiritalem... Spiritalis autem scientiae genera sunt tria, tropologia, allegoria, anagoge... Itaque historia praeteritarum ac visibilium agnitionem complectitur rerum... Ad allegoriam autem pertinent quac sequuntur, quia ea quae in ueritate gesta sunt alterius sacramenti formam praefigurasse dicuntur... Anagoge uero de spiritalibus· mysteriis ad sublimiora quaedam et sacratiora caelorum secreta coscendens ab apostolo ita subicitur... Tropologia est moralis expla-

ro.[45] El nombre *Hierusalem* es «secundum historiam civitas Iudaeorum» («según la historia la ciudad de los judíos»); queda claro que *historia* equivale aquí a *littera,* es decir al sentido literal. En cambio hay alegoría «cum verbis sive rebus mysticis praesentia Christi et Ecclesiae sacramenta signantur» («cuando la presencia de Cristo y los sacramentos de la Iglesia están señalados por palabras o elementos místicos»); corresponde, pues, la alegoría a la significación cristológica y eclesiástica, y entonces *Hierusalem* equivale a Ecclesia Christi. Tenemos además a la tropología como entidad independiente, «id est moralis locutio ad institutionem et correctionem morum, sive apertis seu figuralis prolata sermonibus» («es decir el enunciado moral encaminado a definir y corregir las costumbres, expresado en términos o bien abiertos o bien figurados»); en este caso *Hierusalem* quiere decir «anima hominis, quae frequenter hoc nomine aut increpatur aut laudatur a Domino» («el alma del hombre, la cual a menudo es fustigada o alabada por Dios bajo este nombre»). Y finalmente existe el sentido escatológico o anagogía «quae de praemiis futuris et ea quae in caelis est vita futura, sive mysticis seu apertis sermonibus disputat» («que discurre en torno a los premios futuros y a la vida futura que nos esperan en los cielos con palabras místicas o abiertas»), y nuestro nombre equivale entonces a «civitas Dei, illa caelestis, quae est mater omnium nostrum» [46] («la ciu-

natio ad emudationem vitae et instructionem pertinens actualem» («La teorética se divide en dos partes, es decir la interpretación histórica y la intelección espiritual... Los géneros de la ciencia espiritual son tres: tropología, alegoría, anagoge... De este modo la historia encierra el conocimiento de las cosas pasadas y visibles... Pertenecen a la alegoría las cosas que siguen porque lo que fue ·hecho en verdad se dice que prefigura la forma de otro sacramento... La anagogía elevándose casi de los misterios espirituales a secretos más sublimes y sagrados de los cielos fue sugerida así por el apóstol... La tropología es la explicación moral en vistas a la purificación de la vida y encaminada a la instrucción actual»), Jean Cassien, *Conférénces,* vol. II, París, 1958, pp. 189-190 (XIV, 8).

45. Cfr. H. Lausberg, *Manual de retórica literaria,* Gredos, Madrid, 1966, § 900.

46. Cfr. también Conrado de Hirsau, *op. cit.,* pp. 18-19: «Explanatio est ad literam, ubi dicitur quomodo nuda litera intelligenda sit, ad sensum ubi dicitur ad quid referatur quod dicitur, ad allegoriam, ubi aliud intelligitur et aliud significatur, ad moralitatem, ubi quod dicitur ad mores exitandos colendosque reflectitur» («La explicación es, según la letra, cuando se dice cómo hay que entender la letra por sí misma; según el sentido, cuando se dice a qué se refiere lo que se dice; según la alegoría, cuando se entiende una cosa pero se representa otra; según la moral, cuando lo que se dice se aplica a despertar y cultivar las buenas costumbres»).

dad de Dios, la celeste, que es madre de todos nosotros»).

Semejante método se nos puede antojar un pretencioso instrumento capaz de violentar sistemáticamente cualquier texto para que diga lo que de antemano uno se propone. Este juicio, sin embargo, no es justo y no explica las razones de ser del método mismo; el procedimiento en cuestión posee, en efecto, motivaciones muy genuinas y profundas aunque, como resulta evidente, ajenas a las exigencias de precisión y rigor verbal del hombre moderno.

Ante todo hay que estudiar cómo se enfrenta a un texto un lector medieval y cuál es su preocupación básica. Dejemos la palabra a Beda (673-735), quien en su prólogo a la exposición alegórica del libro bíblico de Samuel nos dice:

> si vetera tantummodo de thesauro Scripturarum proferre, hoc est, solas litterae figuras sequi Judaico more curamus, quid inter quotidiana peccata correptionis, inter crebrescentes aerumnas saeculi consolationis, inter innumeros vitae hujus errores spiritualis doctrinae legentes vel audientes acquirimus, dum aperto libro, verbi gratia, beati Samuelis, Elcanam virum unum duas uxores habuisse reperimus, nos maxime, quibus ecclesiasticae vitae consuetudine longe fieri ab uxoris complexu, et coelibes manere propositum est; si non etiam de his et hujusmodi dictis allegoricum noverimus exculpere sensum, qui nos vivaciter interius castigando, erudiendo, consolando reficit? [47]

> (si nos ocupásemos de entresacar del tesoro de la Escritura solamente las cosas antiguas, es decir de seguir exclusivamente las figuras del sentido literal según la costumbre judía, ¿qué amonestación en medio de los pecados cotidianos, qué consolación en las crecientes tribulaciones del siglo, qué doctrina espiritual en los innumerables errores de esta vida podríamos alcanzar leyendo o escuchando, si al abrir por ejemplo el libro del beato Samuel, hallamos que el varón Elcana tuvo dos mujeres, y lo hallamos precisamente nosotros que tenemos obligación por norma de vida eclesiástica de mantenernos alejados del abrazo de la esposa y de permanecer célibes; si no supiésemos desvelar en estos datos y en otros parecidos el sentido alegórico que vitaliza vigorosamente nuestro interior con la amonestación, la enseñanza y el consuelo?)

47. *Patr. lat.*, XCI, cols. 499-500.

El tono emocionado y elocuente de estas palabras nos da a entender que los textos «no se estudiaban únicamente como testigos del pasado, como documentos muertos. Había la constante preocupación de alcanzar una meta práctica: la formación del cristiano»;[48] es éste un juicio válido no sólo de cara a la cultura monástica, para la que lo formuló Leclercq, sino también para toda la Edad Media en general. Tomar en consideración un texto es sumergirlo en un tejido de problemas contemporáneos para que proponga soluciones útiles para éstos: de otra forma su lectura carece de sentido.

Y es aquí donde la lectura alegórica entronca con la «polimatía», una de las pretensiones más singulares de la cultura medieval. Ya Macrobio y Servio sostuvieron que Virgilio estuvo versado en todas las artes y que su libro ofrecía múltiples enseñanzas para cada una de ellas. Posteriormente se hizo habitual exigir tales enseñanzas de cualquier texto poético y así Dante fue celebrado, no sin fundamento, como poeta filósofo y teólogo, como «maestro di color che sanno» («maestro de los que saben»);[49] pero todos los poetas medievales que tenían una conciencia elevada de su oficio sabían que a sus textos les tocaba presentar posibilidades exegéticas para lectores de todas clases y niveles, como nos dice, por ejemplo, Alano de Lille en el prefacio de su *Anticlaudianus*,[50] por lo que Jean de Meung pudo escribir, y no sin razón, que componer poesías equivale a «travailler en philosophie» («trabajar en la filosofía»).[51] Ya sabemos por otra parte que la práctica de las escuelas suponía la competencia del *auctor* para cada una de las siete artes liberales.

Es casi superfluo añadir que estas teorías facilitaban una recuperación operativa y actual de los clásicos paganos. En el siglo XII

---

48. Cfr. Leclercq, *op. cit.*, p. 155.

49. Al igual que Virgilio lo había sido para él.

50. «In hoc etenim opere, litteralis sensus suavitas puerilem demulcebit auditum; moralis instructio proficientem imbuet sensum; acutior allegoriae subtilitas perficientem acuet intellectum. Ab hujus ergo operis arceantur ingressu, qui solis sensuum speculum dedit, rationis non aurigantur incessu» («En esta obra, en efecto, la suavidad del sentido literal endulzará el oído de los jóvenes; la instrucción moral impregnará este ventajoso sentido; la sutilidad más aguda de la alegoría activará el intelecto que se está formando. Que se mantengan alejados de la entrada de este tipo de lectura quienes, ocupados exclusivamente en el sentido del espejo, no se dejan guiar por el empuje de la razón») (*Patr. lat.*, CCX, cols. 487-488).

51. *Roman de la rose*, v. 18.724.

Juan de Salisbury escribió que «mendacia poetarum inserviunt veritati» («las mentiras de los poetas sirven a la verdad»)[52] y en otra obra, con claridad todavía mayor, y haciendo referencia explícita a Marciano Capella y a la conveniencia del hermetismo religioso, dijo:

> Ut sit Mercurio Philologia comes, insta,
> Non quia numinibus falsis reverentia detur,
> Sed sub verborum tegmine vera latent.
> Vera latent rerum variarum tecta figuris,
> Nam sacra vulgari publica iura vetant.[53]

> (Trabaja para que la Filología sea compañera de Mercurio, no porque demos reverencias a dioses falsos, sino porque bajo la cobertura de las palabras están escondidas las verdades. Las verdades yacen encubiertas bajo figuras de distintas cosas, son públicas las leyes que prohíben divulgar lo sagrado.)

En las escuelas, la lectura que estamos describiendo se realizaba en la práctica a través del *accessus* y del comentario. El primero constituía una especie de rápido prólogo al texto del *auctor* y tenía como finalidad enfocarlo con precisión, determinando sus propósitos últimos de acuerdo con una exégesis respetuosa para con la formación del alumno. Ya hemos visto que San Agustín formuló la adopción de las fábulas ovidianas con finalidades didácticas, pero a lo largo de la Edad Media se llegó a través de la práctica escolar a recuperaciones más plenarias. Según un *accessus ad auctores* anónimo del siglo XII[54] las epístolas de Ovidio fueron escritas para

> reprehendendere masculos et feminas stulto et illicito amore detentos... ethice subponitur, que morum instructoria est et extirpatrix malorum.

> (para amonestar a los varones y a las hembras deslumbrados por un amor burdo e ilícito... lo que se subordina a una ética que es maestra de costumbres y extirpadora de malos) (pág. 24).

---

52.  *Policraticus,* edición Webb, I, p. 186, 12.
53.  *Entheticus,* vv. 183-188.
54.  *Accessus ad auctores,* edición R. B. C. Huygens, Berchem-Bruselas, 1954.

Es ésta una interpretación que aparece tal cual en los otros dos *accessus* de la misma obra que han llegado a nosotros. El tercero dice: «intentio sua est in hoc libro hortari ad uirtutes et redarguere uicia» («su intención es en este libro exhortar a las virtudes y amonestar ante los vicios») (pág. 27).

Tampoco hay que insistir demasiado a propósito de esta técnica de lectura que se nos presenta o desarmadoramente ingenua o hipócritamente fraudulenta. No hay que olvidar que siempre existió otra corriente menos dada a compromisos justificados por acrobacias exegéticas y amiga de lúcidas distinciones. El *discipulus* de Conrado de Hirsau se pregunta, en efecto:

> cur ouidianis libris Christi tyrunculus docile summittat ingenium, in quibus etsi potest aurum in stercore inveniri, querentem tamen polluit ipse fetor adiacens auro, licet audium auri? [55]

> (si cuando el recluta de Christo dócilmente confía su ingenio a los libros de Ovidio, en los que se puede hallar oro entre el estiércol, la podredumbre que envuelve al oro le emponzoña, ¿es lícito estar ansiosos de este oro?)

Y no faltó el desinterés por la calidad de los contenidos a favor del entusiasmo por los encantos de la forma; el *accessus* que hemos citado dice a propósito de los *Amores* de Ovidio: «finalis causa scilicet utilitas est ornatus uerborum et pulchras hic cognoscere positiones» («su causa última, es decir su utilidad, es conocer la ornamentación de las palabras y su adecuada colocación»).

Sin embargo la dialéctica interior constituida por las reacciones y puntos de vista que acabamos de señalar no menoscaba sustancialmente el método exegético descrito al principio, ya que éste, por su íntima conexión con la visión del mundo que fue propia de la Edad Media, alimentó, sin lugar a dudas, las técnicas de lectura de aquel período histórico.[56]

---

55. Edición Huygens cit. líneas 1328-1330, p. 51.
56. Para ampliar este párrafo consultar, además de los libros de Curtius y de Jaeger citados repetidamente, el estudio de B. Smalley, *The study of the Bible in the Middle Ages*, Notre Dame, 1964; H. de Lubac, *Esegesi medievale*, Alba, 1962, y *Exégèse médiévale*, II, 1 y 2, París, 1961 y 1964; S. Battaglia, *La coscienza letteraria del Medioevo*, cit., y *Esemplaritá e antagonismo*, cit. passim. De Bruyne, *Estudios de estética medieval*, 3 vols., Gredos, Madrid, 1959 (en especial vol. II, pp. 316-357).

## 9. LA TIPOLOGÍA

Si el método exegético antes aludido crea una red de infinitas correspondencias entre las cosas, los acontecimientos, las experiencias y sus significaciones, añadamos ahora las específicas relaciones que instaura la interpretación tipológica o figural, que no hay que confundir con la tropológica.

Ya en San Mateo hallamos un pasaje (12, 40) en que Jesús dice: «sicut enim fuit Ionas in ventre ceti tribus diebus et tribus noctibus, sic erit filius hominis in corde terrae tribus diebus et tribus noctibus» («como estuvo Jonás en el vientre del cetáceo tres días y tres noches, así estará el Hijo del hombre tres días y tres noches en el corazón de la tierra»), con lo que establece una correspondencia concreta entre un episodio del Antiguo Testamento y un momento de su misión personal. En San Pablo el tema se presenta con un desarrollo más amplio; en la primera carta a los Corintios cita la nube de Egipto (*Exodo* 13, 21), el paso del Mar Rojo (*Exodo* 14, 22), el maná (*Exodo* 16, 15), el nacimiento de la fuente (*Exodo* 17, 6) y finalmente afirma: «Haec autem in figura facta sunt nostri» («Esto fue en figura nuestra») (10, 6), y más adelante:

> Haec autem omnia in figura contingebant illis; scripta sunt autem ad correptionem nostram, in quos fines saeculorum devenerunt.

> (Todas estas cosas les sucedieron a ellos en figura y fueron escritas para amonestarnos a nosotros, para quienes ha llegado el fin de los tiempos.) (10.11)

De esta manera San Pablo señalaba una correspondencia que la tradición exegética acogió y sistematizó, y en Occidente todavía más que en Oriente. En el siglo XIII el enciclopedista Vicente de Beauvais la definía en estos términos:

> Sic igitur est lex nova in veteri sicut fructus in spica. Omnia enim quae in Veteri Testamento implicite sub figura, traduntur in Novo Testamento, sed explicite et aperte.[57]

57. Citado por E. Réau, *Iconographie de l'art chrétien*, I, París, 1955, p. 193, nota.

(Así pues está la ley nueva en la antigua como el fruto en la espiga. En efecto todas las cosas que aparecen en el Antiguo Testamento implícitamente bajo figura, se pueden traducir al Nuevo Testamento explícita y abiertamente.)

La interpretación figural permitía hallar conexiones más íntimas entre el Antiguo y el Nuevo Testamento y además era el camino para rescatar al primero de su carácter exclusivamente judaico injertándole valores cristianos genuinos: «Con la interpretación figural, el Antiguo Testamento se transformó, tal como hemos dicho, de un libro de leyes y de una historia del pueblo de Israel en una serie de figuras de Cristo y de la Redención»,[58] y precisamente por esto se convirtió en algo plenamente válido y significativo para todos los cristianos.

Subrayemos la diferencia entre alegoría y tipología. Lausberg la especifica de esta manera:

> Distinta de la alegoría, cuyo fin es la interpretación del texto, es la tipología destinada a la interpretación de la realidad. La tipología ordena una realidad aparentemente caótica con arreglo al principio de la analogía... La tipología es una semántica de las realidades, la alegoría (ἄζζο αγορεμειτ) es una semántica de las palabras.[59]

Por tanto la tipología no supone en absoluto trascender el sentido literal en un plano interpretativo distinto, sino simplemente enmarcarlo en un contexto de distanciamiento cronológico.

> La interpretación figural establece entre dos hechos o dos personas un nexo por el que uno de ellos no se representa solamente a sí mismo sino que significa también al otro, mientras que el otro comprende y realiza al primero. Los dos polos de la figura están separados en el tiempo, pero se hallan los dos en el tiempo como hechos o figuras reales.[60]

Los acontecimientos que se narran en el *Exodo* tuvieron y siguen conservando una realidad y un sentido histórico que su valor figural no anula sino que completa. No estamos en el campo del

58. E. Auerbach, *Studi su Dante*, Milán, 1966, p. 203.
59. *Manual de retórica literaria*, cit., § 901, v. II, p. 288-290.
60. Auerbach, *op. cit.*, p. 204.

«aliud aliud significat» («una cosa significa otra cosa») propio
de la alegoría, sino en una íntima compenetración de cosas y
acontecimientos que se corresponden desde los extremos del arco
temporal y ello es debido a que todas las cosas coexisten en la
eternidad de Dios, donde no hay ni pasado ni futuro. «Las figuras, pues, no son solamente provisionales; constituyen al mismo
tiempo la forma provisional de algo eterno y sobrenatural.[61]»

Es comprensible que la interpretación figural, nacida de la
lectura de los textos sacros, se extendiera luego, precisamente
porque se presentaba como punto de enlace entre la eternidad y
el tiempo, a cualquier hecho de la historia humana en el que
emergiese el signo de ejemplaridad de un acontecimiento sólo
aparentemente casual. Por otra parte la historia quedaba, para el
cristiano, necesariamente enmarcada en una trayectoria precisa
que iba del pecado original a la Encarnación y a la Redención, y
de ésta al Juicio. Dentro de esta parábola temporal un acontecimiento no tenía importancia por sí mismo, no poseía un valor
definido y completo, ni siquiera formaba parte de un proceso
provisional en cuanto perennemente inacabado, como sostienen
otras concepciones de la historia; todo hecho particular carecía de
sentido hasta que no lo hallaba en una perspectiva providencial
y eterna. La historia «interpreta cada hecho singular o como profecía real o como cumplimiento de ésta»,[62] lo encuadra con precisión dentro de una concepción unitaria y grandiosa. El hombre,
sin embargo, lo vive sin esta seguridad, siente y sufre todas las
incertidumbres inherentes a él, todas sus facetas oscuras: lo vive
como una prueba.

La concepción tipológica encontró un campo de aplicación
amplísimo en las artes figurativas, en las que —para poner un
ejemplo— la imagen de Jonás y la ballena es recurrente en virtud
de su valor como figura de la Resurrección. Exagerando un poco
podríamos decir que se utilizan motivos iconográficos procedentes
del Antiguo Testamento únicamente cuando son asimilables a interpretaciones figurales. Louis Réau escribe: «nueve de cada diez
veces, los temas del Antiguo Testamento que se han mantenido
a flote son los que eran interpretados como figuraciones del Nuevo

61. Auerbach, *op. cit.*, p. 209.
62. Auerbach, *Typologische Motive in der mittelalterlichen Literatur*, Krefeld, 1953, p. 14.

Testamento».[63] De la larga lista de ejemplos que nos facilita este investigador, autor también de un cuadro sinóptico de los temas evangélicos con sus figuras, recordaremos solamente los frescos de San Angel in Formis cerca de Capua (siglo XI) y la famosa Escuela de San Roque de Tintoretto, en la que el Moisés que hace brotar la fuente de la roca es figura del bautismo de Cristo, la adoración de la serpiente de bronce lo es de la Crucifixión y así sucesivamente, y estas correspondencias figurales se reflejan incluso en la disposición de las pinturas.[64]

Sobre estas bases se fundamenta la *Biblia pauperum*, pequeño fascículo manuscrito o grabado sobre madera que tuvo amplísima difusión en los últimos años de la Edad Media; también es tipológica la concepción de los bestiarios que gozaron durante los siglos medios (e incluso más adelante) de una fama dilatada en cantidad de versiones latinas y vulgares, y que además fueron utilizados en infinidad de citas aisladas y como fuentes para la representación iconográfica. Son conocidos bajo el título de *Physiologus*, interpretado como nombre de autor, y el *accessus* anteriormente citado dice a propósito de él: «Intentio eius est delectare in animalibus et prodesse in figuris. Utilitas est ut naturas et figuras animalium cognoscamus» («Su intención es deleitar con los animales y ser provechosos con las figuras. Su utilidad consiste en que conozcamos las naturalezas y las figuras de los animales»). En las vidrieras de las catedrales góticas no suele faltar en las representaciones de la Resurrección la imagen de un león junto a la de Jonás. El *Physiologus* enseña, en efecto, que el león despierta al tercer día a sus cachorros que nacen muertos, lo que le convierte en figura de la Resurrección. Como se puede ver los bestiarios tienen una importancia que trasciende la de un simple repertorio iconográfico; en ellos la tipología se extiende de la historia y del tiempo a la naturaleza y a lo permanente. Pasamos insensiblemente de la tipología a la simbología.[65]

63. *Op. cit.*, pp. 207-208.

64. Para la Escuela de San Roque consultar el fascículo *Tintoretto: la Scuola di San Rocco*, de Renzo Chiarelli, Florencia, 1965 («Forma e colore»).

65. *El Fisiólogo. Bestiario Medieval*, introducción y notas de N. Guglielmi, Eudeba, Buenos Aires, 1971 (es la traducción castellana del texto del *Physiologus latinus, versio Y*, editado por F. J. Carmody, University of California, Publications in Classical Phylology, vol. 12, n.º 7, pp. 95-134, Berkeley-Los Ángeles, 1941). La edición argentina tiene gran profusión de ilustraciones. Para la exégesis, los bestiarios y otros aspectos didáctico-moralizantes tratados en este capítulo, vid. *GRLMA*, VI/2, pp. 203-280.

Cabe ahora hacer hincapié en la importancia de la concepción tipológica para la producción literaria, a la que suministraba una temática variada y un método provechoso. Consideremos, por ejemplo, la himnografía, entretejida toda ella de alusiones tipológicas. Citaremos algunos fragmentos de Adán de San Víctor (muerto en 1192), uno de los poetas más notables de la Edad Media. En la secuencia *Gratulemur in hac die,* escrita para la festividad de la Asunción de María, el poeta dice:

> estr.  6.  Tu a saeclis praeelecta
> Litterali diu tecta
> Fuisti sub cortice.
> De te Christum genitura
> Praedixerunt in scriptura
> Prophetae, sed typice.

(Tú, predestinada desde los siglos, estuviste largo tiempo encubierta bajo la corteza de la literalidad. Los profetas han predicho en sus escrituras que tú engendrarías a Cristo, aunque tipológicamente.)

Y más adelante:

> estr.  8.  Te per thronum Salomonis,
> Te per vellus Gedeonis
> Praesignatam credimus,
> Et per rubum incombustum,
> Testamentum si vetustum
> Mystice perpendimus.[66]

(Creímos que estabas prefigurada en el trono de Salomón, en el vello de Gedeón y en la zarza ardiente, si examinamos a fondo místicamente el Antiguo Testamento.)

Donde se hace referencia explícita a 3 *Reyes* 10, 19, *Jueces* 6, 35-40 y al *Exodo* 3, 2.

También la secuencia *Zyma vetus expurgetur,* escrita para la festividad de la Resurrección por el mismo poeta está llena de *figurae.* He aquí algunas estrofas:

66.  Texto de Auerbach, en *Studi,* cit., pp. 279-280.

estr. 7. Lex est umbra futurorum,
Christus finis promissorum,
Qui consummat omnia.

. . . . . . . . . . . . . . . .

estr. 19. Sic de Iuda leo fortis
Fractis portis dirae mortis
Die surgens tertia

20. Rugiente voce patris
Ad supernae simun matris
Tot revexit spolia.

21. Cetus Ionam fugitivum,
Veri Ionae signativum,
Post tres dies reddit vivum
De ventris angustia;

22. Botrus Cypri[67] reflorescit,
Dilalatur et excrescit,
Synagogae flos marcescit
Et floret ecclesia.[68]

(La Biblia es la sombra de las cosas futuras, Cristo es el final de las cosas prometidas, que lo lleva todo a cumplimiento... Así el fuerte león de Judá, rotas las puertas de la terrible muerte, con la rugiente voz del padre al despuntar el tercer día devuelve al seno de la madre soberana a todos los cadáveres. La ballena en figura del verdadero Jonás, al cabo de tres días, devuelve con vida de las angustias sufridas en el vientre al fugitivo Jonás; el racimo de Chipre vuelve a brotar, se dilata y crece, la flor de la Sinagoga se marchita y florece la Iglesia.)

Ya veremos en su momento que, paralelamente a algunos esquemas iconográficos muy frecuentes, en portales románicos y góticos, en el primer texto teatral francés, el *Jeu d'Adam* (siglo XII), la Encarnación de Cristo está figuralmente representada por una procesión de profetas que recitan un versículo de la Biblia cada uno, con valor de profecía de la venida del Redentor.

La concepción tipológica influye poderosamente en muchas obras literarias de la Edad Media y especialmente en la *Divina Comedia*. La presencia de la concepción tipológica se advierte no

67. No es ni la vara de Aarón, ni la *virga de radice Jesse*, sino el «racimo de Chipre» del *Cantar de Cantares*, I, 13.
68. G. M. Dreves y C. Blume, *Ein Jahrtausend Lateinischer Hymnendichtung*, I, Leipzig, 1909, p. 266.

sólo en algunos pasajes concretos de esta obra, sino también en el entramado de las correspondencias entre los cantos o en las conexiones entre los personajes y su realidad histórica pasada. Como escribe Auerbach, Virgilio o Beatriz no son alegorías de algo, sino figuras, «Personas históricas, que realizan [en el poema] algo que se dio figuradamente en sus vidas».[69]

## 10. El simbolismo y la creación artística

Marie-Madeleine Davy ha planteado con claridad el problema expresivo de los hombres del siglo XII (y podríamos decir —con las precisiones que haga falta— de los hombres de la Edad Media), así como su solución:

> Ven la creación y el papel central que el hombre desempeña en ella, pero ¿cómo comunicarlo? Cada hombre entiende según su facultad de comprensión. Ahora bien, el símbolo, testigo de la verdad, puede expresar el misterio. Gracias al símbolo será posible transmitir un orden de cosas incomunicable a través de la escritura o de la palabra, tanto en un tratado de teología, como en un sermón o en la imagen de un capitel.[70]

Hemos citado más arriba la definición de Lausberg, según la cual la alegoría es una semántica de las palabras y la tipología una semántica de la realidad, pero tal vez convenga precisar mejor esta segunda parte añadiendo: de las realidades del tiempo, de las correspondencias analógicas entre realidades cronológicamente lejanas. La verdadera semántica de las realidades en cuanto tales, por sí mismas, es el simbolismo, que está en la base de la alegoría y de la tipología pero que difiere de ellas porque, mientras aquéllas son procedimientos fundamentalmente exegéticos, éste es un instrumento de conocimiento de importancia capital.

69. *Typologische Motive,* cit., p. 13. Para la tipología en general cfr. Auerbach, *Studi su Dante,* Milán, 1966, pp. 174-221; ídem *Mímesis,* FCE, México, 1950 (reimpresión, 1975), passim: ídem, *Typologische Motive in der mittetalterlichen Literatur,* Krefeld, 1953, pp. 192-222; J. Daniélou, *Sacramentum Futuri. Études sur les origines de la typologie biblique,* París, 1950.

70. M.-M. Davy, *Initiation à la symbolique romane. XIIᵉ siècle,* París, 1964, p. 34. Véase, además, T. Todorov, *Théories du Symbole,* Seuil, París, 1977. M. Guerra, *Simbología románica,* FUE, Madrid, 1978. Debe recordarse también el útil *Diccionario de símbolos* de J. E. Cirlot, ahora reimpreso en Barcelona, Labor, 1978.

La concepción moderna del universo como un todo racionalizable a través de la reducción a fórmulas matemáticas de sus magnitudes mensurables procede, como es notorio, de los tiempos de Galileo y Descartes. La Edad Media heredó una teoría del número y de la cantidad de la civilización clásica, pero recogió y subrayó algunos aspectos característicos de ésta que configuraban una idea de la naturaleza harto distinta de la nuestra. Todos sabemos que la tradición pitagórico-platónica había identificado el elemento constructivo del universo con el número y la clave de la estructura de la realidad con la proporción; esta concepción, que procedía de las prácticas astrológicas más remotas, se había ido adaptando tanto a las abstracciones rigurosas de las matemáticas, como al desarrollo de la teoría de la música.

El hombre cristiano no tenía problemas al adoptar estas enseñanzas; ¿no hallaba acaso en el libro de la Sabiduría (11, 21): «sed omnia in mensura et numero et pondere disposuisti» («pero todo lo dispusiste con medida, número y peso»)? Claro está que no es ya la realidad misma la que posee una naturaleza intrínseca de base numérica, sino que es Dios quien ha dispuesto que así sea; esto refuerza todavía más la idea de la armonía de la creación, que viene a ser el reflejo de un orden rigurosamente teocéntrico.[71] El *De musica* de San Agustín y el *De arithmetica* de Boecio se encargaron de transmitir a toda la Edad Media con plena autoridad la teoría de la naturaleza *numerorum ratione formata* («formada a partir de la noción de número»);[72] y es sabido que esta teoría produjo a través del esquema tolemaico la imagen del universo que Dante consagró en su poema, con su ordenada y rigurosa estructura concéntrica.[73]

Sin embargo, el número no tardó en adquirir un valor por sí mismo más allá de su papel de motor oculto que el hombre iba descubriendo en la naturaleza; y así, traicionando los derechos de la observación y de la investigación, el número se transformó en un a priori, asumió infinitud de significaciones: la aritmética se

71. Cfr. L. Spitzer, *L'armonia del mondo. Storia semantica di un'idea*, Bolonia.

72. Boecio, *De arithmetica*, I, 2.

73. Una eficaz introducción al «modelo de universo» que fue propio de los medievales se halla en C. S. Lewis, *La imagen del mundo*, Antoni Bosch, edit., Barcelona, 1980. El simbolismo en Dante ha sido estudiado por H. F. Dunbar, *Symbolism in medieval thought and its consummation in the «Divine Comedy»*, Russell and Russell, Nueva York, 1961 (la primera edición es de 1929).

trocó en teología. Señalemos algunos ejemplos. A propósito del número tres ya San Agustín había dicho que «in ternario numero quamdam esse perfectionem, quia totus est; habet enim principium, medium et finem» («el número tres es como si llevara consigo la perfección, porque lo es todo; tiene, en efecto, principio, medio y final»);[74] no tardará en representar a la Trinidad, porque el tres es unidad en lo triple y viceversa, y será signo de concordia y de unión, de una totalidad plenaria dotada de una sólida trabazón. Así como el tres es la medida del espíritu y de la perfección eterna, el cuatro encierra, en cambio, la naturaleza de la materia temporal; el mundo visible se nos aparece construido sobre el cuatro: hay cuatro puntos cardinales, cuatro elementos, cuatro estaciones, cuatro fases de la luna, cuatro edades del mundo. Y se confirma la importancia del cuatro en el mundo humano: el hombre tiene cuatro complexiones (sangre, cólera, flema y melancolía), cuatro miembros, cuatro edades (infancia, adolescencia, juventud, madurez), cuatro son las virtudes cardinales.

Queda claro, pues, que la concepción medieval del número encaminó el naturalismo antiguo (aunque se aprovechó de sus coordenadas fundamentales) a la adquisición de unas significaciones específicas que están muy lejos de las normas cuantitativas de nuestra civilización, es más, son totalmente ajenas a ellas. El número, elevado de principio de ordenación o de instrumento de medida a valor o a significación, adquiere una importancia extraordinaria de cara a la estética, que pasa a ocupar una situación preeminente con respecto a las otras artes y sobre todo con respecto a la organización del mundo, obra del Sumo Artista. Escribe San Agustín:

> Intuere coelum et terram et mare, et quaecumque in eis vel desuper fulgent, vel deorsum repunt vel volant vel natant; formas habent, quia numeros habent: adime illis haec, nihil erunt.[75]

> (Mirad el cielo y la tierra y el mar, y todas las cosas que en ellos o bien brillan en lo alto, o bien reptan por la superficie o bien vuelan y nadan; tienen formas, porque tienen números: quítaselos y no serán nada.)

74. *De musica*, I, 12, 21.
75. *De libero arbitrio*, II, XV, 42, edición F. J. Thonnard, s. l., 1941, p. 296. Cfr. *De musica*, VI, XIII, 38.

La interpretación simbólica del número, sin embargo, no es más que un aspecto de la interpretación simbólica de toda la realidad, lo cual implica tener conciencia de unas relaciones muy precisas entre el Creador, la naturaleza y el hombre. También en este punto tenemos que recurrir a San Pablo que escribió en su epístola a los Corintios:

> Videmus nunc per speculum in aenigmate, tunc autem facie ad faciem; nunc cognosco ex parte, tunc autem cognoscam sicut et cognitus sum.[76]

> (Ahora vemos por un espejo y oscuramente, pero entonces [cuando lleguemos a la presencia de Dios] veremos cara a cara. Al presente conozco sólo parcialmente, pero entonces conoceré como soy conocido.)

El mundo creado es una traducción inteligible del misterio divino, es una forma provisional e inferior de conocimiento, la única que es accesible a la mente humana pero que difiere sustancialmente del conocimiento perfecto, igual que el habla, el juicio y el pensamiento de un niño difieren de los de un adulto.

Esta devaluación aparente de la realidad negaba cualquier anhelo de autonomía al que ésta pudiese aspirar, al tiempo que le asignaba, en calidad de *speculum* del *aenigma* al que está atenta la mente del cristiano, una función importantísima, si bien subordinada y mediadora. El cosmos es como una señal, como un código *sui generis* que transmite un mensaje permanente. No se trata, sin embargo, de un signo cualquiera, fundamentalmente convencional, sino de un verdadero símbolo; es decir que la realidad está en cierto sentido, como preparada, como ordenada de antemano en vistas a su función significativa, si admitimos que

> las existencias puestas a nivel sensible tienen ya, por el mero hecho de ser, aquella significación para la representación y expresión de la cual ellas mismas están siendo empleadas; y el símbolo, considerado en este sentido más amplio, no es, pues, un simple signo indiferente sino un signo que desde su exterio-

76. *Ad Cor.* I, 13, 12. Cfr. también *Ad Rom.* 1, 20: «Invisibilis enim [Dei] a creatura mundi, per ea quae facta sunt intellecta, conspiciuntur, sempiterna quoque eius virtus et divinitas» («Porque desde la creación, el mundo invisible de Dios, su eterno poder y divinidad, son conocidos mediante las obras»).

ridad engloba en sí mismo incluso el contenido de la representación que se manifiesta a través de él.[77]

El símbolo medieval en cuanto tal es sólo aparentemente esotérico; lo sería efectivamente si encerrara significaciones humanas, a las que nuestro lenguaje está ya adaptado, pero en realidad su función era distinta:

> La mente medieval no emplea los objetos simbólicos y sus nombres para crear una mística de lo arcano y para envolver y proteger la esencia de los misterios en un secreto mágico, sino que experimenta la necesidad de desvelarlos y comunicarlos, de convertirlos en imágenes reales y objetivas, susceptibles de ser reconocidas a primera vista, en un acto de intuición, casi como en una visión inmediata y plástica, a través de la cual emerja sin velos ni ambigüedades la verdad religiosa y metafísica; y no en un clima intelectual sutil y enrarecido, sino bajo la especie de cosas sensibles y casi tangibles.[78]

Esta función no esotérica sino clarificadora del símbolo, junto con la conciencia de que los signos escondidos en la realidad no son heterogéneos sino que constituyen una urdimbre orgánica, está muy bien expresada en la metáfora del libro de la naturaleza,[79] que ilustramos con una formulación de Hugo de San Víctor:

> Universus... mundus iste sensibilis quasi quidam liber est scriptus digito Dei..., et singulae creature quasi figurae quaedam sunt non humani placito inventae, sed divino arbitrio institutae ad manifestandam invisibilem Dei sapientiam.[80]

> (Este universo mundo sensible es casi como un libro escrito por el dedo de Dios, y las criaturas individuales son como figuras no concebidas para capricho del hombre, sino dispuestas por la voluntad divina para manifestar la invisible sabiduría de Dios.)

En el mismo siglo XII Alano de Lille desarrolló en una bella secuencia el antiguo paralelismo entre la rosa y la vida del hom-

---

77. G. W. F. Hegel, *Estética*.
78. S. Battaglia, *Esemplarità e antagonismo nel pensiero di Dante*, Nápoles, 1967, p. 257.
79. Para ello ver también Curtius, *op. cit.*, cap. 16, § 7.
80. *Eruditiones didascalicae*, VII, IV, en *Patrol. lat.*, CLXXVI, col. 814.

bre, tema destinado a tener amplias resonancias en la poesía
moderna; aquí, sin embargo, no nos hallamos ante una comparación esencialmente decorativa o ante el descubrimiento de una
analogía dotada de una vigorosa carga expresiva si bien esencialmente ocasional. Aquí los avatares de la rosa constituyen un signo
que el *digitus Dei* ha grabado en la naturaleza para aludir explícitamente a nuestro destino, que está escrito en las cosas con·
anterioridad a nuestra toma de conciencia:

> Omnis mundi creatura
> Quasi liber et pictura
>    Nobis est in speculum,
> Nostrae vitae, nostrae sortis,
> Nostri status, nostrae mortis
>    Fidele signaculum.

> Nostrum statum pingit rosa.
> Nostri status decens glosa,
>    Nostrae vitae lectio,
> Quae dum primo mane floret,
> Defloratus flos effloret
>    Vespertino senio.

> Ergo spirans flos expirat,
> In pallorem dum delirat
>    Oriendo moriens,
> Simul vetus et novella,
> Simul senex et puella
>    Rosa marcet oriens.

> Sic aetatis ver humanae
> Iuventutis primo mane
>    Reflorescit paululum,
> Mane tamen hoc excludit
> Vitae vesper, dum concludit
>    Senii crepusculum...

> Ergo clausum sub hac lege
> Statum tuum, homo, lege,
>    Tuum esse respice,
> Quid fuisti nasciturus,

Quid sis praesens, quid futurus,
Diligenter inspice... [81]

(Toda criatura del mundo, casi como un libro o una pintura, es para nosotros como un espejo, representación fiel de nuestra vida, nuestra suerte, nuestro estado y nuestra muerte. Dibuja la rosa nuestro estado. Graciosa glosa de nuestro estado, modelo de nuestra vida que, tras florecer por la mañana, la flor cortada se marchita con la vejez de la tarde. Así pues la flor expira al respirar, mientras se demuda por la palidez, muriendo al despuntar; vieja y nueva a la vez, anciana y niña a la vez, se marchita la rosa al nacer. Así la primavera de la edad humana en el temprano amanecer de la juventud florece un poquito, sin embargo este amanecer inaugura el atardecer de la vida, mientras se cierra el crepúsculo de la vejez... Por lo que, lee, oh hombre, tu condición cifrada en esta ley, advierte que es la tuya, estudia con cuidado qué fuiste en el punto del nacimiento, qué eres ahora, qué serás mañana...)

En el fragmento que citábamos más arriba, Hugo de San Víctor afirmaba a continuación que cada hombre lee el libro de la naturaleza a su modo,

velut si in una eademque Scriptura alter colorem seu formationem figurarum commendet; alter vero laudet sensum et significationem.

(como si en una misma escritura el uno alabara el color o la forma de las figuras, otro en cambio, admirara el sentido y la significación.[82])

Resulta, pues, que las lecturas de la realidad tienen todas su validez a pesar de que difieran; y es que no son más que exégesis distintas de un contexto único y coherente, no están condicionadas por la estabilidad de la referencia objetiva, sino que se miden por el grado de madurez del observador y por su interés específico. De esta manera el simbolismo medieval, a la vez que posibilita la intelección intuitiva de lo incognoscible, establece un puente entre la unidad susceptible de análisis y la multiplicidad

---

81. Cito de Dreves y Blume, *op. cit.*, p. 288, las estrofas 1-4 y 8 (la secuencia tiene 9 estrofas). La atribución a Alano de Lille es discutible.
82. *Patrol. lat.*, CLXXVI, col. 814.

infinita, entre lo uno perfecto en sí mismo y sus innumerables refracciones, todas ellas parciales.

He aquí cómo descubre el hombre un entramado de correspondencias significativas que engloban todo lo real y lo proyectan más allá de sus propios límites, abriéndolo ante nuestras preguntas como reserva inagotable de respuestas cifradas. Podríamos pensar que el hombre medieval se sentía como perdido en un mundo hecho de enigmas, pero, en realidad, debido precisamente a la naturaleza no esotérica sino cognoscitiva del simbolismo medieval, jamás el hombre vivió tan íntima y totalmente integrado en el universo. Era suficiente poseer la noción de la enorme potencialidad expresiva de lo real, para sentirse en un mundo que participaba de los mismos valores, que repetía hasta el infinito las verdades del espíritu, las enseñanzas divinas, la obra del Creador. El individuo entablaba un diálogo permanente con el Señor a través de los signos de la naturaleza.

En un mundo en el que todas las cosas creadas encierran un sentido, remiten a un conocimiento más elevado, ¿cómo hay que concebir lo que crea no ya Dios, sino el hombre? Consideremos el caso de una obra arquitectónica: una iglesia, por ejemplo, está construida a base de unas relaciones cuantitativas numéricas, que, como sabemos, están dotadas ya por sí mismas de sentido; sin embargo la iglesia en cuanto objeto adquiere en su totalidad y en sus partes, una serie de nuevos sentidos específicos. Gracias al crucero añadido a la nave, la iglesia es símbolo de la cruz de Cristo; está edificada generalmente con el ábside mirando al este, de manera que el fiel se oriente hacia Jerusalén (y ya sabemos cuántos sentidos se encerraban en este nombre), y así sucesivamente. Así, por ejemplo, se ha observado que las basílicas románicas, que gracias a la reforma cluniacense se difundieron por toda Europa, se caracterizaban por sus interiores amplios y sus muros recios casi dignos de una fortaleza y ello no por razones prácticas, sino para significar que la iglesia es un espacio diferente, un mundo distinto del ambiente profano de todos los días; es ésta una idea que se remonta al seudo-Dionisio Areopagita, monje sirio anónimo de los siglos v-vi y que es una de las fuentes más autorizadas del simbolismo medieval.[83] Los ejemplos se podrían multiplicar si examináramos, por ejemplo, la decora-

---

83. Cfr. R. Assunto, *Die Theorie des Schönen im Mittelalter*, 1963, pp. 88-89.

ción escultórica y pictórica de un templo cristiano,[84] pero nos urge ahora analizar la situación del poeta en este contexto.

Según el concepto más divulgado de la Edad Media el poeta es un artesano que se distingue de los demás solamente gracias al carácter *liberalis* y no *mechanicus* de su *ars*. Domingo Gundisalvo, el traductor de Avicena al latín en el siglo XII, lo define así en su *Poética*: «Artifex autem est poëta, qui secundum artem poëtriae novit carmina componere» («El poeta es un artífice que sabe componer poemas según el arte poético»).[85] Y el pensamiento de Dante a este respecto no andaba muy lejos: los poetas son los «che con l'arte musaica le loro parole hanno legate» («que han enlazado sus palabras con el arte de las musas»).[86] Se trata de definiciones que hacen hincapié en las capacidades técnicas, de carácter precisamente artesanal, y que encuentran confirmación en todos los tratados medievales de poética, pues son manuales de preceptos prácticos, de retórica, sin conexión alguna con lo que entendemos por poética hoy en día.[87] Por otra parte en cualquier composición de la época la habilidad técnica tiene una relevancia extraordinaria (basta pensar en la secuencia que hemos transcrito poco ha), y ello debido a que no es considerada como un elemento externo sino que es sentida como la esencia misma de la poesía. San Isidoro de Sevilla había ya recogido en sus *Etimologiae,* de valor paradigmático para toda la Edad Media, la siguiente definición: «Ars vero dicta est, quod artis praeceptis regulisque consistat» («Se llama arte porque se fundamenta en reglas y preceptos rigurosos») (I, 1); y no deja de ser significativo que aquí, como en otras partes, el sentido de *ars* esté más cerca del de «conocimiento técnico» y «teoría» que del de «arte».

84.  Ver especialmente los volúmenes de Mâle y de Réau citados en la nota 89 de este capítulo.

85.  Citado por Assunto, *op. cit.,* p. 164.

86.  *Convivio,* IV, VI, en el *De Vulgari Eloquentia* (II, VIII) dice Dante que la canción «fabricatur ab auctore suo» («es fabricada por su autor») y en el *Purgatorio,* XXVI, 117, llama al trovador Arnaut Daniel «miglior fabbro del parlar materno» («mejor artífice del habla materna»). Ya los trovadores provenzales se sentían artesanos de la lengua, así se explican expresiones como *colorar un chan, passar la lima, polir un chan,* que se encuentran en Cercamon, Raimbaut d'Aurenga, Giraut de Bornelh, Arnaut Daniel, etc. No debemos olvidar, por otra parte, la vinculación de los trovadores a la retórica de la época, en la que se aludía a los *colores rhetorici* y *verba polita* (cfr. M. de Riquar, *Los trovadores. Historia literaria y textos,* 3 vols., Planeta, Barcelona, 1975; vid., en especial, vol. I, p. 73).

87.  Para estos textos ver Faral, *Les arts poétiques du XIIe et du XIIIe siècles,* París, 1924.

Al estar caracterizado por sus capacidades técnicas y no por las expresivas, parece que el poeta quede al margen del mundo del simbolismo. En realidad sucede lo contrario: la obra literaria, al estar pensada como objeto, participa de la funcionalidad de los objetos creados y en primer lugar de su naturaleza de signos, por lo que entra a formar parte por derecho propio del universo simbólico. Veamos, pues, cómo el simbolismo impregna la literatura medieval por una doble vía. En primer lugar ya que es intrínseco al mundo del escritor y a su capacidad de ponerse en relación con las cosas, el simbolismo se refleja en el interior de la obra en cuanto ésta, al reproducir la realidad, recoge su entramado de valores significativos; desde este punto de vista los símbolos son, pues, objeto de la obra literaria en la misma medida en que lo son los personajes o el argumento. Por otra parte el simbolismo condiciona la manera de ser de la poesía desde el exterior, porque ésta se presenta —en su totalidad— como símbolo (o como discurso simbólico), según un tejido de relaciones significativas concebidas por el autor o descubiertas autónomamente por el lector en el curso de su exégesis personal; y esta exégesis, que es siempre activa e inclinada a la participación, se enfrenta a la obra (en igual medida que a cualquier objeto natural) como a un enunciado portador de múltiples sentidos todos ellos válidos aunque no hayan sido previstos por el autor.

Esta función simbólica de la obra literaria medieval puede incluso ser latente —depende de la responsabilidad y del compromiso cultural del autor—, pero constituye una posibilidad que el investigador moderno debe tener siempre en cuenta, sin querer forzar los textos, claro está, para dar con ella hasta cuando no existe. De todas formas su presencia o su ausencia o su modo de ser específico caracterizan todas las obras de aquellos siglos. Bernardo Sivestre, uno de los pensadores más notables de mediados del siglo XII, sabía bien que algunos poetas escriben *causa delectationis* («por gusto»); y ya veremos que en el ámbito románico lo que parecía y era efectivamente falta de compromiso y evasión, con el tiempo y con la modificación del contexto sociológico y cultural, se transformó en el germen de una nueva concepción de la literatura. Sin embargo, Bernardo sostenía que el poeta estaba investido de una función más elevada; he aquí lo que dice acerca de Virgilio:

Scribit enim in quantum est philosophus humanae vitae naturam. Modus vero agendi talis est: sub integumento describit quid agat vel quid patiatur humanus spiritus in humano corpore temporaliter positus... Integumentum vere est genus demonstrationis sub fabulosa narratione veritatis involvens intellectum, unde et involucrum dicitur. Utililatem vere capit homo ex opere secundum sui agnitionem, homini vero magna utilitas est, ut ait Macrobius, si se ipsum cognoverit.[88]

(Escribe, en efecto, de la naturaleza de la vida humana en calidad de filósofo. El procedimiento empleado es el siguiente: describe bajo un «integumento» lo que el espíritu humano, temporalmente vinculado al cuerpo, hace o sufre... El «integumento» es un tipo de demostración de la verdad que envuelve al intelecto en una narración fabulosa, por lo que es llamado también «invólucro». El hombre puede recoger lo útil en las obras según su grado de conocimiento; es, sin embargo, de gran utilidad al hombre, que éste, como dice Macrobio, se conozca a sí mismo.)

Éste es el concepto de poeta que halló en Dante su realización más alta y más plena.[89]

## 11.  ANTIGUOS Y MODERNOS

Ya hemos visto que la tradición medieval fue heredera y continuadora de la antigua, pero hemos visto también que la cultura medieval adquirió unos caracteres netamente distintos de los de la clásica. Cabe preguntarse ahora qué conciencia tuvieron los

88.  *Commentum super sex libros Eneidis Virgilii,* ed. G. Riedel, Greifswald, 1924, p. 2.

89.  Para estos aspectos esenciales pero a menudo poco estudiados o ignorados de la poesía dantesca cfr. especialmente S. Battaglia, *Esemplarità e antagonismo,* cit. Este libro ofrece una visión magistral del simbolismo medieval, incluso fuera del capítulo que va dedicado a él especialmente. Téngase presente también el estudio de M.-M. Davy citado en la nota 1 de este capítulo, el de R. Assunto cit. en la nota 82, los *Études d'esthétique médiévale* de E. de Bruyne, vol. 3, Brujas, 1946 (traducido al español: E. de Bruyne, *Estudios de estética medieval,* 3 vols., Gredos, Madrid, 1958); el libro de De Lubac citado repetidamente *Exégèse médiévale* (especialmente II/II, pp. 7-262) y finalmente para las artes figurativas E. Mâle, *L'art religieux du XIIe siècle en France, L'art religieux du XIIIe siècle en France* y *L'art religieux de la fin du Moyen Âge en France,* editados todos ellos en París y con numerosas reediciones; asimismo consúltese E. Réau, *Iconographie de l'art chrétien,* París, 1955 ss., especialmente el vol. I, pp. 59-244.

hombres de la Edad Media de la relación entre antiguos y modernos.

La tradición cultural de Occidente ha presentado en numerosas ocasiones el fenómeno de la polémica abierta contra los antecesores; desde los poetas alejandrinos, encabezados por Calímaco, tomando partido en contra de la épica homérica, hasta los *neóteroi* romanos o *poetae novi* en contra de la tradición que se remontaba a Ennio, hasta los *poetae novelli* del período de los Antoninos en contra de sus inmediatos predecesores, y así sucesivamente. Estas polémicas son sin duda manifestaciones de modernidad (o si se quiere hasta de arcaísmo cuando, como en el último ejemplo citado, se va en contra de una norma intermedia), pero no expresan la conciencia de una vertebración objetiva de la historia según la pauta de una periodización dotada de validez propia y permanente, sino que se limitan a satisfacer la necesidad de autoidentificarse a través del contraste. Tengamos en cuenta que nuestra periodización histórica se ha ido formando poco a poco en épocas relativamente recientes y lleva implícita una concepción del tiempo y de la historia que por distintas razones es ajena tanto a la Antigüedad como a la Edad Media.

Vemos por ejemplo que, aunque la Redención haya tenido, tal como hemos descrito anteriormente, una importancia enorme en la concepción medieval en calidad de punto central de la historia, sin embargo esto no es suficiente para crear la conciencia de un corte histórico neto entre la Antigüedad pagana y el Cristianismo. Siempre que en la Edad Media se subraya la calidad de *moderni*,[90] el término se contrapone a todos los *antiqui* sin ninguna distinción histórica y prácticamente no tiene más valor que el de «nuestros contemporáneos», de «nuestros tiempos».

Al lector de literatura latina o romance de la Edad Media, en efecto, le choca ver al mundo antiguo bajo un disfraz moderno. Para poner sólo un ejemplo, nos sorprende que en la adaptación de la *Eneida* compuesta por un anónimo francés en la primera mitad del siglo XII, no sólo los héroes antiguos están representados con psicología moderna, no sólo van vestidos con prendas completamente medievales, sino que, además, exhiben títulos y cargos

90. Esta palabra, que es un adjetivo formado sobre el adverbio de tiempo *modo,* aparece a partir del siglo VI. Anteriormente en oposición a *antiquus, vetus,* se utilizaba el grecismo *neotericus,* forma que por otra parte no era muy frecuente. Cfr. Curtius, *op. cit.,* cap. 14, § 2.

propios de los tiempos del adaptador, como los de barones y vasallos; y las ciudades están descritas exactamente como ciudades del siglo XII, eliminando cualquier detalle que la conciencia contemporánea pudiera extrañar. A principios del siglo siguiente el arquitecto Villard de Honnecourt realizó en su valioso álbum, que ha llegado hasta nosotros, unos dibujos de unos bronces antiguos que se han conservado y que se hallan en el museo del Louvre; pues bien, si miramos los dibujos jamás se nos ocurrirá identificarlos como reproducciones porque están tan influidos por las líneas propias del gusto gótico, que su origen clásico queda prácticamente oculto. En estos casos se suele hablar de ingenuidad medieval, de falta de recursos. En realidad nos hallamos ante la ausencia de la noción de distanciamiento histórico; los hombres de la Edad Media sabían que los antiguos formaban parte del pasado, pero para ellos no había un corte tan tajante entre pasado y presente como para considerar que se trataba de dos épocas radicalmente diferenciadas. No sin razón un investigador italiano, Eugenio Garin, considera que una de las características específicas del Humanismo es precisamente la toma de conciencia de la irreparable distancia que separa la Antigüedad de los tiempos modernos, que actúa como premisa para poder imitar a los antiguos en calidad de tales.

Sabemos que la Edad Media poseyó una viva conciencia de los *auctores,* ejemplo permanente y fecundo de la producción intelectual,[91] y en algunas ocasiones apuntó incluso una reacción contra la preeminencia de los modelos antiguos, pero generalmente se trata de una simple imitación de una reacción más antigua, la de Horacio.[92] Por otra parte el concepto de *auctor* estaba tan desasido de un clasicismo históricamente determinado, que cualquier escritor podía abrigar esperanzas de alcanzar, pasados unos años, este título.[93]

91. Es suficiénte remitir a S. Battaglia, *La coscienza letteraria del medioevo,* Nápoles, 1965, pp. 34 ss.

92. *Epist.,* II, 1, vv. 76-89.

93. Como le sucedió a Gualterio Map, el autor de *De nugis curialium* (entre 1180 y 1192): «Scio quid fiet post me. Cum enim putuerim, tum primo sal accipiet, totusque sibi supplebitur decessu meo defectus, et in remotissima posteritate *mihi faciet autoritatem antiquitas,* quod tunc ut nunc vetustum cuprum preferetur auro novello» («Sé lo que sucederá después de mí. Cuando empiece a pudrirme, entonces adquiriré interés por vez primera, cualquier defecto que tenga quedará contrarrestado por mi muerte, y en una posteridad remotísima *mi antigüedad me*

Debido precisamente al predominio de este sentimiento de continuidad indeterminada, que permite dejar fluir el presente en el pasado sin ninguna contradicción, es muy importante que en el siglo XII aparezcan síntomas de una conciencia autónoma del tiempo propio y de los valores propios en oposición a todos los demás.

La relación entre antiguos y modernos fue expresada en una formulación felizmente sintética por Bernardo de Chartres según escribe Juan de Salisbury:

> Dicebat Bernardus Carnotensis nos esse quasi nanos, gigantium humeris insidentes, ut possimus plura eis et remotiora videre, non utique proprii visus acumine, aut eminentia corporis, sed quia in altum subvehimur et extollimur magnitudine gigantea.[94]

> (Decía Bernardo de Chartres que nosotros somos como enanos sentados sobre los hombros de gigantes de manera que podemos ver más cosas y más lejos que ellos, pero no por la agudeza de nuestra vista, ni por las dimensiones de nuestros cuerpos, sino porque el gran tamaño de los gigantes nos levanta y sostiene a una cierta altura.)

Queda expresada aquí la conciencia de la superioridad de los modernos, pero a través de un sentimiento tal de la continuidad histórica como proceso casi fatal e involuntario, que excluye la identificación específica de sí mismos.[95] Al cabo de pocos años, sin embargo, ya no pareció satisfactorio considerarse enanos sobre los hombros de gigantes. El mismo Juan de Salisbury escribe con amargura en su *Entheticus*:

> Temporibus nostris jam nova sola placent.[96]

---

*transformará en autoridad,* porque entonces como ahora el cobre antiguo es preferido al oro nuevo»). Citado en la trad. inglesa del libro de Curtius, pp. 255-256, nota.

94. *Metalog.,* III, 4 (*Patrol. lat.,* CXCIX, col. 900). La obra es del 1159. Cfr. también la carta 92 de Pedro de Blois, en *Patrol. lat.,* CCVII, col. 1127.

95. Juan, en efecto, había escrito más arriba: «fruitur tamen aetas nostra beneficio praecedentis, et saepe plura novit, non suo quidem pracedens ingenio, sed innitens viribus alienis» («Nuestra edad goza, sin embargo, de los beneficios de la anterior, y a menudo conoce muchas cosas no gracias a su ingenio sino ayudándose con fuerzas ajenas»). Ibídem.

96. V. 60, en *Patrol. lat.,* CXCIX, col. 966.

(En nuestros tiempos gustan ya sólo las novedades.)

Y él mismo nos explica por qué:

> Ut juvenis discat plurima, pauca legat,
> Laudat Aristotelem solum, spernit Ciceronem,
> Et quidquid Latiis Graecia capta dedit,
> Conspuit in leges, vilescit physica, quaevis
> Littera sordescit, logica sola placet.[97]

> (Para aprender mucho y leer poco alaba el joven sólo a Aristóteles y a todo aquello que Grecia tras la conquista dio a los latinos, despreciando a Cicerón y al escupir sobre las leyes, la física pierde valor, se marchitan todos los géneros literarios y sólo gusta la lógica.)

He aquí lo acontecido: la introducción de Aristóteles no sólo enriqueció el panorama cultural sino que lo llevó por vez primera a un planteamiento selectivo. Todos los *auctores* no están ya al mismo nivel, todas las disciplinas no son ya igualmente dignas de estudio; quien se siente moderno alaba sólo a Aristóteles (*laudat Aristotelem solum*) y se complace sólo en la lógica (*logica sola placet*). He aquí cómo tomó conciencia de su identidad una específica formación cultural que, si bien era todavía tributaria de la Antigüedad (y de los árabes), se sentía ya netamente distinta de cualquier otra, mostrándose polémica y agresiva.

La discusión fue larga y apasionada. Los partidarios de los *auctores,* es decir de la vieja tradición gramatical tal como la hemos descrito más arriba, y los defensores de la nueva lógica disputaron vigorosamente, y su controversia dio materia incluso para un poema alegórico, la *Bataille des sept arts* de Henri d'Andeli (hacia la mitad del siglo XIII). La disputa, a pesar de las quejas de los tradicionalistas, no consiguió revolucionar totalmente la cultura medieval. El prestigio de los autores quedó algo menoscabado, tuvo que adaptarse a cohabitar con otros valores, pero no llegó a desaparecer ni mucho menos. Se produjo un verdadero reajuste de la vida cultural cuyo síntoma más vistoso fueron las Universidades y la escolástica, por lo que nadie puso ya en duda, por lo menos en algunos ambientes, que aquella cultura era

97.  Vv. 110-114, ibídem, col. 967.

algo nuevo, que expresabá valores jamás expresados. No fue un corte radical como el que llevó a cabo más tarde el humanismo italiano, pero tampoco hay que despreciarlo.

Añadamos a estos cambios en la cultura latina, algunas palabras sobre la postura de los poetas vulgares, en lengua romance, ya que nos interesan más de cerca. Éstos también se habían formado en la escuela latina, también compartían la perspectiva histórica indiferenciada de su tiempo, también reflejaban la polémica entre *grammatici* y *logici* (cuando participaban en la vida universitaria, especialmente en el siglo XIII). En ellos hallamos, sin duda, una conciencia del presente más franca y más segura que en sus colegas latinos, seguramente fortalecida por el hecho de estar lingüísticamente desvinculados de la tradición latina. Es difícil que Chrétien de Troyes, el gran novelista de la segunda mitad del siglo XII, llegara a tener experiencias universitarias o contactos con el aristotelismo, así que cuando celebró una *translatio studi* de Grecia a Roma y de Roma a Francia, por una parte recogió la fama creciente de las escuelas de París, pero sobre todo expresó su conciencia de la vitalidad cultural del presente y su confianza en él; un presente cultural eminentemente románico:

> Ce nos ont nostre livre apris
> Qu'an Grece ot de chevalerie
> Le premier los et de clergie.
> Puis vint chevalerie a Rome
> Et de la clergie la some,
> Qui or est an France venue.
>
> . . . . . . . . . . . .
>
> Dex l'avoit as altres prestee:
> Car des Grezois ne des Romains
> Ne dit an mas ne plus ne mains,
> D'ax est la parole remese
> Et estainte la vive brese.[98]

(Nuestros libros nos han enseñado que se honró en Grecia a la caballería por vez primera y también a la clerecía. Vino luego la caballería a Roma y también lo mejor de la clerecía, las artes han venido ahora a Francia. [...] Dios las prestó a otros: pues ya no se habla ni poco ni mucho de los Griegos y de

---

98. *Cligés*, edición Micha, París, 1957, p. 2, vv. 28-33 y 38-42.

los Romanos, su palabra ha cesado y la viva llama se ha extinguido.)

No encontraremos en ningún poeta latino un sentido tan claro del aislamiento de los modernos en el tiempo y a la vez un sentimiento tan evidente de su seguridad ante el deber que Dios les ha encomendado.[99]

## 12. EL INTELECTUAL EN LA SOCIEDAD MEDIEVAL

Ya hemos visto cómo era el aprendizaje del intelectual de la Edad Media (al que entonces se llamaba *clericus, clerc*) y qué patrimonio de esquemas culturales llevaba consigo. Pero ¿qué posición ocupaba en aquella época el *clericus* en la sociedad contemporánea?

El interés que despiertan hoy en día los problemas sociales de la literatura y la disyuntiva entre el compromiso y la evasión nos hacen sensibles a esta pregunta, a la vez que tienden a desviar nuestra respuesta hacia la suposición precipitada de una afinidad fundamental entre nuestra situación y la de entonces; pensemos que para la conciencia colectiva de la Edad Media la palabra *clericus* sugería connotaciones fundamentalmente funcionales. Para los poderosos era el hombre capaz de resolver determinadas dificultades prácticas a través del ejercicio de la lectura y de la escritura, desde la correspondencia a la redacción de documentos, a la compilación de anales o incluso de libros de historia, sin olvidar que se le podía encargar que satisficiera exigencias más personales, como por ejemplo la magnificación de los poderosos en las formas imperecederas de la poesía. Para todos los demás el *clericus* era principalmente un hombre de Iglesia, que, gracias también a sus estudios, participaba en las celebraciones litúrgicas, por lo que se hacía transmisor del mensaje divino y de los sacramentos. Para la gran masa de los incultos un *clericus* que no fuera eclesiástico en sentido estricto o pasaba desapercibido o constituía una extraña curiosidad.

99. Cfr. Curtius *passim*, pero especialmente cap. 14, § 2, y «Excursus», XI; L. J. Paetow, *The Battle of the Seven Arts,* Berkeley, 1914. Vid. F. López Estrada, *Introducción a la literatura medieval española,* especialmente las pp. 133 ss., donde se puede hallar bibliografía útil referente a España.

Notemos que en ambos casos la preparación cultural se valoraba como un instrumento para alcanzar distintas finalidades, y el intelectual en cuanto tal no gozaba precisamente de un puesto en la sociedad; la denominación de *clericus* no servía para identificar un nivel social, ni siquiera implicaba o reflejaba una estimación colectiva, se limitaba a indicar la posesión de cualidades específicas dotadas de utilidad práctica.

Una consecuencia de esta situación es que cuando el *clericus* accedía a un cierto nivel de conciencia de sí mismo, se sentía inmediatamente ajeno a su situación en el mundo y tendía a recluirse en la sociedad ideal de sus semejantes, la única capaz de devolverle la estimación de sí mismo a la que él había llegado y de reflejar su conciencia cultural. Pero generalmente se trataba de destinos individuales y de círculos de colegas que se formaban en cada ocasión según la oferta del momento, aunque potencialmente se extendían al censo internacional de todos los que sabían latín.

Se ha apuntado que generalmente el aprendizaje escolar se limitaba a la instrucción primaria, formando no al hombre de cultura sino al *litteratus,* al que sabía leer y escribir (y pocas cosas más). Y por ende la adquisición de una formación más sólida estaba condicionada por la constancia del estudio individual o por la soledad de la meditación. Hugo de San Víctor escribe al respecto:

> in quibus tantam utilitatem esse prae caeteris omnibus perspexerunt, ut quisquis harum disciplinarum firmiter percepisset, ad aliarum notitiam postea inquirendo magis et exercendo, quam audiendo perveniret.[100]

> (en estas [siete artes liberales] vieron que había tanta utilidad por encima de todas las demás, que cualquiera que se instruyera sólidamente en estas disciplinas, posteriormente llegaría al conocimiento de otras cosas investigando y estudiando mejor que escuchando a un maestro.)

Incluso en un centro de estudios como el de los Victorinos de París se consideraba que el intelectual tenía que formarse «investigando y estudiando mejor que escuchando a un maestro», lo

---

100. *Didascalicon,* III, 3 (*Patrol. lat.,* CLXXVI, col. 768; cfr. Taylor, *op. cit.,* pp. 86-87).

que viene a ser una concepción que valoriza plenamente la cultura en cuanto conquista personal. Y hasta cuando la fortuna facilitaba el valioso contacto con alguna personalidad intelectual capaz de despertar la conciencia de un joven, la situación no cambiaba mucho. Por otra parte este aislamiento tendía a empujar al hombre culto medieval a respetar la tradición ya que, faltando el reconocimiento social de su actividad, sólo el apego a la tradición le podía garantizar, en el fondo, su vocación misma.

El intelectual medieval vivía, por lo tanto, en una situación notablemente condicionada; por un lado la soledad lo aislaba de su mundo cotidiano, y por otra la coincidencia de formación, de enfoques mentales y de conciencia de sí mismo lo ponía en relación, en el tiempo, con una tradición multisecular y, en el espacio, con un círculo internacional de iniciados. El estudio era, pues, para él ascetismo y refinamiento personal, pero fundamentado en la fecunda experiencia de quienes le habían precedido, y alentado por el conocimiento de otras experiencias contemporáneas paralelas. De este modo el estudio se transformaba en una liberación de los cuidados de todos los días, en un camino hacia una intimidad más libre y más elevada.

El centro de la vida intelectual es la meditación:

> Meditatio principium sumit a dectione; nullis tamen regulis stringitur aut praeceptis lectionis. Delectatur enim quodam apto decurrere spatio, ubi liberam contemplandae veritati aciem affligat; et nunc has, nunc illas rerum causas perstringere, nunc autem profunda quaeque penetrare: nihilque, anceps, nihilque obscurum relinquere. Principium ergo doctrinae est in lectione, consummatio in meditatione. Quam si quis familiarius amare didicerit, eique saepius vacare voluerit, jucundam valde reddit vitam, et maximam in tribulatione praestat consolationem. Ea enim maxima est, quae animam a terrenorum actuum strepitu segregat, et in hac vita etiam aeternae quietis dulcedinem quodammodo praegustare facit.

> (La meditación se origina en la lectura; sin embargo no está en absoluto condicionada por los preceptos o reglas de la lectura. Se deleita en un espacio apto para desplazarse, en el que ejercita libremente su inteligencia en la contemplación de la verdad; rastrear las causas ahora de estas cosas ahora de aquellas otras, penetrar ahora en todas las cosas profundas, no dejar nada ambiguo, nada oscuro. El principio, pues, del saber está

en la lectura, su culminación en la meditación. Cuando alguien aprende a amar la meditación con asiduidad y quiere entregarse a ella a menudo, su vida se vuelve feliz y encuentra grandes consuelos en las tribulaciones del mundo. Y el mayor de ellos consiste en que aleja el alma del estrépito de las cosas mundanas permitiéndole saborear de algún modo en esta vida la dulzura de la tranquilidad eterna.[101])

Una cultura tan interiorizada y tan personal, tan circunscrita a los problemas del individuo o del mundo si bien con la perspectiva de la salvación eterna, voluntariamente desentendida del *strepitus terrenorum actuum* (y por otra parte ignorada por el mundo, si exceptuamos su funcionalidad práctica marginal), estaba destinada a convertirse, sin ningún esfuerzo, en una experiencia prácticamente libre de connotaciones espacio-temporales, comprensible y compartible siempre y en todas partes. De ahí la vitalidad extraordinaria de los grandes maestros intelectuales de la Edad Media, leídos y amados durante siglos enteros, y he aquí también otra de las razones del internacionalismo propio de la cultura de esta época. Tal internacionalismo no depende sólo del uso de una lengua de cultura única, sino que es ante todo una vocación, un estado de alma, una meta.

Bernardo de Chartres describió la figura ideal del hombre docto en tres versos que Juan de Salisbury [102] juzgaba algo mediocres pero dignos de memoria y que por otra parte tuvieron mucho éxito:[103]

Mens humilis, studium quaerendi, vita quieta,
scrutinium tacitum, paupertas, terra aliena,
haec reserare solent multis obscura legendo.

(Mente humilde, deseo de saber, vida reposada, juicio callado, pobreza, tierra extranjera, éstas son las cosas que suelen esclarecer lo oscuro a muchos que leen.)

La mayoría de estas características no son específicas de la situación medieval, pero hay una que efectivamente atrae nuestra

101. Hugo de San Víctor, *Didasc.*, III, 9 (*Patrol. lat.*, CLXXVI, col. 772; cfr. Taylor, *op. cit.*, pp. 92-93).
102. *Policraticus*, edición Webb, VII, 13, vol. II, p. 145.
103. Citados como anónimos en el mismo *Didascalicon*, traducción Taylor, p. 94.

atención: *aliena terra* («tierra extranjera»). La mejor glosa posible son estas emotivas palabras de Hugo de San Víctor:

> Delicatus ille est adhuc cui patria dulcis est. Fortis autem jam cui omne solum patria est, perfectus vero cui mundus totus exilium est. Ille mundo amorem fixit, iste sparsit, hic exstinxit. Ego a puero exsulavi, et scio quo moerore animus arctum aliquando pauperis tugurii fundum deserat, qua libertate postea marmoreos lares et tecta laqueata despiciat.[104]

> (Quien siente los atractivos de la patria es débil; es fuerte quien tiene como patria cualquier suelo, es perfecto quien sabe que todo el mundo es un destierro. El primero enciende el amor del mundo, el segundo lo propaga, el tercero lo ahoga. Yo me exilié siendo niño, conozco el dolor con que a veces el alma abandona la pequeña propiedad con su pobre choza, y también el desapego con que desprecia después los palacios de mármol y los techos decorados con lujo.)

En estas líneas los ecos de Virgilio[105] y de Horacio[106] no restan espontaneidad a la confección autobiográfica; acaso, de un modo genuinamente medieval, tales ecos tienen la función de elevar el tono del fragmento y de subrayar la nobleza de la renuncia y la sufrida libertad del intelectual. Aquí más que en ninguna otra parte las artes liberales *liberum faciunt,* le hacen a uno libre.

Por lo tanto la cultura latina de la Edad Media es intrínsecamente una cultura de *élite,* pero de una *élite* que no conoce fronteras. En el seno de esta cultura se transmite un patrimonio secular en el que confluyen, sin dificultades para propagarse luego velozmente, las adquisiciones más recientes y también, tras las debidas filtraciones, algunos incentivos que proceden aquí y allá de ambientes extraños. Sucedía, en efecto, que las personas de cultura estaban diseminadas, por un lado, por todas las clases sociales, desde la corte real a la parroquia rural más apartada

---

104. *Didascalicon,* III, 20 (*Patrol. lat.,* CLXXVI, col. 778; cfr. Taylor, *op. cit.,* p. 101).

105. *Ecl.* I, 68-69: «pauperis et tuguri congestum cespite culmen, / post aliquot, mea regna, videns mirabor aristas?» («¿viendo desde detrás de algunas espigas, mis reinos, contemplaré el tejado cubierto de hierba de mi pobre choza?»).

106. *Carm.* II, XVI, 9-12: «non enim gazae neque consularis / submovet lictor miseros tumultus / mentis et curas laqueata circum / tecta volantis» («Ni los tesoros ni el líctor consular alejarán de la mente los dolorosos pesares, ni las preocupaciones que vuelan alrededor de los techos lujosos»).

(donde a menudo se trata de personas sólo nominalmente cultas, pero esto sucedía también en niveles sociales más altos) y se hallaban continuamente en contacto con los *illitterati*, tanto personajes de alto rango como aldeanos rústicos; y, por el otro, la extracción social de los *clerici* mismos era de lo más variado. Se podía acceder a una escuela monástica en calidad de *oblatus,* ofrecido al monasterio por una familia extremadamente pobre, pero también podía estudiar en una escuela capitular el hijo de un mercader rico o el cadete de una familia noble; en cualquier caso, con independencia del origen social, el *clericus* llegaba a ser tal por el aprendizaje escolar y no por sus orígenes sociales. El *curriculum* escolar, sin embargo, no llegaba a borrar completamente el patrimonio de tradiciones locales o familiares de todas clases que el joven, con plena conciencia o sin ella, había asimilado anteriormente a su carrera y que iban a confluir fatalmente en el conjunto de tradiciones semicultas propio de las comunidades en que vivía, especialmente si eran monásticas. Por este camino podían llegar vestigios de ellas incluso a las obras escritas: Gualterio Map copió tradiciones narrativas populares de su país de Gales originario; el monje de la Novalesa, las anécdotas históricas y legendarias que se contaban en su convento; Ekkehard de San Gal versificó en latín una leyenda épica germánica, la de Walter de Aquitania. La escuela no se oponía en principio a la recuperación de estos elementos, sino que se cuidaba de revestirlos de las formas tradicionales y sobre todo de filtrarlos de forma escrupulosa, porque precisamente lo que conseguía superar estos filtros adquiría el sello de la tradición escolar, podía alcanzar una difusión amplia y en ocasiones extraordinaria; considérese por ejemplo el caso de las leyendas bretonas sobre el rey Arturo divulgadas por toda Europa a través de una obra latina, la *Historia regum Britanniae* de Godofredo de Monmouth (1136-1139). Así pues se establecía un fecundo proceso de ósmosis entre el mundo de los incultos y la sociedad de los *clerici*. Pero ¿qué podían dar los *illitterati*?, ¿qué podían pedir? Estamos ante un problema crucial para la literatura románica medieval, pues al estar dirigida a un público formado básicamente de *illitterati,* desbarataba las tradiciones, los cuadros, los esquemas de la literatura mediolatina.[107]

107. Sobre los clérigos e intelectuales en la Edad Media se ha escrito mucho. Véanse especialmente las siguientes obras: J. Le Goff, *Los intelectuales*

## 13. La cultura de los incultos

Ante todo es un error creer que un *illitteratus* era necesariamente una persona inculta. Cabe por lo tanto formular unas distinciones.

Por de pronto en muchos casos el *illitteratus* era efectivamente incapaz de leer en latín y, claro está, también de escribirlo, pero podía llegar a comprender un poco esta lengua si se trataba de un texto fácil. Y había escritores que deseaban llegar a este público, como el historiador escocés David, quien se servía «stilo tam facili, qui pene nichil a communi loquela differat» («de un estilo tan fácil que se distingue apenas del habla común»).[108] En los palacios de los nobles se llevaba a cabo, por otra parte, cuando se presentaba la necesidad, una amplia actividad de traducción oral espontánea que permitía acceder a algunos aspectos de la cultura latina, no sólo a los nobles, sino a todos los que se movían a su alrededor independientemente de su procedencia social.

Aunque se trata de un caso atípico, recordaremos aquí a Balduino II de Guines (finales del siglo XII) que «licet omnino laicus esset et illitteratus», es decir perfectamente analfabeto, había reunido una rica biblioteca y satisfacía su vivo interés por la cultura haciéndose leer textos de todas clases, del *Cantar de los Cantares,* a los Evangelios, de vidas de santos, a tratados de física y de historia natural. Gracias a su extraordinaria memoria Balduino consiguió acumular tal acervo cultural, que era capaz de mantener disputas «quasi litteratus» («casi como un hombre de letras»).

A través de este ejemplo y de otros análogos se apunta la posibilidad de que se utilizara por parte de los legos la cultura latina de la que eran dipositarios los *litterati,* pero no es éste el fenómeno que atrae primordialmente nuestra atención, sino la valoración del patrimonio cultural propio de quienes no tenían

---

de la Edad Media, Universidad, Buenos Aires, 1965 (el original francés fue publicado en París, 1957); P. Dronke, *Poetic Individuality in the Middle Ages. New Departures in Poetry,* Clarendon, Oxford, 1970 (traducido al español: *La individualidad poética en la Edad Media,* Alhambra, Madrid, 1981). Para mayor información sobre España, cfr. López Estrada, *op. cit.,* pp. 300-326.

108. Como nos dice Ekkehardo de Aura, *Monumenta Germaniae Historica,* XX, IV, p. 243.

acceso a la cultura latina. No caigamos en el error de llamar cultura solamente al aspecto literario de ésta; en sentido sociológico es también cultura «el conjunto de las estructuras de organización social, de los modos de vida, de las actividades espirituales, de los conocimientos, de las concepciones, de los valores que se hallan bajo formas variadas y a distintos niveles en todas las sociedades y en todos los períodos históricos»,[109] un conjunto vertebrado en el que una parte, por lo menos, de los valores son como los preliminares de la elaboración propiamente literaria o llegan incluso a transmitirse en formas, aunque primarias, ya objetivamente literarias. Pensemos en las tradiciones familiares de la nobleza unidas al recuerdo de las hazañas de los antepasados, pensemos en el derecho consuetudinario, de transmisión oral, piedra angular de la sociedad medieval, pensemos en el conjunto de experiencias y saberes que formaban al caballero tras un largo aprendizaje.

No cabe duda de que durante la Edad Media existió un esquema de educación caballeresca totalmente ajeno a la tradición latina y a la escritura. Tal educación se basaba, claro está, en el entrenamiento físico y en principios éticos básicos, pero tenía tendencia a proyectarse espontáneamente en imágenes ejemplares que, a partir de una base histórica real, con facilidad podían pasar al campo más rico y satisfactorio de la leyenda formando paradigmas de comportamiento. Una de las raíces de la poesía épica reside precisamente en esta tendencia a expresar a través de determinados personajes la idealización de la formación cultural de un grupo social.

Tenemos que contar también con la tradición religiosa que, por otra parte, se hallaba menos vinculada a una sola clase social. Las enseñanzas más eficaces y penetrantes de la tradición religiosa se difundían a través de las vidas de santos y de las historias de pecadores. Los valores religiosos se encarnaban en narraciones que instaban y amonestaban, enseñaban, disuadían y daban consuelo.

Existe además todo un sector de la cultura cuya raíz última es más psicológica que sociológica y hasta puramente evasiva. Siempre el hombre ha confiado a las formas del cuento folklórico

---

109. Battaglia, *Grande dizionario della lingua italiana*, III, Turín, s. a., página 1045.

las intuiciones más elementales de su propio vivir y ha resuelto sus deseos de distracción con la narración y con el canto. Es indudable, aunque no siempre diáfano, que el cuento folklórico suele contener formulaciones de las situaciones elementales de la vida humana y de las esperanzas más recónditas y eternas del hombre, aunque a veces tales formulaciones estén expresadas en esquemas condicionados por contextos sociales portadores de valores de un espacio y de un tiempo determinados. Pero generalmente todo esto se reduce a un arabesco más o menos consciente e insípido que acompaña el gusto por la narración, por el rumor, por la emoción del argumento, por la curiosidad que despierta un personaje. Se trata de formas que, junto a la ya más huidiza y enigmática poesía lírica, podríamos considerar preliterarias y hasta situadas en los umbrales mismos de la literatura, pero que se nos escapan totalmente por lo que se refiere a su manifestación particular e histórica. Al estar confiadas al vehículo, a veces endeble y a veces sólido y resistente de la palabra y de la memoria, no han llegado hasta nosotros porque ningún *litteratus* podía reputarlas dignas, con mentalidad de etnólogo moderno, de elevarlas a la dignidad de la escritura; sin embargo, ello no nos autoriza a olvidar su existencia ni a disminuir su importancia al realizar el complejo cálculo de los factores presentes en la cultura medieval.

Hemos hablado de cultura oral; ésta es, en efecto, la condición normal en los estadios preliminares y subliterarios, condición que en nuestra Edad Media se vio fortalecida por obra de la Iglesia. Cuando se produjo la ruina de la instrucción pública a finales de la Edad Antigua, la Iglesia supo sacar de ello sus conclusiones operativas con lucidez y sin prejuicios, pues no podía permitir que la cultura moral y religiosa dependiera de la cada día menos frecuente capacidad de leer y escribir. Ya San Cesáreo a principios del siglo VI postulaba la sustitución del aprendizaje a través del libro por la escucha, de la lectura por la memorización:

> Nec dicat aliquis vestrum: Non novi litteras... Inanis et inutilis excusatio ista, fratres carissimi. Primum est, quod lectionem divinam etiamsi aliquis nesciens litteras non potest legere, potest tamen legentem libenter audire.[110]

110. *Sermones,* edición G. Morin, Turnholti, 1953, p. 31.

(Para que ninguno de vosotros diga: no conozco las letras... Excusa, ésta, vacía e inútil, hermanos carísimos. Y el primer motivo es que, aunque haya alguno que no sepa leer la divina lección, al no conocer las letras, puede, sin embargo, escuchar con agrado a alguien que lea.)

Así, pues, en la Edad Media también la educación religiosa llegaba a la mayoría de la población por vía oral y quedaba confiada a la memoria colectiva e individual igual que las demás formas del patrimonio cultural. No es casualidad que en el fragmento que hemos citado San Cesáreo añada que los textos sagrados se deben recordar con exactitud igual que los «cantica diabolica, amatoria et turpia», es decir igual que las formas más ínfimas de la literatura, las rústicas canciones de tema erótico.

Es verosímil, aunque no siempre demostrable con seguridad, que hacia los siglos que nos interesan de manera especial, es decir a partir del siglo XI, se fue formando una conciencia creciente de la madurez cultural de las lenguas romances a la vez que se desarrollaba una literatura en lengua vulgar que, nacida por escrito o de forma oral, siempre llegaba al público a través de los juglares. Por lo que podemos afirmar que hay momentos en que los conceptos de literatura y de cultura no están necesariamente vinculados al de escritura; se podía poseer un patrimonio cultural bastante rico, asimilando e incluso produciendo, sin que ello implicara saber leer y escribir.

Ni siquiera había un abismo entre los *litterati,* con su pasado clásico, y los *illitterati* con sus formas romances y con su repertorio de leyendas, narraciones, temas y tradiciones poéticas. Al contrario, las relaciones entre ambos campos fueron siempre muy estrechas y a menudo libres de prejuicios. En primer lugar no cabe duda de que las literaturas románicas deben mucho a la cultura mediolatina y a la escuela, y por ello hemos redactado esta larga introducción. Sin embargo las nuevas literaturas jamás se podrán valorar rectamente si se consideran como meras continuaciones de la tradición mediolatina bajo una forma lingüística distinta.

Un cambio de lengua implica muchas otras cosas: búsqueda de un público distinto y de un tipo de relación nueva con él, cambio de óptica con relación al patrimonio cultural del pueblo, elaboración de una cultura con ámbito, intenciones e ideales propios y hasta la formación de una tradición específica, mucho más vital y decisiva para la cultura occidental moderna.[111]

111.  Para estos temas cfr. mi artículo «Scuola e cultura in Francia nel XII secolo», *Studi Mediolatini e Volgari*, X (1962), pp. 299-330, del que he tomado alguna frase. Además de las obras de P. Riché ya citadas a lo largo de esta introducción, resulta muy interesante la obra de F. Pirot, *Recherches sur les connaissances littéraires des troubadours occitans et catalans du XII<sup>e</sup> et XIII<sup>e</sup> siècles*, Memorias de la Real Academia de Buenas Letras de Barcelona, Barcelona, 1972. Del mismo modo, son útiles otras obras como: P. Dronke, *La lírica en la Edad Media*, cit., R. Menéndez Pidal, *Poesía juglaresca*, cit., y C. Alvar, *La poesía de trovadores, trouvères y Minnesinger*, también cit.

# Capítulo II

# LA EXPERIENCIA RELIGIOSA

## 1. PRELIMINARES

La experiencia religiosa es sin duda básica para el hombre medieval, y para el hombre de letras no en menor medida que para el inculto. Esta afirmación tiene en primer lugar un sentido psicológico: la religión impregna profundamente todos los aspectos de la vida individual y social, está en el centro mismo de la existencia humana; no faltan, claro está, experiencias de otra índole, y no siempre se presentan subordinadas a ella, sin embargo todas se definen en relación con la religión, ya sea de acuerdo o en oposición a ella. En el campo de la literatura, no se puede llegar a comprender ninguna obra medieval prescindiendo de la situación religiosa de la época; en efecto, aun en el caso de que una obra presente caracteres francamente laicos, logra adquirir un tono específico precisamente gracias a su indiferencia o a su reacción frente a los estímulos de la fe y de la tradición religiosa o también por su manera distinta de entenderlas y de hacerlas suyas.

Hay además una razón histórica de fuerza no menor. Si bien no consideramos aventurado admitir la existencia de tradiciones líricas o narrativas de nivel muy bajo, indudablemente orales, en las lenguas de uso común, es incuestionable que la primera vez que se planteó la necesidad de instaurar una tradición en vulgar fue de cara a la literatura religiosa, y esta tradición primeriza influyó profundamente sobre todas las demás que surgieron más tarde, llegando incluso a dar vida a algunas.

El problema lingüístico había captado la atención de las autoridades eclesiásticas por lo menos desde los tiempos de Carlomagno. La restauración del latín promovida por el gran monarca a través de la reforma de las escuelas y del fomento de una enseñanza mejor de la gramática contribuyó a agrandar la distancia entre lengua escrita y lengua hablada que el latín descuidado de los merovingios, capaz de acoger calculadamente más de un vulgarismo, había mantenido encubierta. Había llegado a hacerse dificultosa y precaria la comunicación entre un clero, que tras un aprendizaje riguroso poseía un latín enriquecido, y el pueblo cristiano, que empleaba ya sus lenguas romances. He aquí por qué el concilio que se celebró en Tours en el año 813 se vio obligado a decretar

> ut easdem homilias quisque aperte transferre studeat in rusticam romanam linguam aut thiotiscam, quo facilius cuncti possint intellegere quae dicuntur.[1]

> (que cada uno se aplique en verter estas mismas homilías en lengua rústica, romana o germánica, de manera que todos puedan entender mejor lo que se dice.)

Esta disposición, que instituía en el ámbito de la misa la práctica de un limitado bilingüismo que ha llegado hasta las recientes reformas litúrgicas, se puede considerar en cierto modo como el acta de nacimiento de una religiosidad «vulgar», pues ya no se halla abandonada a sí misma sino que está condicionada por la cultura del clero y está ya dispuesta a convertirse en literatura.[2]

Los dos puntos vitales de la espiritualidad católica han sido siempre la Biblia y la liturgia. Volveremos a hablar en seguida de la primera; respecto a la segunda, la nueva cultura en vulgar podía encontrar en ella un lugar marginal pero no por ello poco importante o poco fecundo. Cabe señalar en primer lugar el papel de la predicación, tal como lo definía el concilio de Tours; y ya veremos que la predicación estuvo íntimamente relacionada con el género literario del cuento. Tenemos además el tropo, es

---

1. Cfr. *Monumenta Germaniae Historica, Concilia,* vol. II, Hannover, 1908, p. 288. Al tener validez esta disposición para todo el imperio está previsto que en las áreas germánicas la predicación se realizara en lengua *thiotisca,* es decir alemana.

2. Por otra parte éste es el primer documento que atestigua la conciencia de que la *romana lingua* tiene entidad aparte del latín.

decir la glosa del texto litúrgico con interpolaciones extralitúrgicas, de donde surgió el drama sacro. Y finalmente está la poesía religiosa, especialmente la mariana, relacionada menos estrechamente con la liturgia pero con igual provecho. Y no hablamos aquí del peso de la experiencia religiosa en todos los demás géneros literarios, a veces sólo en calidad de concepción del mundo y de la existencia, pero a menudo de manera más incisiva a través de la absorción de temas, esquemas, hábitos formales.

Junto a estas razones psicológicas e históricas existe otra que por sí sola ya sería suficiente para justificar que tratemos de la literatura religiosa de la Edad Media románica antes que de sus demás vertientes. Esta razón reside en el hecho de que la literatura religiosa está íntimamente vinculada con la tradición latina y por lo tanto plantea de manera clarísima los problemas inherentes a la relación entre las estructuras hereditarias de que hemos hablado en el primer capítulo y la sustancia nueva de las literaturas románicas.

La experiencia religiosa de la Edad Media impregna ante todo la literatura mediolatina, precisamente porque el latín era la lengua en que normalmente se expresaban los clérigos de todos los países. El pensamiento cristiano, de la patrística a la escolástica, a Duns Scoto, a Occam, se expresó con toda su riqueza y su potencia en las formas mediolatinas; el latín era además la lengua de los himnos y de las secuencias, que a veces alcanzaron cumbres líricas a las que raramente supo llegar más tarde la poesía cristiana. De ello se deduce que la literatura religiosa romance fue siempre tributaria, en menor o mayor grado, de esta producción tan prestigiosa, la cual constituyó siempre su telón de fondo cultural.

Sólo reaccionan contra estos vínculos con la tradición algunas culturas religiosas marcadamente heréticas, que nacieron en lengua vulgar y rechazaron con mayor o menor fuerza la herencia mediolatina. Sin embargo, en parte por su propia debilidad y en parte porque la Iglesia se cuidó de destruir sus huellas, sabemos muy poco al respecto; en cuanto a los Cátaros, tenemos que rastrear su doctrina a través de fuentes indirectas,[3] y escaso es

---

3. Consúltese R. Manselli, *L'eresia del male*, Nápoles, 1963, y H. Grundmann, *Religiöse Bewegungen im Mittelalter*, Hildesheim, 1961, pp. 442 ss.
Los cátaros cultivaron una religión —a mediados del siglo XII— cercana a los maniqueos y que tuvo sus mayores defensores en el sur de Francia: el mundo fue

lo que nos queda también de los indómitos valdenses.[4]

Si no se toman en consideración estos episodios marginales se puede decir que casi toda la literatura religiosa romance de la Edad Media presupone una situación muy característica; el escritor se sitúa como mediador entre una doctrina, que por regla general se expresa en latín, y un público que, al no conocer esta lengua, no puede alcanzar un conocimiento directo de ella. Por este motivo sucede que la producción romance, cuantitativamente muy abundante, es generalmente de escaso relieve literario porque no es vehículo de experiencias, sensibilidad o concepciones nuevas y originales, sino que informa, pone al día e instruye traduciendo (en sentido literal o figurado); es un medio subordinado a una finalidad práctica, no una expresión autónoma de cultura.

Pero a veces el autor se identifica tanto con su función de divulgador que llega a hacer una obra no original pero viva y a su manera espontánea, y hasta los textos más modestos y deficientes conservan en toda ocasión su importancia para la función cultural que les toca desarrollar, porque hacen que los incultos se sientan partícipes de la espiritualidad que se expresa en latín.

Lentamente, y gracias a esta obra de difusión, se fue formando un ambiente cada vez más amplio de religiosidad laica, que halló su medio de expresión, con tonos sinceros y nuevos, en la lengua

---

creado por un principio del Mal, que se oponía al principio del Bien. Entre las diferentes sectas cátaras, destacaron los albigenses por su carácter violento; fueron condenados por el III Concilio de Letrán (1179). La doctrina albigense se basaba en la dualidad del Bien y el Mal, representada en el hombre por el alma y el cuerpo; cualquier concesión al cuerpo era un motivo más para atormentar al alma; de ahí, que se negara todo aquello que pudiera ensuciar el espíritu (alimentos, relaciones sexuales, etc.); lógicamente, si el cuerpo era representación del Mal, Dios no pudo encarnarse, porque era todo Bien. Contra los albigenses se predicó la Cruzada de 1208, por Inocencio III: el éxito del llamamiento no se debió tanto a los móviles religiosos como a la codicia, ya que las posesiones de los herejes pasaron a poder del rey de Francia y sus bienes se distribuyeron entre los nobles invasores. Por otra parte, para luchar contra la herejía en el terreno espiritual, se instituyó la Inquisición, impulsada por Domingo de Guzmán, fundador de la Orden de Predicadores. A pesar de todos los esfuerzos, el catarismo no desapareció hasta finales del siglo XIV.

4. Cfr. D'A. S. Avalle, *La letteratura medievale in lingua d'oc nella sua tradizione manoscritta*, Turín, 1961, pp. 150-154.

La herejía valdense se caracteriza por su renuncia a todo tipo de riquezas; fue fundada por Petrus Valdus en Lyon (1170, Hermandad de los Pobres de Lyon); viven de la mendicidad y predican —frente a las normas eclesiásticas— la «libertad de la palabra de Dios»; se extendieron por el sur de Francia y norte de Italia.

vulgar. Y también podía suceder que el registro romance, dotado no solamente de una funcionalidad práctica como la que señalábamos más arriba, sino también de tradición y prestigio, fuera adoptado en alternancia con el latino por personas cultas capaces de emplear el idioma sabio, por lo que hubo autores, generalmente hombres de Iglesia, que expresaron indiferentemente sus experiencias religiosas en latín y en romance.

Pero la postura fundamental del autor de obras religiosas en romance era la de mediador, y presentaba ante todo una cuestión de fondo, preliminar. Consideremos el caso de la Sagrada Escritura. Siempre estuvieron los textos bíblicos en el corazón de la religiosidad cristiana (recordemos las palabras de San Cesáreo citadas anteriormente), pero su difusión en lengua vulgar planteaba problemas específicos que se hicieron más evidentes tras la fermentación de herejías aparecidas a partir del año 1000, pues se agudizaron los riesgos de la vulgarización incontrolada. Hubo severas intervenciones de la Iglesia, como la de 1199 que condenó la traducción de los Evangelios que un grupo de laicos de Metz, en la Lorena, se había hecho elaborar para uso corriente.[5]

El problema del control sobre las traducciones de textos sagrados a primera vista parece incidir únicamente sobre cuestiones de ortodoxia, sin embargo no es difícil comprobar que puede engendrar reflexiones muy importantes para toda la actividad literaria. La prohibición de 1199 y otras parecidas no frenaron la labor de los traductores, pues satisfacían necesidades muy sentidas, pero consiguieron que éstos cada vez fueran más exigentes y responsables. Así el anónimo que, también en la Lorena, tradujo en el siglo XIV el *Salterio* a la *scripta* local, consideró oportuno encabezar su obra con un prólogo que es un pequeño tratado sobre las dificultades de la traducción, que, para quien se enfrenta a las páginas sagradas, crecen y se multiplican:

> Et pour ceu dont est ce trop perillouse chose de translateir la saincte escripture dou latin en romans, quar li escripture sainte est si plainne de plusours sens et de plusour entendemens que qui la welt mettre de latin en romans, se il n'i ait lonc temps

5. El papa, que era entonces Inocencio III, actuó con mucha cautela y se formuló la condena solamente cuando se hubo comprobado que quienes se servían de la traducción eran herejes. Cfr. Grundmann, *op. cit.*, pp. 97 ss.

estudieit et se il n'ait l'usaige et l'entendement de li, il ne la puet veritablement translateir senz erreir.[6]

(Y por esto es demasiado arriesgado traducir la Santa Escritura del latín al romance, porque la Santa Escritura está tan llena de sentidos múltiples y de mensajes complejos que quien quiere ponerla de latín en romance, si no ha estudiado mucho tiempo sobre ella y si no la maneja con familiaridad y posee todos sus sentidos, no puede de ninguna manera traducirla sin errores.)

El texto bíblico encierra *l'entention dou sainct esperit* («la intención del Espíritu Santo») que lo ha inspirado y por lo tanto para traducirlo hace falta, tal como dice el autor en el mismo fragmento, un *dons especial dou saint esperit* («un don especial del Espíritu Santo»), que nadie está seguro de poseer. Pero además de este gravísimo obstáculo inicial, es imprescindible que el traductor haya tenido una larga familiaridad con el texto y domine todos sus rincones más ocultos. Y aun así traducir (y por extensión transmitir a otra lengua un patrimonio cultural cualquiera) no es un simple proceso técnico, sino un problema de lo más arduo, del que la Edad Media tuvo conocimiento precisamente a través del ejercicio hecho a partir de la Biblia.[7]

6.  Edición de F. Apfelstedt, Heilbronn, 1841 («Altfranzösische Bibliothek», IV), p. 3 (introduzco la distinción entre *u* y *v* y modifico la puntuación). Adán de Perseigne escribía a la condesa de Champagne: «Scito, filia, quod sententia cujuslibet dicti, si de lingua in linguam translata fuerit, vix in peregrino idiomate sua ei sapiditas vel compositio remanebt. Liquor enim cum de vase transfunditur, aut in colore, aut in sapore, et odore aliquatenus alteratur» («Sabed, hija, que si se traslada de una lengua a otra el contenido de cualquier enunciado, apenas subsiste en el idioma extraño el sabor o la estructuración de aquél. Cuando, en efecto, transvasamos un líquido de un recipiente a otro, éste se altera notablemente en el color, en el sabor y en el olor») (*Patrol. lat.*, CCXI, col. 692).

7.  Como es natural el problema de la traducción se plantea cada vez de distinta manera según los ambientes y las finalidades perseguidas. Es un caso ejemplar en la Edad Media el de las traducciones de Aristóteles y de los filósofos musulmanes del hebreo o del árabe realizadas en la Castilla de los siglos XII y XIII. En este caso el contenido era más importante que la forma y cuando los traductores no comprendían algún pasaje resolvían la papeleta traduciendo palabra por palabra, para que los exégetas tuvieran por lo menos un asidero. El propósito del trabajo era meramente informativo, sin los escrúpulos del traductor lorenés. En otros ambientes, en cambio, especialmente en Italia, traducir a los clásicos latinos se convirtió en un ejercicio de estilo y forja de la prosa romance según el provechoso modelo de los antiguos. Vid. M. Morreale, «Apuntes para la historia de la traducción en la Edad Media», *Revista de Literatura,* V (1959), pp. 3-10. Un panorama más detallado, con abundante bibliografía en G. De Poerck y R. Van

## 2. LA MULTIPLICIDAD DE LOS SENTIDOS: EL «ERUCTAVIT»

Ya se habrá notado que la dificultad principal para un traductor de la Sagrada Escritura era, como exponía el anónimo lorenés, el hecho de que en un único pasaje convivieran *plusours sens et plusour entendemens* («sentidos múltiples y mensajes complejos»), de los que hemos tratado en su momento. En efecto el traductor corría el riesgo constante de sustituir una parte del discurso latino por un giro romance que excluyera irremediablemente, en su totalidad o en parte, alguno de los niveles significativos que habían sido identificados por la tradición. Para subsanar este menoscabo sólo había una solución: ofrecer la glosa junto al texto, sin que por ello respondiera a una imposición desde arriba como sucedió más tarde. Aún más, parece que era general la preferencia por el texto comentado respecto al desprovisto de glosa, incluso cuando el texto estaba en latín, y es que la pluralidad de sentidos de la Bibilia era un hecho notorio, y sólo así se podía evitar el riesgo de un conocimiento parcial.

Para los laicos el texto comentado no solía presentarse en la forma escolar de la glosa marginal propiamente dicha, que resultaba muy incómoda para el lector, sino que estaba constituido por una paráfrasis seguida donde el comentario y el texto estaban fundidos en un único continuum, en el que a menudo era bastante difícil separar la palabra divina de su exposición. Esto supone, evidentemente, una concepción del comentario distinta de la que tenemos hoy. Mientras para nosotros únicamente el sentido literal es válido y relativamente indiscutible, sólo la lectura literal es inmanente al texto y todas las interpretaciones, tengan el grado de coherencia que tengan, están dadas por añadidura; para el hombre medieval la letra y la exégesis forman un solo cuerpo, la segunda está implícita en la primera y es inmanente e inseparable de ella, por lo que quien explicita la interpretación en la paráfrasis no hace más que facilitar la tarea del lector, sin añadir nada por su cuenta, sobre todo si pensamos que la glosa que solía

Deyck. «La Bible et l'activité traductrice dans les pays romans avant 1300», *GRLMA*, VI/1 (1968), pp. 21-48 (documentación en VI/2 [1970], pp. 54-80). En el mismo *Grundriss* se dedica un capítulo, de J. R. Smeets, a «Les traductions, adaptations et paraphrases de la Bible en vers» (pp. 48-57).

usarse no tenía nada de personal sino que era fruto de una elaboración secular.

En un estado de cosas semejante es difícil separar, como veremos, los textos comentados de las libres reelaboraciones expositivas. Tomemos en consideración el anónimo poema francés que se suele conocer bajo el nombre de *Eructavit*, por la primera palabra del salmo XLIV que le sirve de base.[8] Se trata de 2168 octosílabos pareados compuestos por un eclesiástico entre 1181 y 1187 y dedicados a la condesa María de Champagne, hija del rey de Francia Luis VII y de Leonor de Aquitania.[9]

¿Se trata de una traducción, de un comentario o de una paráfrasis? Los autores de las rúbricas de los manuscritos vacilan; uno escribe: «Ci conmence le siaume de Eructavit translaté del latin en roumanz» («Aquí empieza el salmo Eructavit traducido del latín al romance»), otro, en cambio: «Ci comence la glose de Eructavit» («Aquí empieza la glosa de Eructavit»), y otro define el texto como «exposition en francois d'un psaume du psautier que l'en appelle Eructavit cor meum» («exposición en francés de un salmo del salterio que se llama Eructavit cor meum»).[10] Pero la oscilación se explica porque los distintos términos son intercambiables, precisamente debido a lo que decíamos antes.

El poeta francés ha dividido el texto latino en 23 frases, que corresponden generalmente a los 17 versículos en que aparece dividido el salmo en el salterio galicano, que es el que sigue el

8. Se le atribuye este nombre a la composición ya en las rúbricas de algunos manuscritos (por ejemplo *Explicit Eructavit* o *Esplicit iste psalmus Eructauit*). Señalemos de paso que el texto gozó de una amplia difusión atestiguada por el número de manuscritos que nos lo han conservado (14).

9. Se nombra inequívocamente a la condesa en los vv. 3 y 2079 (el *ma dame* del v. 1750 va referido también a ella). Como se señala que era hermana del rey de Francia y en ningún momento, en cambio, se menciona a su marido, parece que el poema es posterior a la coronación de Felipe Augusto (1 de noviembre de 1179) y a la muerte de Enrique I de Champagne (marzo de 1181). Al no hacerse referencia a la caída de Jerusalén puede ser que el poema sea anterior a 1187, lo que concuerda con la actitud que el poeta muestra hacia los turcos. Jenkins, que editó nuestro texto (*Eructavit*, Dresden, 1908, «Gesellschaft für romanische Literatur», Bd. 20), identificó el autor con Adán prior de Perseigne (1145-1221 aproximadamente), pero es una tesis poco fundamentada, a la que ha aportado escasa sustentación M. Sampoli Simonelli «Sulla parafrasi antica del Salmo *Eructavit*, Adamo di Perseigne, Chrétien de Troyes e Dante», *Cultura Neolatina*, XXIV (1964), pp. 5-38; por lo que aceptamos la negativa de J. F. Benton, «The Court of Champagne as a Literary Center», *Speculum*, XXXVI (1961), páginas 582-584.

10. Cfr. edición cit., pp. xxx-xxxi.

autor;[11] estas frases se intercalan en su forma original dentro
del texto en vulgar; cuyas secciones están destinadas a comentar
las palabras latinas que las preceden,[12] según la pauta de las exégesis alegóricas y morales particulares que se inscriben en una
interpretación global del salmo que se remonta por lo menos
a San Agustín y que ve en él un epitalamio, un himno a las bodas
místicas de Cristo y de la Iglesia, cantadas proféticamente por
David.[13] Por ello el salmo fue incluido en la liturgia de la Navidad. Leamos este fragmento:

> Cist vers aprés conte la joie,
> 1750. S'est bien droiz que ma dame l'oie,
> Cui Damedés meinteigne et guart
> Si qu'ele en ait entiere part!
> AFFERENTUR IN LAETITIA ET EXULTATIONE:
> ADDUCENTUR IN TEMPLUM REGIS.
> Par un samblant que David conte,
> Selonc ce que cuers d'ome monte
> 1755. Poons entendre et aparçoivre
> La grant joie dont Dex aboivre
> Et enlumine toz les suens,
> Que mout par est et biaus et buens.
> Une samblance vos i met
> 1760. Par que grant joie nos promet.
> Ansi comme an cest siegle avient
> A la grant cort que li rois tient
> Quant il doit corone porter
> Por sa hautece conforter,
> 1765. Des barons i a tant ensamble
> Que desoz aus la terre tramble;
> Le annors font, les granz dons donent,
> La feste est granz, les cloches sonent,
> De totes parz siegles acort,
> 1770. Chascuns s'adrece vers la cort.
> Li prince en mainent la rëine
> El joié que Dex li destine.

11. Falta el primer versículo del salterio romano.
12. Las secciones del texto francés son 27, porque tiene una al principio en
forma de prólogo y al final lleva tres dedicadas al *Gloria*.
13. Para la tradición exegética, véase Jenkins, *op. cit.*, pp. XVIII ss.;
G. F. Mc Kibben, *The Eructavit: The Author's Environment, his Argument and
Materials*, Baltimore, 1907.

Toz li siegles fremist et bruit,
Vers la rëine esguardent tuit;
1775. Chascuns se paine qu'il la voie.
Li baron font devant la voie,
Li chasé vont mout belemant
Si la portent seriemant.
Ele s'oblie antre lor braz
1780. De la grant joie et del solaz;
Une douçors au cuer li vient
Si que de li ne li sovient.
    Cel joié que la rëine a
Ansi con Dex li destina,
1785. Ce dist David, et mout greignor
Avront devant nostre saignor
Cil et celes qui sauf seront,
Et tot ansi les porteront
Li angle Deu entre lor meins;
1790. Et cil joiés iert si certeins
Con cil qui ne faut ne ne lasse
Envers celui qui tost trespasse.

(Este verso que sigue habla del gozo, y es justo que lo escuche mi señora, a quien Nuestro Señor mantenga y guarde de manera que ella pueda participar plenamente de aquel gozo. CON ALEGRÍA Y CON JÚBILO SON CONDUCIDAS, ENTRAN EN EL PALACIO DEL REY. Por una comparación que cuenta David sobre cuánto es capaz de elevarse el corazón del hombre, podemos ver y comprender el gran gozo con el que Dios sacia e ilumina a todos los suyos, porque es enormemente generoso y bueno. Os pone un ejemplo con el que nos promete gran gozo.

Así como cuando en el siglo el rey celebra una gran corte cuando tiene que ser coronado para consuelo de su majestad, que hay tanta reunión de barones que la tierra tiembla bajo sus pies; se rinden honores, se hacen grandes regalos, la fiesta es grande, suenan las campanas, acude gente de todas partes, todos se encaminan hacia la corte. Los príncipes acompañan a la reina a la joya que Dios le destina. Todo el público bulle y murmura, todos miran hacia la reina; todos se esfuerzan por verla, los barones abren el camino, los hidalgos siguen muy solemnemente, y así la llevan con pompa. Ella se desvanece entre sus brazos por su gran alegría y su gozo; se le llena tanto el corazón de dulzura que no se acuerda de sí misma. De igual manera, aquella alegría que tuvo la reina, que Dios se la destinó, nos dice David que la tendrán mucho mayor ante el Señor los que se salvarán, y los ángeles de Dios los llevarán también a su presencia; y aquella alegría ser átan verdadera como aquello que ni se consume ni se gasta comparado con lo que fenece en seguida.)

En el argumento de nuestro texto se suman dos exégesis distintas; por una parte David, transportado hasta las puertas del paraíso, tiene la visión de un acontecimiento que deberá producirse muchos siglos más tarde, es decir el nacimiento de Cristo, y los versículos 3-18 del salmo están destinados a celebrar lo que ha visto; por otra —como ya se ha señalado— el salmo canta las bodas místicas de Cristo con la Iglesia. La primera exégesis ofrece. el tema para el encuadre narrativo del comentario. En el verso 86 el poeta habla de «noces Deu et sainte eglise» («bodas de Dios y de la Santa Iglesia»), pero añade en seguida: «Bien sot [David] que de ses hairs seroit / La virge ou Deus s'aomberroit» («Bien sabía David que de sus descendientes sería la Virgen en la que Dios se encarnaría») (vv. 87-88). En los versos 283 ss. David pide que le sea concedido ver «cómo el glorioso hijo de Dios vendrá por una concepción maravillosa (*novele*) en la Virgen santa, señora que descenderá de mi linaje», pero luego en realidad ve «las bodas que Dios ha hecho ahora al comienzo de la Santa Iglesia» (vv. 318-319), aunque junto al rey contempla a *nostre dame* coronada. En realidad las dos interpretaciones son perfectamente intercambiables porque, además de la obvia identificabilidad de los dos sentidos distintos en el *Rex* (que puede ser tanto Cristo como el Espíritu Santo), se añade la posibilidad de sustituir la Iglesia por la Virgen María, lo que queda confirmado además por el hábito iconográfico de reemplazar en la escena de la crucifixión la madre de Cristo por una figura femenina designada como Ecclesia.[14]

Pero junto a estos dos planos hallamos todavía una tercera vía interpretativa, según la cual la *filia* del versículo 11 del salmo, la *sponsa,* es el alma del cristiano acogida en el reino de los cielos. Y nuestro poeta, que escoge (o va sumando) sucesivamente los módulos expresivos que le parecen más pertinentes, eligió para el versículo 16, que es el que nos interesa, precisamente esta última exégesis. Si volvemos a leer los versos 1756-1757 y 1783-1787 del poeta francés veremos que el gozo representado en el *sam-*

14. Cfr. E. Mâle, *L'art religieux du XIII* siècle en France*, París, 1948, pp. 189 ss. y especialmente las 193-194.

*blant* ('símil') de David es el de todos los elegidos, es el gozo de las almas bienaventuradas.

Ahora ya no es difícil encuadrar estas observaciones en los esquemas que conocemos. El sentido literal del salmo corresponde a un epitalamio, el sentido alegórico está representado a la vez por la Encarnación y por las Bodas místicas, y el último se refiere a la anagogía, ya que señala los premios celestiales que aguardan al alma, aunque a veces la tercera exégesis se inclina más hacia valores tropológicos.[15] Todo el salmo tiene además valor profético y, en cuanto resultado de una experiencia personal de su autor David, está en relación tipológica con la Encarnación de Cristo como acontecimiento histórico.

Estas distinciones esquemáticas tienen, sin embargo, valor hasta un cierto punto; lo que importa es integrar las indicaciones de la exégesis escritural en un contexto crítico que se ciña estrechamente al texto. Considérese la *joie* del verso 1749. El pasaje precedente hablaba del triunfo final en el que veremos la procesión que David pudo contemplar en su visión describiéndola como *feste haute et bele* (v. 1745). A primera vista parece, pues, que esta *joie* se refiera a la alegría que se desprende de la fiesta aludida y por un momento nos parece que la descripción que tenemos ante los ojos está desasida de cualquier vínculo con la realidad del mundo. Pero inmediatamente el poeta desea que María de Champagne pueda tener *entiere part* en ella, pueda ser plenamente partícipe de ella; volvemos, pues, así al plano anagógico, que tiene valor aquí para un solo individuo, para aquella a quien está dedicado el poema, pero que al cabo de poco se extiende también a un *nos* ('nosotros'), por lo que se nos considera a todos como posibles partícipes de la *feste*. La inclusión de la realidad en la alegoría se extiende de la condesa al poeta y a los lectores, pero es una extensión arriesgada, una esperanza ambiciosa e incierta; sólo los *suens* ('suyos') gozarán de la *joie,* es decir *cil et celes qui sauf seront* ('aquellos y aquellas que se salvarán'). Sólo la distinción entre los pronombres revela la posibilidad de alcanzar esta suerte a la vez que señala su distancia, es decir la continuidad que en resumidas cuentas existe de alguna manera entre la realidad contingente de hoy y la gloria eterna. Las interconexiones entre los distintos sentidos exegéticos dibujan, pues, una

15. Cfr. especialmente la sección correspondiente al versículo 6.

concepción de la realidad muy elástica y fluida, pero no por ello indiferenciada ni exenta de matices graduales (la conciencia de la diferencia entre el mundo terrenal y el celeste está clara en el v. 1785). El alma humana puede circular en esta concepción de la realidad pero es consciente de su arriesgada aunque provisional limitación, abierta a la gloria de los cielos pero también a la ruina definitiva (cfr. vv. 1735-1741).

Y asimismo, no sólo los estados y las situaciones son graduales (que para la Edad Media es algo intrínseco a la realidad, y por lo tanto en cierto modo objetivo), sino que también es gradual el conocimiento, y este hecho refleja y condiciona a la vez al otro. David nos cuenta un *semblant* ('símil') «sobre cuánto es capaz de elevarse el corazón del hombre»,[16] es decir que gradúa su expresión en relación con las capacidades intelectivas del hombre. Únicamente a través de una comparación puede llegar el hombre a hacerse idea de la *joie* de las almas bienaventuradas. Pero no se trata aquí simplemente de traducir en términos comprensibles una realidad que nuestro intelecto no puede alcanzar; se está formulando también a la vez una promesa (cfr. v. 1760). He aquí, pues, una nueva duplicidad intrínseca a la narración, que es a la vez visión y profecía. La esperanza se suma al conocimiento.

El *semblant* ('símil') tiene la misión de representar a través de figuras de *cest siegle* ('este mundo') realidades del otro. La relación entre los dos mundos está atentamente subrayada; obsérvese cómo en el verso 1785 el *mout greignor* ('mucho mayor') establece una clara distancia entre el gozo de la reina y el de los bienaventurados y cómo en los versos 1790-1792 lo que *tost trespasse* ('fenece en seguida') está contrapuesto a lo que *ne faut ne ne lasse* ('ni se consume ni se gasta'). Esto podría parecer un signo de la renuncia a *cest siegle,* pero su función de *samblant* ('símil'), insustituible, lo revaloriza incorporándolo a una relación de sentidos que no sólo es eficaz en una dirección, sino que también refleja, sobre la transitoria realidad terrenal, la luz de los cielos.

Señalemos todavía más aspectos de este tupido tejido de planos de lectura. La incorporación de la glosa dentro de la letra es tan íntima que el poeta llega a decir que David es el autor de la comparación, casi como si el salmista la hubiese desarrollado

16. Cfr. la nota de Jenkins, *op. cit.,* p. 103.

por su cuenta o simplemente la hubiese expuesto. Y ello es debido a que para el anónimo francés la comparación está implícita en el versículo comentado y, sobre todo, en las palabras *in templum regis,* mientras que para nosotros no hay ningún vestigio de ella. Por otra parte el desarrollo de la comparación es genuinamente medieval con la espléndida corte [17] de generosos barones, el alegre tañido de las campanas, la aglomeración de curiosos, el ceremonial en el que la reina es acompañada por los vasallos, turbada y feliz. No es difícil citar escenas comparables en las novelas del siglo XII, como por ejemplo la coronación de Arturo y Ginebra en el *Brut* de Wace. Sin embargo, conviene observar que, tras un comienzo genérico y objetivo, planteado desde la perspectiva de los espectadores, la narración se va concentrando en la *reïne* hasta que el punto de vista del autor se confunde con el de ella y termina cortándose cuando la *reïne* pierde la conciencia. El poeta no se ha dejado llevar por la descripción de una ceremonia contemporánea; no se ha olvidado de la funcionalidad de su comparación: la *reïne* es en seguida la Iglesia que camina hacia Cristo, es el alma deslumbrada por la felicidad de los cielos. Insensiblemente se nos ha conducido de una descripción objetiva a la situación psicológica que nos quería ilustrar el poeta.

Por este camino la realidad aparece estrechamente ligada a las significaciones espirituales sin que éstas la absorban o la desvirtúen por completo. Precisamente porque la descripción está rigurosamente acomodada a las costumbres contemporáneas y está además íntimamente vinculada a su sentido anagógico, es posible que la realidad permita el conocimiento «por figura» de la gloria celestial, pero esto confiere a la realidad misma, junto a su genérica función expresiva, connotaciones específicas de lo que representa: el significante adquiere el sabor del significado.

La razón de ello es que el valor que se celebra en estos versos tiene de suyo posibilidades expresivas muy especiales. La *joie* es, en efecto, el gozo del alma acogida en el paraíso, el gozo del fiel admitido a la presencia de Dios (y asimismo el gozo de María

17. «Corte» no tiene aquí el sentido moderno de «población donde reside el soberano y su séquito» (cfr. v. 1770) ni el de «conjunto de las personas que componen el séquito y comitiva del soberano», sino el de «recepción fastuosa, fiesta celebrada en el palacio real» (las definiciones proceden de la *Gran Enciclopedia Larousse*).

en la Anunciación y el de la Iglesia, esposa de Cristo), pero es también, en el plano literal, el gozo de la esposa conducida ante el esposo, el gozo de quien se halla al centro de la *grant cort*, el gozo de quien pierde los sentidos por la *douçor* que *au cuer li vient* ('la dulzura que le viene al corazón'), que es una frase que intencionadamente recuerda un famoso verso del trovador provenzal Bernart de Ventadorn, en el que una alondra *per la doussor c'al cor li vai s'oblida e's laissa chazer* (volveremos a hablar más adelante de este motivo y de sus implicaciones). Dentro de esta red de ecos la realidad recibe así una luz de alborozo.

El ejemplo nos ha enseñado que la elaboración poética de un texto bíblico se caracteriza en principio por la adopción de un método exegético fruto de la tradición secular, por lo que refleja exactamente la conciencia de la realidad humana y divina que está implícita en él. Conciencia de múltiples ecos y resonancias, de desplazamientos continuos de un nivel de sentido a otro, de solidaridad entre estos niveles a pesar de sus graduales distinciones. Es una concepción que se puede explicitar en infinitas facetas, que puede encontrar iluminaciones inesperadas.

El valor fundamental que impregna este complejo prisma en nuestro caso es el amor, y esto nos abre una nueva perspectiva sobre la temática de la poesía religiosa de la Edad Media. La *joie* cantada por el anónimo francés nace del amor del alma por su esposo divino, de María por Dios, de la Iglesia por Cristo. Nuestro fragmento desarrolla con versos e imágenes felizmente expresivas el tema central de la poesía cristiana, el tema de la *charitas*. Esto no sucedió por casualidad, como tampoco escogió por casualidad nuestro autor el salmo XLIV; el anónimo se movía en el ámbito de una de las corrientes más fecundas de la espiritualidad cristiana de la Edad Media, la tradición cisterciense, que se remonta a las grandes enseñanzas de San Bernardo, basadas en la contemplación que se alcanza a través del amor.[18]

18. Consúltese sobre todo E. Gilson, *La théologie mystique de Saint Bernard*. París, 1947.

3.  LA ESCRITURA COMO PUNTO DE PARTIDA LÍRICO:
    «QUANT LI SOLLEIZ»

A lo largo de toda la Edad Media el tema del amor sacro
se desarrolló sin solución de continuidad tomando como referencia por regla general uno de los textos más extraordinarios
de la Biblia, el *Cantar de los Cantares*. La exégesis del *Cantar de
los Cantares* tiene una historia compleja y variada;[19] durante el
siglo XII se observan en las interpretaciones del texto en cuestión unos acentos de ternura explicables por la influencia de la
sensibilidad nacida de la renovación del culto mariano que precisamente en estos años cobró nuevo vigor. Tenemos que enmarcar en este contexto una poesía muy delicada, el tropo francés *Quant li solleiz,* del que leemos los treinta primeros versos:[20]

1.  Quant li solleiz converset en Leon,
    en icel tens qu'est ortus Pliadon,
        per unt matin,

4.  une pulcelle odit molt gent plorer
    et son ami dolcement regreter,
        et jo lli dis:

7.  «Gentilz pucellet, molt t'ai odit plorer
    e tum ami dolcement regreter.
        Et chi est elli?»

10. [La vi]rget fud de bon [entende]ment,
    si respon[diet mo]lt avenable[ment]
        sor son ami:

13. «Li miens amis, il est de tel paraget
    que nëuls on n'en seit conter lignaget
        de l'une part.

19.  Cfr. especialmente F. Ohly, *Hohenlied Studien. Grundzüge einer Geschichte
der Hohenliedauslegung des Abendlanders bis um 1200,* Wiesbaden, 1958.
20.  Se conserva un ejemplar único en el ms. lat. 2297 de la Biblioteca Nacional de París, del segundo cuarto del siglo XII. No es seguro que dispongamos
de un texto completo. Cfr. W. Foerster-E. Koschwitz, *Altfranzösisches Übungsbuch,*
Leipzig, 1932, col. 163-168, que es la edición que nosotros seguimos (con modificaciones ortográficas y de puntuación). Son fundamentales al respecto los cuatro
estudios de Lausberg respectivamente en *Festschrift für Jost Trier,* Meinsheim/
Glan, 1964, pp. 88-147; en *Archiv für das Studium der Neuren Sprachen,* CXCII
(1956), pp. 134-154; en *Syntactica und Stilistica. Festschrift für E. Gamillscheg,*
Tübingen, 1957, pp. 327-371; y en *Studi in onore di A. Schiaffini,* Roma, 1965,
pp. 586-604.

16. Il est plus gensz que solleiz en ested,
    vers lui ne pued tenir nulle clartez,
    tant par est belsz.

19. Blans est et roges plus que jo nel sai diret,
    li suensz senblansz nen est entrels cent miliet
    ne ja nen iert.

22. Il dist de mei que jo eret molt bellet,
    si m'aimet tant, toz temps li soi novelet,
    soe mercid.

25. Dolçor de mel apele il mes levres,
    desoiz ma ianguet est li laiz et le rees,
    et jo sai beem:

28. Nuls om ne vit aromatigement
    chi tant biem oillet com funt mi vestement
    al som plaisir.»

(Cuando el sol se para en la constelación del León, en el tiempo en que las Pléiades aparecen en el firmamento, una mañana oí llorar muy gentilmente a una doncella que se quejaba con dulzura de su amigo y yo le dije: «Gentil doncella, te he oído llorar mucho y lamentarte por tu amigo dulcemente. ¿Quién es él?» La doncella con muy buen juicio me contestó muy amablemente sobre su amigo: «Mi amigo es de tal estirpe que nadie sabría contar su linaje por uno de los lados. Es más bello que el sol en verano, ante él no puede subsistir ninguna claridad, pues es muy hermoso. Es blanco y colorado, más de lo que podría contar, su semblante no se encuentra entre cien mil, ni se encontrará. Él decía de mí que yo era muy hermosa, pues me amaba mucho, y siempre le resultaba nueva, por su merced. Decía que mis labios son dulzura de miel, que bajo mi lengua había leche y un panal, y yo lo sé bien: ningún hombre jamás vio aroma que oliera tan bien como mis vestidos cuando se fue».)

La relación entre nuestro poema y el *Cantar de los Cantares* salta a la vista. Bastará comparar *Cant.* 5, 6 «de absentia sponsi dulciter querentem» («quejándose dulcemente de la ausencia del esposo») con el v. 5; *Cant.* 5, 10 «dilectus meus candidus et rubicundus, electus ex milibus» («mi amado es fresco y colorado, se distingue entre millares») con los vv. 19-20; *Cant.* 4, 11 «Favus distillans labia tua, sponsa; mel et lactis sub lingua tua et odor vestimentorum tuorum sicut odur thuris» («Miel virgen destilan tus labios, esposa; miel y leche hay bajo tu lengua y el perfume de tus vestidos es como aroma de incienso») con los vv. 25-29, añadiendo para el v. 28, *Cant.* 4, 10 «et odor unguentorum tuorum super omnia aromata» («y el aroma de tus perfumes es mejor que el de todos los bálsamos»). Y no se trata simplemente de préstamos verbales; la interpretación alegórica que la tradición cristiana heredó del hebraísmo leía en el *Cantar de los Cantares* la alianza entre Dios y su pueblo, que pasó sin dificultades a representar la de Dios y la Iglesia, y no cabe duda de que es ésta la lectura que está implícita en nuestro poema, porque la *pulcelle* en los vv. 52-54 dice: «Hace cinco mil años él tenía una amiga [la Sinagoga, es decir la iglesia judía], la ha abandonado porque no lo servía y me ama a mí», y en las estrofas que siguen se detiene precisamente en figuras y episodios del Antiguo Testamento. Tenemos que añadir en seguida que también en este texto la exégesis permite sustituir la Iglesia por el alma y sobre todo por la Virgen.[21] De esta manera el amor que en el *Cantar de los Cantares* alcanza acentos de sensualidad encendida se hace figura del amor espiritual.

Pero nuestro poeta no pretende ni traducir el *Cantar de los Cantares* ni comentarlo, y tampoco intenta hacer una paráfrasis como la del *Eructavit,* pues el sentido alegórico de su texto queda sobreentendido, está presente pero no explícito. Nuestro autor se limita a recoger un determinado número de fragmentos del *Cantar de los Cantares* para enmarcarlos en una composición autónoma, nueva, que según Lausberg es un tropo [22] para ser cantado en la fiesta de la Asunción y deriva del segundo sermón que el monje cistercense Guerric d'Igny [23] compuso para esta misma fiesta.

Escribir una composición original inspirada en el *Cantar de los Cantares* no constituye una novedad; para poner un solo ejem-

---

21. Cfr. lo que se dirá seguidamente; de todas formas en los versos 91-93 la *pucele* es sin duda la Virgen, que recibió en Nazaret la salutación del ángel, es decir la Anunciación.

22. Repetimos que un tropo es la intercalación de un fragmento nuevo, que desarrolla un tema primitivo, dentro del texto de la Misa o del Oficio.

23. Guerric, abad de Igny (Reims), muerto en 1157, fue el discípulo más cercano a San Bernardo desde 1125. En realidad subsisten serias dudas a propósito del papel de fuente que se atribuye a su predicación, que se puede leer en *Patrol. lat.*, CLXXXV, cols. 190-193. Lausberg ha demostrado, sin embargo, que todas las demás citas litúrgicas presentes en el texto francés se hallan también en el oficio cistercense de la Asunción usado en el siglo XII. Esto confirma sus orígenes cistercenses. Según Lausberg el texto se cantaba antes del ofertorio y está completo; al final hay que añadir el *Ave Maria,* que era precisamente el texto del ofertorio en la fiesta de la Asunción.

plo citaremos el bellísimo poema *Quis est hic,* atribuido con un
margen de duda a San Pedro Damián (siglo XI), que toma otro
tema del mismo texto bíblico y lo desarrolla con una azorada emoción, se trata del tema de la espera, del deseo y de la desilusión,
el tema de la ausencia, de la noche oscura del alma:

> Quis est hic
> qui pulsat ad ostium,
> noctis rumpens somnium?
> Me vocat: «O
> virginum pulcherrima,
> soror, conjunx,
> gemma splendidissima,
> cito surgens
> aperi, dulcissima.
>
> Ego sum
> summi regis filius,
> primus et novissimus,
> qui de caelis
> in has veni tenebras
> liberare
> captivorum animas,
> passus mortem
> et multas injurias.»
>
> Mos ego
> derelinqui lectulum:
> concurri ad pessulum
> ut dilecto
> tota domus pateat,
> et mens mea
> planissime videat
> quem videre
> maxime desiderat.
>
> At ille
> jam inde transierat,
> ostium reliquerat:
> quid ego,
> miserrima, quid facerem?
> lacrimando
> sum secuta juvenem

> manus cujus
> plasmaverunt hominem.
>
> Vigiles
> urbis invenerunt me,
> expoliaverunt me;
> abstulerunt
> et dederunt pallium;
> cantaverunt
> mihi novum canticum,
> quo in regis
> inducar palatium.[24]

(¿Quién es éste que llama a la puerta, rompiendo el sueño de la noche? Me llama: «Oh la más bella de las doncellas, hermana, esposa, gema espléndida, levántate aprisa y ábreme, dulcísima. Yo soy el hijo del sumo rey, que bajé del cielo a estas tinieblas para liberar a las almas de los cautivos, sufriendo la muerte y muchos tormentos.» Yo dejé rápidamente la cama: me apresuré al cerrojo para que toda la casa se abriera al amado, para que mi mente viera claramente lo que deseaba ver con ardor. Pero él ya había pasado, había abandonado la puerta: ¿qué podía hacer yo infeliz? Llorando salí tras el joven cuyas manos plasmaron al hombre. Los guardias de la ciudad me encontraron, me despojaron; me quitaron y me dieron una túnica; me cantaron un nuevo cántico, para que sea conducida al palacio del rey.)

El camino escogido por nuestro poeta es muy distinto. Para empezar la poesía no está en primera persona, sino que se presenta como un diálogo entre dos personajes. Ya hemos visto que el segundo, la *pucelle*, es María-Ecclesia; el primero, según Lausberg, se puede identificar con el ángel que entona más tarde el *Ave Maria*. Para el erudito alemán se trata de una ampliación del responsorio no muy distinta de la que está en el origen del drama sagrado, pero en realidad la última estrofa, al terminar la exposición de María en primera persona, no está puesta en boca del ángel, pues en el verso 90 éste aparece citado en tercera persona («Il [Dios] enveiad son angele a la pucele») («Dios envió su ángel a la doncella»). Parece, pues, prudente no forzar dema-

---

24. Sigo el *Oxford Book of Medieval Latin Verse*, selección de S. Gaselee, Oxford, 1952, pp. 69-70.

siado la interpretación y limitarse a decir que quien habla en primera persona en las primeras y en las últimas estrofas es el mismo poeta.

Examinemos, pues, las primeras estrofas. En ellas se demuestra a las claras la preparación cultural del autor, especialmente en la perífrasis zodiacal del primer verso, que indica el período que va del 15 de agosto al 16 de septiembre, y en dos términos del v. 2: *ortus,* participio de un verbo *orir* del que sólo existe otra documentación y que sin duda es un latinismo,[25] y *Pliadon,* 'las Pléyades', palabra culta de origen griego, empleada muy pocas veces. Pero más allá de los preciosismos eruditos tenemos un esquema preciso: una mañana de verano, una muchacha que se queja de la ausencia del amado, el poeta que hace preguntas. No podemos dejar de recordar estas estrofas:

> La bele Doe siet au vent;
> souz l'aubespin Doon atent;
> plaint et regrete tant forment
> por son ami qui si vient lent.
> —Diex! quel vassal a en Doon!...

(La bella Doe está sentada al viento; bajo el blancoespino espera a Doon; llora y se queja muy tristemente por su amigo que tarda en venir. —¡Dios! ¡qué vasallo tiene en Doon!...)

o también,

> En un vergier lez une fontenele,
> dont clere est l'onde et blanche la gravele,
> siet fille a roi, sa main a sa maxele;
> en sospirant son douz ami rapele.
> —Aé cuens Guis amis!
> la vostre amors me tout solaz et ris.[26]

(En un vergel cerca de una fuentecita cuya agua es clara y la arena blanca, está sentada la hija del rey, con su mano en

---

25. Cfr. Tobler-Lommatzsch, *Altfranzösisches Wörterbuch,* VI, 1285, y Wartburg, *Franz. Etymol. Wört.,* VII, 416b. La otra documentación procede también de un texto religioso.

26. Cito a través de *Le «chansons de toile» o «chansons d'histoire»,* edición G. Saba, Módena, 1955, pp. 55 y 60, números III y VII (cfr. también p. 98, número XIX). Nótese también el parecido de la métrica. Nuestro tropo está formado por estrofas de dos decasílabos asonantados (y a menudo hasta rimados) con cesura de 4 más 6 seguidos de un cuadrisílabo con rima distinta. Consi-

la mejilla; llama a su dulce amigo suspirando. —¡Ay conde Gui amigo! Vuestro amor me quita la alegría y la risa.)

Estos textos están incluidos en obras de la primera mitad del siglo XIII, posteriores a nuestro tropo, pero los elementos del esquema son más antiguos. Las quejas de una muchacha en un paisaje primaveral, por ejemplo, las hallamos, aunque en primera persona, en uno de los *Carmina Cantabrigensia* (hacia el 1000) que empieza «Levis exsurgit zephyrus». Las estrofas francesas proceden de las llamadas *chansons de toile,* cantos que se supone acompañaban el trabajo en el telar de las mujeres medievales. Claro está que es un género que ha llegado hasta nosotros estilizado a través de la obra de poetas refinados.[27] Otro ejemplo famoso es la composición del trovador provenzal Marcabrú «A la fontana del vergier» (1148), en la que el poeta encuentra a la muchacha «a la sombra de un frutal, rodeada de blancas flores y del acostumbrado canto primaveral» mientras llora porque su amigo se ha marchado a la Cruzada. En suma, parece evidente que el anónimo francés ha querido engarzar su composición en un marco propio de una tradición específica de la lírica profana, la de las simples y humildes *Mädchenlied,* cantos femeninos, que habían sido ya valorados y trasladados de maneras variadas a la poesía culta, lo que llevaba implícito un gusto refinado por la literatura popular. También en este caso observamos una estilización máxima, subrayada notablemente por los rasgos lingüísticos cultos que hemos señalado; de la tradición lírica profana queda poco más que la simple sugerencia: el paisaje está aludido apenas, las quejas no son apasionadas sino simplemente dulces (v. 4 *molt gent,* vv. 5 y 8 *dolcement*). Pero ello no quita significación al procedimiento: aquí se demuestra que incluso en el campo paralitúrgico la poesía religiosa puede estar influida por la profana, que en la literatura medieval no existen compartimentos estancos,[28] a pesar de que cada texto se defina posteriormente

dérese, por ejemplo, la *chanson* IV de la edición de Saba; estrofas de 3 decasílabos de 4 más 6 asonantados seguidos de un cuadrisílabo y un decasílabo rimados, pero el cuadrisílabo y el decasílabo finales son el estribillo, es decir que se repiten invariablemente al final de cada estrofa.

27. Los dos ejemplos citados forman parte el primero de la novela *Guillaume de Dole* de Jean Renart, y el segundo del *Lai d'Aristote* de Enrique de Andeli. Cfr. capítulo III, § 3.

28. Ver también el próximo capítulo.

por su carácter específico y no por la naturaleza de algunas de sus fuentes.

Por otra parte, es también significativo que el proceso de atenuación y de estilización que el poeta ha aplicado a la sugerencia profana esté repetido en la utilización del *Cantar de los Cantares* mismo. El punto de partida estaba constituido por unos versículos de sabor fuerte y turbador en los que la sensualidad se expresa con una plenitud pocas veces igualada. Consideremos solamente los cotejos citados más arriba: la concisa fuerza del «dilectus meus candidus et rubicundus» se suaviza en «Blans est et roges plus que jo nel sai diret», donde todo el segundo hemistiquio del decasílabo, a pesar de contener una hipérbole, amortigua, mitiga y dulcifica el ritmo; pero en la segunda comparación (*Cant.* 4, 11 con los vv. 25-30) no sólo se confirma este procedimiento, digamos, de suavización, sino que queda claro que el cambio más decisivo es la sustitución del diálogo ardiente de deseo entre los dos enamorados por la confesión estática de la *pulcelle,* apenas velada por una dulce melancolía, en la que el erotismo es un recuerdo lejano, no una pasión viva y presente. La tensión del *Cantar* se diluye en una dulzura reposada.

Esta uniformidad de procedimientos hace que la poesía presente una profunda unidad de tono a pesar de ser un mosaico de sugerencias muy diversas,[29] y ello caracteriza con bastante nitidez la fisonomía del autor anónimo, persona sin duda notablemente culta, experto en textos religiosos pero también en lírica profana, que supo madurar y realizar un ideal de comedida elegancia lírica, en el que se fundían ecos de distintas tradiciones bajo un sello nuevo y personal, capaz de desarrollar con originalidad la inspiración mariana. Contrariamente al *Eructavit,* el punto de partida bíblico se resuelve aquí en un planteamiento tendencialmente lírico.

## 4. EL DESTIERRO DEL ALMA: JUAN RUIZ

El tropo *Quant li solleiz,* sin embargo, no tiene una estructura propiamente lírica, si por lírica entendemos la expresión poé-

---

29. Basta ver el aparato de fuentes aportado por Lausberg en el artículo citado de la miscelánea Schiaffini.

tica de un sentimiento personal. Presentaremos ahora un ejemplo del rico patrimonio de la lírica románica religiosa de la Edad Media, el único que podemos introducir aquí y que entresacamos de la producción mariana, el género más difundido y también el más inspirado de la época. Leamos, pues, una *cantiga de loores de Santa María* del poeta castellano del siglo XIV Juan Ruiz, Arcipreste de Hita:[30]

> Quiero seguir
> a ti, flor de las flores,
> sienpre dezir,
> cantar de tus loores;
> 5. non me partir
> de te servir,
> mejor de las mejores.
>
> Grand[e] fiança
> é yo en ti, Señora,
> 10. la mi esperança
> en ti es toda ora:
> de tribulança
> [tú] sin tardança
> venme librar agora.
>
> 15. Virgen muy santa,
> yo paso atribulado
> pena atanta
> con dolor tormentado,
> e me espanta
> 20. coita atanta
> que veo, ¡mal pecado!
>
> Strella del mar
> [e] puerto de folgura,
> de malestar
> 25. conplido e de tristura
> venme librar

---

30. Sobre la figura histórica del Arcipreste no se sabe nada en absoluto; véase, sin embargo, E. Sáez y J. Trenchs, «Juan Ruiz de Cisneros (1295/1296-1351/1352) autor del "Buen Amor"», en *El Arcipreste de Hita. El libro, el autor, la tierra, la época*, Barcelona, 1973, pp. 365-368. Las únicas noticias conocidas son las que se desprenden de su única obra el *Libro de Buen Amor*, compuesto entre 1330 y 1350. Sigo la edición de Chiarini, Milán-Nápoles, 1964.

                         e conortar,
                 Señora del altura.


                 Nunca falleçe
         30.  la tu merçed conplida,
                 sienpre guaresçe
                 de coitas e da vida;
                 nunca peresçe
                 nin estristeçe
         35.  quien a ti non olvida.


                 Sufro grand mal
         sin meresçer, a tuerto,
                 esquivo tal,
         porque pienso ser muerto;
         40.    mas tú me val',
                 que non veo ál
         que me saque a puerto.

El *Libro de Buen Amor,* del que forma parte esta composición,
en realidad es una obra narrativa seudoautobiográfica en estrofas
monorrimas de cuatro alejandrinos; pero no sólo se hallan en su
interior poesías líricas sugeridas por episodios o situaciones des-
critos en el curso de la exposición, sino que el poeta ha dispuesto
también al principio y al final de la obra unos grupos de poemas marianos. Estas poesías tienen sin duda una función en
la arquitectura general del libro, pero pueden ser leídas sin que
pierdan valor por su cuenta, como composiciones aisladas, pues
no dependen del contexto.

El primer rasgo que distingue esta *cantiga* de los dos textos
que hemos examinado es naturalmente el que lo define como
fragmento lírico, es decir la posición específica del yo del poeta,
que en los dos anónimos o no tenía ningún papel *(Eructavit)* o
figuraba en una posición marginal y, tal como se ha señalado,
determinada por un esquema tradicional *(Quant li solleiz).* Aquí,
en cambio, encontramos el Yo en el centro de una poesía cuyo
tema es la situación existencial del autor. Pero ¿en qué sentido
es individual esta cantiga? ¿Situación individual significa aquí situación autobiográfica? ¿Significa, acaso, que la poesía refleja
un determinado estado del alma del poeta, identificable con precisión?

En otra poesía mariana que en el *Libro* precede inmediatamente la nuestra, el poeta dice:

> de aqueste dolor que siento
> en presión, sin meresçer,
> tú me deña estorçer
> con el tu defendimiento.

(vv. 7030-7033)

El manuscrito 2663 de la Biblioteca Universitaria de Salamanca, el códice más importante y a veces único del *Libro,* lleva un colofón que dice: «Éste es el libro del arçipreste de Hita, el qual conpuso seyendo preso por mandato del cardenal don Gil, arçobispo de Toledo.» Ya que el futuro cardenal don Gil de Albornoz, arzobispo de Toledo desde el año 1338, es nombrado efectivamente por Juan Ruiz en un episodio añadido al final del *Libro* (v. 7135), es elemental conjeturar que la información es históricamente exacta, que el poeta cantó este encarcelamiento en el v. 7031 y que, finalmente, el *grand mal* sufrido por el autor, *sin meresçer* (como en el v. 7031), *a tuerto,* en nuestra *cantiga* no es más que el encarcelamiento en cuestión. De esta manera la poesía tendría una referencia autobiográfica concreta, aunque escasamente documentada, y se transformaría en una composición nacida de una ocasión real, tal como predicaban los románticos.

Una gran hispanista, María Rosa Lida de Malkiel, señaló,[31] sin embargo, que la anotación es de un copista tardío (primeros del siglo xv) y por lo tanto no tiene ninguna autoridad, pues es fácil que esté deducida del texto mismo, y que para los escritores medievales la cárcel era a menudo una metáfora del destierro del alma cristiana vinculada al cuerpo; en efecto, el *malestar* y la *tristura* de los que el poeta quiere ser liberado en nuestra composición se asemejan más a los lazos del pecado que a los cepos de la justicia. La idea de que el pecado equivalía a una cárcel para el alma fue tan viva en la Edad Media que la metáfora *captivus Diaboli,* empleada para designar a los malvados, originó en italiano el término de uso corriente para designar la calidad

---

31. Ver el estudio «Nuevas notas para la interpretación del Libro de Buen Amor», *Nueva Revista de Filología Hispánica,* XIII (1959), pp. 69 ss., recogido en *Estudios de literatura española y comparada,* Eudeba, Buenos Aires, pp. 14-91, y también en la selección de textos del *Libro de Buen Amor* de la autora, Buenos Aires, 1973, pp. 205-287.

de malo, *cattivo*. En resumen, nada impide que nuestra poesía y la otra que hemos citado puedan ser interpretadas sin ninguna referencia a un encarcelamiento real.[32] Pero, por otra parte, ¿es realmente cierto que ambas posibilidades se excluyen mutuamente, no nos engaña en este planteamiento un prejuicio moderno?

Hacia finales del mismo siglo XIV otro poeta castellano, Pero López de Ayala, sobre el que estamos bien informados porque tuvo un papel importante en la política de su tiempo, compuso una amplia obra poética, el *Libro rimado de palacio* que, como el *Libro* de Juan Ruiz, comprende un cierto número de poesías líricas. Pues bien, también él escribe en una de sus composiciones:

> Me dexaron olvidado
> en una prisión escura
>
> (estr. 788. ed. Joset)

Y en otra:

> Señor, Tú no me olvides, ca paso muy penado
> en fierros e cadenas en cárçel ençerrado.
>
> (estr. 796)

En las estrofas que enmarcan los poemas hallamos la confirmación de esta alusión:

> Yo estava ençerrado en una casa escura,
> trabado de una catena asaz grande e dura;
> mi conorte era todo adorar la su [de María] figura,
> ca nunca fallé cristiano que de mí oviese cura.
>
> (estr. 782)

Finalmente, el poeta da las gracias a Dios por haberle liberado de la cárcel (estr. 822-823), lo que no deja lugar a dudas a propósito de la realidad de la prisión, ya que sólo la muerte puede liberarnos de la otra cárcel, la corporal. La historia nos testifica que López de Ayala cayó en manos de los portugueses en el desastre de Aljubarrota (1385) y que no fue puesto en libertad

32. Juan Ruiz, por otra parte, escribía en otra de sus poesías marianas: «... Folgura, / e salvación / del linaje umanal, / que tiraste la tristura / e perdición, / que por nuestro esquivo mal / el diablo suzio tal / con su obra engañosa / en la cárcel peligrosa / ya ponía» (vv. 6972-6981), en los que *la cárcel* es evidentemente metafórica.

hasta quince meses más tarde. No tenemos por qué dudar, pues, de que estas poesías fueran compuestas bajo el impulso de una situación autobiográfica. La redacción del *Libro rimado de palacio,* sin embargo, es más tardía, fue escrito tal vez quince años después de la ocasión real de las poesías, y el poema, si bien está en primera persona, no narra sucesos de la vida del autor sino que es una denuncia y a la vez una confesión de los vicios y de los males del mundo de los que es culpable un yo que, aunque no excluye la personalidad del poeta, se refiere en realidad al hombre, al cristiano en general. Y es más, aparte de las líricas que hemos mencionado, no hay prácticamente en el poema referencias precisas a la vida del autor. Así, pues, si López de Ayala consideró que estas poesías no contrastaban estridentemente con las demás, si las incorporó colocándolas no sin motivos en el momento en que, tras pasar revista a los vicios y a las culpas de los hombres, hace una pequeña pausa antes de concentrarse en la meditación según el modelo de los *Moralia* de San Gregorio Magno, fue debido a que la dolorosa situación de cautiverio que él sufrió en otros tiempos, se prestaba fácilmente a transformarse en símbolo, en figura de la situación permanente del hombre, atado por la cadena del pecado, sólo con su pena y con su esperanza en Dios. Pensemos que para el hombre de la Edad Media todas las situaciones contingentes y personales, cuando se despojan de su carácter de accidente y de su aparente causalidad que parece vincularlas a otras contingencias individuales, se revelan como reflejos de experiencias comunitarias, presentan una significación moral y hasta existencial que las sitúa a un nivel más general y más alto. Nada de lo que acontece está falto de un signo, un valor, una luz de universalidad.

La comprobación que hemos hecho en el caso de Ayala, para el que disponemos de noticias más precisas, nos clarifica también la situación de la poesía de Juan Ruiz y nos da la clave para entender la situación de todos los líricos medievales.

No sabemos si Juan Ruiz estuvo en la cárcel, pero precisar este detalle histórico no tiene un peso decisivo para la interpretación de su poema. Tanto si es metafórico como si es real, su encarcelamiento, en la transfiguración operada por la poesía, sigue siendo el símbolo de una situación existencial que no es sólo suya. El poeta medieval no se confiesa, no exalta su intuición aislada, sino que revela el hombre a sí mismo, descubre las fibras más íntimas de la situación humana. Aunque diga que sufre *sin meresçer,* no hace referencia a una falta de culpabilidad concreta y precisa, sino que alude a la situación del hombre arrollado por las *tribulanças* más allá de su culpabilidad personal, marcado perennemente por un signo atávico del que no reniega pero que no atina a comprender. Y esto, repetimos, no excluye en absoluto motivos de inspiración concretos, casos personales, referencias autobiográficas, sino que los transforma en sucesos ejemplares; también la Beatriz de Dante tuvo su biografía real y específica, su contingencia documentable, pero su vida literaria es otra cosa, es el traslado de aquéllas a un plano universal. Y esto en el fondo no es más que el reflejo de la conciencia de que existe una armonía entre las propias vivencias aparentemente casuales y las razones más profundas y constantes de la existencia humana.

Podemos ver, pues, que en el campo de la experiencia lírica de la Edad Media las referencias personales, la individualidad de las situaciones es posible, es hasta normal, pero no suele tener validez por sí misma. Esta *cantiga* de Juan Ruiz no tiene nada de personal, si entendemos por personal la posibilidad de identificar la experiencia generadora de la poesía como algo individual e irrepetible; es personal, en cambio, si tenemos en cuenta el ahondamiento en lo íntimo del hombre, la identificación de una situación arquetípica; y esto último es lo que cuenta en la Edad Media.

El paso de lo individual particular a lo individual absoluto se realiza también a través del estilo. El poeta medieval, ante la posibilidad de desarrollar motivos personales indiscretos e irrelevantes, se refugia en una temática que al tener la garantía de la tradición le da toda clase de seguridades. En nuestro texto, aparte de la situación general, de la que volveremos a hablar, el mismo material lingüístico es prácticamente todo de fuente tradicional. Las expresiones más tópicas previsiblemente las hallamos en los apelativos de la virgen, *flor de las flores, mejor de las mejores,*[33] *muy santa, strella del mar, puerto de folgura,* de los que cual-

33. Este giro (cfr. *cantar de cantares, rey de reyes*) es un calco del superlativo semítico introducido por los traductores de la Biblia que no disponían de superlativos para los sustantivos (el tipo *generalísimo* es de formación reciente en las lenguas románicas y de empleo muy limitado). *Rey de reyes* no significa, pues, «rey que reina sobre otros reyes», sino «el mayor de los reyes, gran rey».

quier conjunto de himnos marianos mediolatinos ofrece numerosos ejemplos.[34] Tampoco difieren mucho los resultados del examen del restante material lingüístico; comparando nuestro texto
con una sola de las poesías marianas de López de Ayala (*Libro
rimado de palacio,* estr. 755-769) llegamos a este resultado (el
primer número indica el verso de Juan Ruiz, el segundo el de
Ayala): 10 *esperança* = 763a, 12 *tribulança* (conjetura segura) =
= 764d, 14 *venme librar* = 769a *tú me libras,* 17 *pena atan-
ta* = 768c *muy penado,* 20 *coita* = 763c, 29 *falleçe* cfr. 768b, 40
*tú me val'* = 764d, 42 *me saque a puerto* cfr. 764c *por ti llegan
al puerto.* Lo dicho, sin embargo, no significa que una poesía no
sea formalmente individualizable, que la lírica de Juan Ruiz no
presente un sello propio y reconocible; lo que pasa es que el poeta
medieval realiza esta individuación de manera distinta al moderno.
Por lo que respecta propiamente a la lengua, la cuestión quedará
más esclarecida tras el examen de la poesía amorosa que lleva-
remos a cabo en el próximo capítulo. Señalaremos ahora únicamente la función de la métrica. Las poesías líricas medievales
suelen tener una estructura métrica individual y huyen de las formas rígidas y fijas como, por ejemplo, el soneto; de las 21 composiciones líricas de Juan Ruiz no hay ninguna que presente un
esquema métrico igual al nuestro (5a 7b 5a 7b 5a 5a 7b) y
tampoco hallamos un mismo esquema repetido dos veces. Solamente un análisis trivialmente superficial podría menospreciar
este dato. Un esquema métrico significa una estructura rítmica y
una disposición del discurso, significa ciertas posibilidades de di-
sonancias y de armonías, significa una determinada frecuencia
en la repetición de las rimas, un cálculo especial de resonancias y
significa también determinar los lugares más destacados y los
más encubiertos que, al alternarse, van guiando la disposición
del discurso. En nuestro poema el alto valor de la invocación
vibrante y angustiada y a la vez pausada reside en gran parte en
el hallazgo de una métrica adecuada.

Volvamos ahora, para finalizar, a la situación existencial que
originó el poema. Tal situación se puede definir como un destierro
y una ausencia que no se proyectan en la desesperación y en el
replegamiento sobre sí mismo amigo del fracaso, sino que engen-

---

34. Encontramos ya en Ayala *de las flores tú flor* (739b) y *de la mar eres
estrella* (833a).

dran una tensión positiva, la de la esperanza. No cabe duda de que ésta es la situación prototípica de la poesía mariana, pero conviene subrayarla no sólo para poder establecer comparaciones con los distintos estados de alma de los textos que leeremos seguidamente, sino también porque descubriremos más adelante que es una de las situaciones más constantes y típicas de toda la lírica medieval. Existe una distancia insalvable entre el hombre, vinculado al sufrimiento de la vida y del pecado, y arrollado por las culpas, y la divinidad; el poeta no espera superar esta distancia, ni siquiera osa aspirar a ello. Puede suceder, sin embargo, que la divinidad baje desde su altura de vértigo hasta la tierra y *saque a puerto,* lo que no representa un acercamiento sino un *librar de malestar complido e de tristura*; la presencia de la divinidad representa guiar al hombre *a puerto de folgura,* a la paz. El valor al que se aspira no es más que la ausencia de los valores negativos que turban la vida terrenal y sólo por esta razón, no por su explícita carga positiva, éste constituye un valor deseable; pero sería sin duda un valor inalcanzable de no mediar la Virgen, ya que el hombre solo lo único que puede hacer es pedir ayuda. Angustia y esperanza, soledad acongojada y repentina solidaridad de María son los dos polos inseparables de esta situación lírica; de la presencia de ambos nace una tensión que adquiere valor positivo en sí y para sí: es el *no olvidar* que nos asegura la salvación. El lírico medieval descubría así la validez y la profunda moralidad de la situación aparentemente más precaria.[35]

## 5. El delirio racional: Ramón Llull

El *Libre d'Evast e d'Aloma e de Blanquerna son fill* es una de las muchas obras de un pensador singular y fascinante que fue también misionero y polígrafo, el catalán Ramón Llull (Raimundo Lulio).[36] Se trata de una larga novela en cinco libros cada uno

35. Cfr. A. D. Deyermond, *Edad Media,* en F. Rico, *Historia y Crítica de la Literatura Española,* Barcelona, Edit. Crítica, 1979, donde además de una introducción general, se puede hallar una bibliografía selecta sobre el tema.

36. Llull nació en Palma de Mallorca entre 1232 y 1235, pocos años después de la conquista de la isla por Jaime I (1229) y de la repoblación de la misma por súbditos de la Corona de Aragón entre los que se contaba la familia barcelonesa de los Llull. Esta familia debió tener una buena posición ya que

de los cuales, a través de la historia de Evast y de su esposa Aloma el primero, y de la de su hijo Blanquerna los restantes, ilustra un «estamento del mundo»: el matrimonio, la vida religiosa, el clero, el papado y la vida eremítica.[37] El *Blanquerna* que funde en una concepción singular pero acertada el argumento narrativo con la intención didáctica, tiene una estructura muy especial. La mayoría de los personajes son propiamente novelescos, pero algunos, en cambio, son exclusivamente alegóricos, como Fe, Intelecto y Devoción, y llega un momento en que aparece como personaje el mismo autor, que se presenta a Blanquerna papa para solicitar y obtener una reforma de la corte pontificia. Por otra parte, más de una vez tanto en ésta como en otras obras

---

Ramón, de joven, desempeñó el cargo de senescal en la corte del infante don Jaime que fue más tarde rey de Mallorca. Los primeros años de la vida de Ramón Llull transcurrieron en un ambiente brillante y mundano y sus primeros escarceos literarios se inscriben en la tradición trovadoresca; pero entre 1262 y 1265 se produjo la conversión y nuestro autor tomó el hábito de terciario franciscano. A partir de este momento Ramón, enardecido de ansias misioneras (recordemos que hasta 1287 la isla de Menorca no fue cristiana) se dedicó a profundos estudios de latín y de árabe que culminaron con la obtención del título de *magister artium* por París en 1288. Después de este primer período de preparación, toda la vida de Llull estuvo ocupada en viajes ininterrumpidos por toda la cristiandad y por tierras árabes para propagar sus propias ideas. Al mismo tiempo iba explicando y defendiendo su pensamiento en múltiples obras en latín, catalán y árabe (estas últimas se han perdido todas) que se suceden a un ritmo incesante. Murió hacia 1315 al volver de la ciudad musulmana de Bugía; está enterrado en Palma. Citamos los textos de la edición *Obres essencials*, I, Barcelona, 1957. Sobre la figura de Llull consúltese: M. de Riquer, *Història de la literatura catalana,* I, Barcelona, 1964, pp. 197-352, con numerosas indicaciones bibliográficas; E.-W. Platzeck, *Raimund Llull,* Roma-Düsseldorf, 1962-1964; por lo que se refiere a nuestra obra véase R. D. F. Pring-Mill, «Entorn de la unitat del "Libre d'Amich e Amat"», *Estudis Romànics,* X (1962) [1967], pp. 33-61. J. N. Hillgart, *Raimund Llull and Lullism in 14th Century France,* Oxford, 1971; M. Cruz Hernández, *El pensamiento de Ramón Llull,* Castalia, Valencia, 1977.

37.  Blanquerna recorre todos los grados de la vida religiosa, desde monje a abad, a obispo, a cardenal, a papa, pero su aspiración originaria era la de ser ermitaño y por esta razón renuncia al pontificado. Y puesto que, como es sabido, esta renuncia sólo se ha producido una vez en la historia por obra de Celestino V en 1294, se ha creído que la novela podía inspirarse en este acontecimiento; sin embargo, hay numerosos indicios que nos inclinan a creer que la obra fue compuesta en Montpellier entre 1283 y 1286 aproximadamente y es difícil que la renuncia al pontificado se hubiera añadido en fecha posterior ya que la vida eremítica es la aspiración máxima de Blanquerna que condiciona toda la novela. Por muy sorprendente que pueda parecer no hay que descartar que haya pasado precisamente lo contrario, es decir que Celestino V, que estuvo en contacto con Llull durante su breve pontificado, se sintiera impelido por el *Blanquerna* a dar el paso.

de Llull, se citan en el interior de la convención narrativa otros escritos del mismo autor, por lo que ficción y realidad se amalgaman en una continuidad que no es ajena a la tradición medieval ibérica ni es infrecuente en el filósofo mallorquín. En nuestra obra Blanquerna, mientras vive como ermitaño, lee el *Libre de contemplació,* que es la primera obra de Llull, pero además dicho personaje es considerado autor, durante su período eremítico, de dos breves obras que van incluidas dentro de la novela: la segunda es el *Art de contemplació,* la primera es la que nos interesa en este momento, el *Libre d'Amic e d'Amat,* la joya de la literatura mística medieval.[38]

Sucede, pues, en la novela, que otro ermitaño pide a Blanquerna un libro «que fos de vida ermitana, e que per aquell libre pogués e sabés tenir en contemplació, devoció, los altre ermitants» («que fuera de vida eremítica, y que con aquel libro pudiera y supiera tener en contemplación y devoción a los demás ermitaños») y Blanquerna lo escribe considerando que «força d'amor no segueix manera com l'amic ama molt fortment son amat» («la fuerza del amor no sigue reglas cuando el amigo ama mucho al amado»); la materia, en cambio, le es sugerida por el ejemplo de los *sufíes* musulmanes, religiosos que

han paraules d'amor e exemplis abreujats e qui donen a home gran devoció; e son paraules qui han mester exposició, e per l'exposició puja l'enteniment més a ensús, per lo qual pujament multiplica e puja la volentat en devoció.

(tienen palabras de amor y ejemplos abreviados y que dan al hombre gran devoción; y son palabras que necesitan exposición, y a través de la exposición se eleva el entendimiento más arriba, y por esta elevación se multiplica y se eleva la voluntad en devoción.)

En realidad en este caso, al igual que en los otros en que Llull cita fuentes árabes, no es posible indicar las referencias precisas;[39]

---

38. El *Libre d'Amich e Amat* parece que fue escrito antes del *Blanquerna,* entre 1276 y 1278 en Mallorca.

39. Cfr. Riquer, *op. cit.,* pp. 320-321, y especialmente J. H. Probst, «L'amour mystique dans l'Amic e Amat de Ramon Llull», *Arxiu de l'Institut de Ciències,* IV (1917), pp. 293-322. Véase también A. Castro, *La realidad histórica de España,* México, 1954, pp. 302-306.

el *sūfī* musulmán es un iniciado que ha recorrido las etapas de la *tariga,* el camino, y ha llegado hasta la perfección espiritual; sus enseñanzas, naturalmente de carácter esotérico, están cifradas en ejemplos y en metáforas morales, pero éstos, a diferencia del *Libre d'Amic e d'Amat,* están completamente desasidos de una experiencia precisa, se refieren siempre a los actos y a las meditaciones del *sūfī.*[40]

Sin embargo el conocimiento que tenía Llull del mundo y del pensamiento musulmán era tan íntimo que, más que buscar fuentes concretas, hay que pensar en una atmósfera, una sensibilidad, un tipo de imaginación. Por otra parte tampoco hay que olvidar las fuentes occidentales, desde el *Cantar de los Cantares,* que fue en todo momento el texto clave de la mística medieval, fuente principal de la metáfora amorosa y de la dialéctica del deseo, de la búsqueda ansiosa y de la consoladora satisfacción; hasta la lírica franciscana, por ejemplo en las piezas de Jacopone que sugieren el tema fecundo de la locura amorosa; hasta la poesía trovadoresca, que Llull había cultivado de joven y que engendra temas, rasgos estilísticos y procedimientos expresivos. La obra es, pese a todo, originalísima y profundamente luliana. Leamos el versículo 53:[41]

> Anava l'amic per una ciutat com a foll cantant de son amat, e demanaren-li les gents si havia perdut son seny. Respòs que son amat havia pres son voler, e que ell li havia donat son enteniment; per açò era-li romàs tan solament lo remembrament ab què remembrava son amat.

> (Iba el amigo por una ciudad como un loco cantando a su amado, y le preguntaron las gentes si había perdido el juicio. Contestó que su amado, había tomado su voluntad, y que él le había dado su entendimiento; por ello ya sólo le quedaba el recuerdo con que recordaba a su amado.)

40. Para el sufismo, cfr. Ph. K. Hitti, *El islam, modo de vida,* Gredos, Madrid, 1973 (especialmente las pp. 95-116). Véase también, R. A. Nicholson, «Mysticism», en *The Legacy of Islam,* Oxford, 1931, pp. 210-238; M. Asín Palacios, *La espiritualidad de Algazel y su sentido cristiano,* 4 vols., Madrid, 1934-1941. En italiano existe la antología de Farīd ad-Dīn al-ʿAttār, *Parole di sūfī.* Turín, 1964.

41. El libro está formado por 365 versículos, uno para cada día del año: «e cascú vers basta a tot un dia a contemplar Déu» («y cada verso basta para contemplar a Dios durante todo un día»), dice Llull, sugiriendo que se desarrollen siguiendo el *art* del *Libre de contemplació.*

Encontramos aquí el tema del loco que canta a su amado como en Jacopone (*lauda* LXXVI:

> Quanne iubelo ha preso / lo core ennamorato, / la gente l'ha 'n deriso, / pensanno el suo parlato, / parlanno esmesurato / de che sente calore.

[Cuando el gozo llena el corazón enamorado, la gente se burla de él, pensando en sus palabras, hablando con desmesura, por lo que siente calor.]

y también la *lauda* LXXIV:

> Senno me par e cortesia / empazzir per lo bel Mesia... / Chi pro Cristo ne va pazzo, / alla gente si par matto;

[Me parece juicioso y cortés enloquecer por el bello Mesías... Quien está loco por Cristo parece un demente a los ojos de la gente;]) [42]

pero este tema no es central, representa solamente el punto de partida. En realidad el centro de gravedad del versículo está en la segunda parte, que presupone la noción agustiniana de las tres «potencias» del alma racional,[43] voluntad, intelecto y memoria, y describe la situación del fiel que ha renunciado a su intelecto, ha perdido la voluntad y es dueño ya únicamente de su memoria, la cual no tiene otro objeto que su Amado, la divinidad. El versículo se abre en un espacio amplio (*anava l'amic per una ciutat*) y con el diálogo (*e demanaren-li...*) pero pronto se vuelve hacia la interioridad y hacia el silencio del recuerdo; el punto de enlace entre la situación narrativa y la mística es precisamente la fruición de un concepto filosófico.

Leamos ahora el 25:

> Cantaven los aucells l'alba, e despertà's l'amic qui és l'alba; e los aucells feniren lur cant, e l'amic morí per l'amat, en l'alba.

---

42. La numeración es la de la *editio princeps* de 1490, pero cito de *Poeti del Duecento,* al cuidado de G. Contini, II, Milán-Nápoles, s.a., pp. 69 y 73. La investigadora F. Ageno en su edición anterior ya señaló el fragmento de San Pablo que hemos citado en la p. 37.

43. Cfr. R. D. F. Pring-Mill, *El Microcosmos Lul·lià,* Palma de Mallorca, 1961, pp. 129-136.

(Cantaban los pájaros el alba, y se despertó el amigo que es el alba; y los pájaros terminaron su canto, y el amigo murió por el amado, al alba.)

Es patente la absorción de distintos temas líricos. Para empezar el tema del alba es propio de un género lírico que tiene una versión profana en la que el alba corresponde a la separación de los amantes,[44] y una versión religiosa en la que la noche simboliza el pecado y el día a Cristo o a la luz de la gracia;[45] los pájaros son también un elemento indispensable en este género. Pero lo que nos sugiere más intensamente la lírica profana es la estructura rítmica del versículo, con la repetición de la palabra *alba* al final de cada frase. Sin embargo Llull, que escribió en el *Libre de Santa Maria* un bellísimo fragmento en el que el alba representa a la Virgen, «alba de justs e de pecadors» («alba de justos y de pecadores»),[46] está recogiendo aquí los contenidos del alba religiosa y no de la profana. El sueño del Amigo es sin duda el olvido del Amado[47] y su despertar, la vuelta a la contemplación de Dios, «que es el alba». El alba es, pues, la epifanía de la gracia y el canto de los pájaros es el canto del amor a Cristo, como se aclara en el versículo 26 en el que el amigo dice al pájaro: «en lo teu cant se representa a mos ulls mon amat» («en tu canto se representa a mis ojos mi amado»). La muerte del Amigo, finalmente, es una metáfora de la consecución del éxtasis místico, de su morir de amor.[48] Vemos, pues, cómo elementos de distinta

44. El tema lo hallamos ya en Ovidio pero en la lírica provenzal constituye un género lírico muy delimitado que se caracteriza por la repetición de un estribillo que contiene la palabra *alba*; de esta tradición lírica el género se extiende después a las demás poesías cortesanas. Lo que no impide que el tema posea una vitalidad propia al margen del género; lo encontramos en obras bastante más recientes: recordemos, por ejemplo, una escena famosa del *Romeo y Julieta* de Shakespeare. La figura del *gaita* tiene su origen en los cantos medievales de centinela. Para el tema consúltese A. T. Hatto, *Eos: an Enquiry into the Theme of Lovers' Meeting and Parting at Dawn in Poetry*, La Haya, 1965, D. Empaytaz, *Albor: Medieval and Renaissance Dawn-Songs in the Iberian Peninsula*, University of London King's College, University Microfilms International, 1980.

45. Los primeros himnos cristianos de San Ambrosio ya cantaban la vuelta del día como liberación del maligno (cfr. *Aeterne rerum conditor*).

46. Cfr. *Obres essencials*, I, pp. 1238 ss. El alba es la Virgen ya para el trovador Peire Espanhol, *Ar levatz*.

47. Cfr. el versículo 146.

48. Señalemos que en general suele interpretarse este pasaje de otra manera. R. d'Alòs-Moner, *Pàgines escollides de Ramon Llull*, Barcelona, 1932, p. 74, comenta: «*l'Amic*: ací, excepcionalment, per Jesucrist. Hauria de dir: *l'Amat*»,

procedencia quedan aquí fundidos en una nueva unidad. También en este caso comprobamos cómo de un estado espacial y sonoro (los pájaros, el canto, el alba) se pasa al profundo silencio de la intimidad y de la soledad, de la no-espacialidad (la muerte). Pero aquí la transformación se desarrolla a través de metáforas líricas, en la línea de una melancolía angustiada y luminosa.

Al comentar la composición de Juan Ruiz decíamos que el hombre que invoca a la divinidad se halla solo en su miseria. Pero es una soledad sufrida, el signo extremo de una pena de la que no puede sustraerse con sus únicas fuerzas, una situación negativa que, por otra parte, es común a todos los hombres. Bien distinta es la posición del místico. Para empezar el *Libre* no es un relato descriptivo sino una invitación y no está dirigido a todo el mundo sino a los que ya se han aproximado a la perfección, a los ermitaños; todo esoterismo implica de por sí una selección, la exclusión de los que están todavía inmaduros. Lo que íbamos viendo en la estructura de los dos versículos comentados se nos aclarará aún más en el 233:

> Assoliava's l'amic, e acompanyaven son cor pensaments, e sos ulls làgremes e plors, e son cors afliccions e dejunis. E com l'amic tornava en la companyia de les gents, desemparaven-lo totes les coses damunt dites, e estava l'amic tot sol enfre les gents.

> (Se retiraba en la soledad el amigo, y acompañaban su corazón pensamientos, y sus ojos lágrimas y llanto, y su cuerpo aflicciones y ayunos. Y cuando el amigo volvía a la compañía de los hombres, le abandonaban todas las cosas antedichas, y estaba el amigo solo entre las gentes.)

Si el Amigo se aísla, inmediatamente aparecen los síntomas de la mortificación mística, las dolorosas señales de su goce inefable, pero si vuelve entre la gente le abandonan todas las tribulaciones, y, al estar acompañado, se encierra en la nostalgia del sufrimiento que lo unía con el Amado. La soledad descrita en

---

considerando, pues, que la muerte del Amigo es la Crucifixión y que «alba» corresponde a Cristo (*qui* tiene valor de pronombre relativo). Pero ello supondría una singularísima excepción en el uso de los términos-clave y el análisis de todos los símbolos confirma nuestra interpretación. En catalán medieval *qui* puede tener valor causal, como el moderno *que*.

este versículo es, paradójicamente, doble; al principio corresponde al único estado que permite establecer un coloquio con el Amado, al final a la ausencia del amado debida a la presencia de los demás. El místico desea con ardor la soledad en cuanto única situación posible para realizar sus ejercicios.

Sin embargo, el *Libre d'Amic e d'Amat* no se desarrolla, como podrían sugerir las observaciones anteriores, en una atmósfera descontextualizada y vuelta sólo a lo esencial. El mundo está presente con toda su rica variedad de formas: hallamos los caminos por los que el Amigo busca al Amado, las ciudades de los hombres, la sociedad con sus burlas y su asombro, los árboles, las flores, los pájaros, el mar con sus olas y sus vientos, los gestos de todos los días. Pero Llull, que poseía el don de transformar cualquier abstracción en algo asombrosamente concreto,[49] es capaz de traducir con la misma naturalidad cualquier estado real en un valor espiritual, haciendo de él la metáfora de un estado de alma:

> Consirós anava l'amic en les carreres de son amat, e encepega e caec enfre espines, les quals li foren semblants que fossen flors, e que son lit fos d'amors.

> (Pensativo iba el amigo por los caminos de su amado y tropezó y cayó entre espinas, que le parecieron semejantes a flores, y que su cama fuera de amores.) (vers. 35)

En otras ocasiones, como ya hemos visto, la realidad tiene la función de telón de fondo que contrasta con el aislamiento del Amigo en busca del Amado.

También la situación del Amigo es, como la de todo cristiano, de alejamiento y de esperanza. Pero mientras el poeta lírico no tenía más remedio que esperar la ayuda de la Virgen o invocar su intercesión, el místico, en cambio, tiene una actitud más positiva y dinámica, su estado es de alejamiento pero no de ausencia. El Amado está cercano y es posible llegar a él, aunque la posesión

---

49. Pensemos, por ejemplo, en la anécdota del *Arbre de Sciència* citada por Riquer, *op. cit.*, p. 351: «Se narra que don Círculo y don Cuadrilátero y don Triángulo se encontraron en casa de Cantidad, que era la madre de todos ellos...» Por otra parte, todo el *Arbre de Sciència* es una magna metáfora didáctica.

no es nunca completa y si se acerca a la totalidad es sólo en el límite del aniquilamiento:

> Amor es mar tribulada d'ondes e de vents, qui no ha port ni ribatge. Pereix l'amic en la mar, e en son perill pereixen ses turments e neixen sos compliments.

> (Amor es mar atormentada por olas y por vientos, que no tiene puerto ni ribera. Perece el amigo en la mar, y en el peligro perecen sus angustias y nacen sus perfecciones.) (vers. 234)

El Amigo no está nunca en estado de reposo, todo descanso es un olvido momentáneo, es el sueño del que pronto se despierta. La imagen recurrente del libro es la búsqueda: *anava l'amic...* («iba el amigo...»). El místico, pues, no se propone describir la embriaguez de la unión con el Amado, que es naufragio total, silencio, superación y aniquilamiento de cualquier posibilidad expresiva, sino la tensión y el acercamiento; sólo por esto se hace escritor y su obra puede ser objeto de un análisis literario.

La crítica idealista se encontró en graves perplejidades al juzgar a los escritores místicos, ya que su poesía parecía más un acto práctico que una postura teórica, estaba más cerca del grito y de la pasión que del orden dominado y resuelto. Un crítico de formación idealista en sentido amplio, Dámaso Alonso, estructuró un libro famoso sobre el mayor de los poetas místicos españoles, San Juan de la Cruz, «desde esta ladera», es decir desde el lado humano, renunciando a investigar las incógnitas de la experiencia mística.[50] Sin embargo Gianfranco Contini observaba muy agudamente a propósito de Jacopone da Todi que la poesía mística hay que enjuiciarla al margen de las perspectivas humanistas, ya que en ella «se describe sobre todo la preparación para la pensabilidad de un modo de ser».[51]

Pues bien, el modo de ser místico no es pensable como aproximación y metáfora del éxtasis, más que en términos sólidamente racionales, aunque transfigurados por la tensión hacia lo absoluto; encontramos repetida en Llull la constatación de que el místico no es un simple sujeto paciente arrebatado por Dios, sino alguien que dispone de una vigorosa estructura intelectual,

---

50. D. Alonso, *La poesía de San Juan de la Cruz*, CSIC, Madrid, 1942.
51. Cfr. *Poeti del Duecento*, cit., II, p. 64.

en nuestro caso nada menos que un filósofo. Precisemos que esto es necesario para un místico que sea también escritor, no para cualquier místico. En efecto, la traducción formal más adecuada para la situación mística es la de la *concidentia oppositorum*, la paradoja lógica:

> Moria l'amic per plaer e vivia per languiments; e·ls plaers e·ls turments s'ajustaven e s'unien en ésser una cosa mateixa en la volentat de l'amic. E per açò l'amic en un temps mateix moria e vivia.

> (Moría el amigo a causa del placer y vivía a causa de los desmayos; y los placeres y los tormentos se juntaban y se unían para ser una misma cosa en la voluntad del amigo. Y por ello el amigo vivía y moría a un tiempo.) (vers. 195)

> Comprà l'amic un dia de plors per un altre dia de pensaments, e vené un dia d'amors per un altre de tribulacions; e multiplicaren ses amors e sos pensaments.

> (Compró el amigo un día de llanto por otro de pensamientos, y vendió un día de amores por otro de tribulaciones; y se multiplicaron sus amores y sus pensamientos.) (vers. 332)

El místico recorre un camino gradual de contradicciones inexplicables que muestran la raíz única de toda la realidad, el punto en que los opuestos coexisten y se anulan, en que la lógica humana carece ya de sentido. Llull, como hemos visto, llega a veces al olvido de sí mismo y al naufragio total, pero es más frecuente que describa con un implacable delirio racional la red de contradicciones que envuelven al Amigo y gracias a la cual puede llegar a percibir al Amado cercano pero inaccesible. La carga lírica no procede en Llull de la ausencia de datos lógicos, sino de su abundancia, de la neutralización interna que experimentan, de su vibrante tendencia a resolverse en un estado anímico: la pasión y la búsqueda atormentada encuentran así un camino intelectualizado para una realización más perfecta y el alma va *per longues carreres, e dures, e aspres en companyia ab son amat* («por largos senderos, y duros, y ásperos en compañía de su amado»).

## 6. VIVIR CON CRISTO: MARGUERITE D'OINGT

El itinerario místico de Ramón Llull, a pesar de servirse de un esquema amoroso y de vibrar de apasionamiento, emplea la abstracción lógica como instrumento y metáfora del éxtasis y de la contemplación. El delirio del Amigo tiene un valor por sí mismo, porque en él está ya presente el Amado, que es a la vez su causa y su fin, y por ello no es necesario que se resuelva cada vez en el abismo de la inefabilidad. Basta que el Amigo tenga conciencia de vivir su búsqueda intensamente.

Pero no es ésta la única forma de experiencia mística que puede ser traducida en obra literaria. El cristiano puede elevarse hacia la divinidad en el esfuerzo enardecedor de Llull, puede volverse loco por Cristo, pero puede también humillarse y replegarse sobre el aspecto más modesto de su humanidad para encontrarse allí con Cristo hecho hombre. Ésta es la experiencia que nos narra en una de sus cartas Marguerite d'Oingt, la religiosa que fue superiora de la cartuja femenina de Poleteins:[52]

> Quan vint lo jor de la Nativite Jhesu Crist, je pris cel glorious enfant entres mes braz espiritualment. Aynsi je le portoie et l'embracoe tendrement entre les braz de mon cuer, des l'eure de matines tanques apres tyerci. Apres je m'aloe un po ebatre et pensoye a ordener les besoinnes de quoy mes chaitis cuers est enconbrez.
>
> A l'oure de medis je pensoye coment mes douz Sires fut tormentez pour nos pechiez et penduz toz nus en la croys entre dos larons. Quam jo me pensoye que la tres mauvaysi compagnya s'estoyt departia de lui, jo me traiot ver lui a grant reverenci et le declaveloye et puis le charioye sus mes espaules et puys le descendoye de la croys et le metoye entre les braz de mon cuer et m'estoiet semblanz que jo le portoye a tant legiere-

52. Margarita era hija de la mejor familia de Oingt, en el Beaujolais (entre Lyon y la Borgoña). No conocemos la fecha en que nació ni la de su ingreso en el convento. En 1286 había ya escrito la *Pagina meditationis* en latín; al cabo de dos años era ya priora; en 1294 Hugo, prior de Valbonne, llevó al capítulo general de los cartujos su *Speculum*, relato (en franco-provenzal) de las visiones de la religiosa. Murió el 11 de febrero de 1310. Nos han quedado también una biografía de la beata Beatriz d'Ornacieux, cuatro cartas y tres breves relaciones. Cfr. *Les oeuvres de Marguerite d'Oingt*, por A. Duraffour, P. Gardette y P. Durdily, París, 1965. El texto que citamos está en las pp. 138 y 140.

ment come se fut de un ant. Se jo vos disoye l'autre grant con-
solacion que je sentoye de lui, a peyne les porrez vos entendre.

Le soyr, quant je m'alavo gisir, je lo metoie en mont liet
espiritualment et baysoie ses teindres mans et ses benoiz piez
qui ensi durament furont percia per nos pechiez. Et pous
m'abeyssoye sus ce glorious flan qui si cruelment fut navrez per
moy. Et ilicques je me recomandoe et mon frere, et li queroe
perdon de nos pechiez, et ensi me roposoe tanque a matines en
continuanz des la Nativite tanque a la Purification Nostre Dame.

(Cuando llegó el día de la Natividad de Jesucristo, tomé el
glorioso niño entre mis brazos espiritualmente. De esta manera
lo llevaba y lo abrazaba tiernamente entre los brazos de mi corazón, desde la hora de maitines hasta después de tercia. Luego
me retiré un rato y me ocupé de ordenar las tareas con las que
estaba cargado mi pobre corazón.

A la hora de mediodía pensaba cómo mi dulce Señor fue
torturado por nuestros pecados y cómo fue clavado desnudo en
la cruz entre dos ladrones. Cuando creía que la infame compañía [de los verdugos] se había alejado de él, solía acercarme
con gran reverencia y desclavarle y lo cargaba sobre mis hombros y entonces lo bajaba de la cruz y lo ponía entre los brazos
de mi corazón y me parecía que lo llevaba con tanta facilidad
como si hubiese tenido un año. Si os dijera la otra gran consolación que yo sentía por su causa, apenas podríais comprenderla.

Por la noche, cuando iba a acostarme, lo puse espiritualmente en mi lecho y besaba sus tiernas manos y sus benditos
pies que tan duramente fueron lacerados por nuestros pecados.
Y luego me recogí sobre su glorioso costado que fue tan cruel-
mente herido por mis culpas. Y entonces yo encomendaba mi
alma y la de mi hermano, y le pedía perdón por nuestros pecados, y así descansé hasta maitines e hice esto desde Navidad
hasta la Purificación de Nuestra Señora.)

No sabemos quién era el destinatario de la carta, su encabezamiento «A son tres chier frere et tres ame pere en Diu» («A su
hermano muy querido y padre en Dios muy amado») nos sugiere
un religioso. De todas formas este escrito de Marguerite, igual
que todas sus demás obras, no está destinado a la divulgación;[53]

53. Ya hemos dicho que el *Speculum* fue hecho público por el prior de
Valbonne; de todas las obras de Margarita se saca la impresión de que alguno
de sus superiores la empujaba para que escribiera y que ella lo hacía por obediencia. Por otra parte su escasa obra (unas cincuenta páginas impresas) tuvo una

es un relato por encargo que nuestra monja empieza y termina con las más modestas declaraciones de incapacidad: «Je ne vos ay pas puit escrire tot co que jo voudroye, quar je n'estoye pas bien asye d'escrire» («No he podido escribiros todo lo que quisiera, porque no tengo el hábito de escribir»). Claro está que toda la literatura medieval presenta multitud de confesiones de incapacidad que responden a un lugar común,[54] pero, aunque no tuviésemos en cuenta lo que se ha dicho anteriormente a propósito del valor que conservan los *topoi,* habría que señalar que la modestia de Marguerite tiene un sello personal que la sitúa por encima del lugar común. La religiosa dice, por ejemplo, que le sería más fácil exponer su experiencia hablando que escribiendo, y aquí no sólo se confirma real o tópicamente la falta de preparación literaria que se denuncia en el otro fragmento, sino que se expresa también la necesidad de una intimidad especial que permita comunicar algo que puede ser desfigurado por la escritura.

Esta frase es, pues, un rasgo que caracteriza a la vez la gran interioridad de la experiencia ascética de Marguerite y sus escrúpulos de humildad. Cuando, en el texto que acabamos de leer, la autora es asaltada por la duda de que el lector (no un lector cualquiera, sino el lector que escogió ella misma, su padre en Dios muy amado, el alma —podríamos decir— más vecina a la suya) no llegue a entender lo que ella ha experimentado, la fórmula de preterición empleada, más que ser un artificio retórico o un procedimiento para esquivar la inefabilidad del trance místico, designa una experiencia totalmente individual y, precisamente por ello, incomunicable. En conclusión, si el público del *Libre d'Amic e d'Amat* se reducía a un pequeño círculo de ermitaños y se presentaba como declaradamente esotérico, el de Marguerite desaparece casi por completo; la escritora se recoge en sí misma y es como si evocara para sí el recuerdo de un momento pasado en el silencio y en la sencillez de la soledad.

En otra carta[55] escribe, en efecto, la religiosa haciendo referencia seguramente a obras que no han llegado hasta nosotros:

---

circulación muy limitada y póstuma. No tenemos más que un manuscrito del xiv, dos derivados del xvii y una traducción provenzal del xiv del *Speculum.*

54. Sobre el tema cfr. Curtius, *op. cit.,* cap. 5, § 3.

55. *Op. cit.,* pp. 140 y 142. El destinatario debió ser un «visitador» de Poleteins, es decir un religioso que tenía la función de controlar un monasterio a través de sus visitas por encargo del capítulo general.

> yo no he escrito estas cosas para dároslas a vosotros o a otros
> o para que perdurasen después de mi muerte, porque yo no soy
> quién para escribir cosas duraderas o dignas de ser tomadas en
> consideración. Yo he escrito estas cosas para poder pensar en
> ellas cuando mi corazón se distrajera en el mundo, para poder
> dirigir mi corazón al creador y alejarlo del mundo,

y explica que, después de haber tenido una visión durante una
noche no pudo substraerse a su influencia y estuvo siete días sin
dormir ni comer hasta que se decidió a tomar la pluma: «empezó[56] a escribir todo lo que está en el libro, precisamente en el
mismo orden en que lo tenía en su corazón, y apenas ponía las
palabras en el libro, aquello le salía del corazón. Y cuando lo
hubo escrito todo, ella quedó completamente curada». Hay aquí
una total identificación entre experiencia y relato, y tienen ambos
carácter individual; téngase en cuenta la función catártica del relato, que sirve para distanciar la experiencia del alma y para
encerrarla en una forma que engendra serenidad: pues no es otra
la función eterna de la literatura, que se nos manifiesta aquí a
pesar de este ámbito de reservada intimidad.

No olvidemos que Marguerite fue monja cartuja. La orden de
la Cartuja, fundada en el 1084 por San Bruno de Colonia, forma
parte, con características muy especiales, de la gran floración religiosa del siglo XI.[57] Los cartujos reducían al mínimo la vida
común del cenobio en favor de la soledad de la celda; su regla
es severa pero no es dura, podríamos incluso decir que está inspirada por una gran ternura; el monje, aislado del mundo y generalmente también de sus compañeros, vive en la plegaria y en
la meditación. Su auténtico propósito es la contemplación; su
soledad no es más que un medio, sirve para ponerse en contacto
con Dios, como observa Guillermo de Saint-Thierry.[58] El abad
Guigues II (que murió hacia 1193) describió de esta manera las
actividades del cartujo en su *Scala Paradisi*:

> Est autem lectio, sedula Scripturarum cum animi intentione
> inspectio. Meditatio est studiosa mentis actio, occultae veritatis

---

56. Margarita habla de sí misma en tercera persona por modestia.
57. Cfr. sobre todo J. Leclercq, F. Vandenbroucke, L. Bouyer, *La spiritualité du moyen âge*, París, 1961, pp. 189-202, y la entrada *Chartreux* de Y. Gourdel en el *Dictionnaire de Spiritualité*, II, cols. 705-776.
58. *Patrol. lat.*, CLXXXIV, col. 352 (II, 23).

notitiam ductu propriae rationis investigans. Oratio est devota cordis intentio in Deum pro malis amovendis, et bonis adipiscendis. Contemplatio est mentis in Deum suspensae elevatio, aeternae dulcedinis gaudia degustans.[59]

(Es pues la lectura, diligente estudio de la Escritura con empeño del alma. La meditación es una activa aplicación de la mente, que investiga guiada por su propia razón el conocimiento de la verdad oculta. La oración es la tensión devota del corazón hacia Dios para librarse de los males y conseguir el bien. La contemplación es la elevación de la mente suspensa hacia Dios, gozando la felicidad de la dulzura eterna.)

El cartujo, dedicado exclusivamente a la contemplación, sin deberes ni de enseñanza, ni de predicación, ni de convivencia con los demás, no suele escribir, y·si toma la pluma sus páginas conservan la intimidad de la vida solitaria.

Nuestro texto, sin embargo, no presenta una experiencia de contemplación. Las visiones narradas por Marguerite, tanto si son suyas como de otros, son bastante distintas, suelen ser manifestaciones de Cristo en un cuadro iconográfico que suscitan la meditación del místico. En nuestro caso se trata simplemente de la *emenda*, de la penitencia que Marguerite se ha impuesto por sus pecados. He aquí por qué la experiencia no se limita a unos momentos de trance sino que se extiende en el tiempo, desde Navidad hasta el 2 de febrero (todos los imperfectos tienen valor iterativo y durativo: *solía llevarlo y abrazarlo,* etc.), y he aquí también por qué es humilde no sólo el tono del relato sino también la experiencia misma.

La penitencia de nuestra escritora está fundada en una tierna devoción por la humanidad de Cristo y por los misterios más turbadores de su vida, el Nacimiento, la Pasión y la Muerte, que es típica de los siglos XII y XIII y que, inspirada en las enseñanzas primero de San Bernardo y luego de San Francisco, no tardó en difundirse en los ambientes monásticos y entre el pueblo cristiano.[60] La carga emotiva de este tipo de devoción es evidente pero,

59. *Patrol. lat.,* CLXXXIV, col. 476. Más adelante leemos: «Quaerite legendo, et invenietis meditando: pulsate orando, et aperietur vobis contemplando» («Buscad en la lectura, y hallaréis en la meditación; llamad en la oración, y se os abrirá en la contemplación») (ibídem).

60. Cfr. especialmente Leclercq, Vandenbroucke y Bouyer, *op. cit.,* pp. 299-307.

si somos fieles a la verdad, no hallamos en el escrito de Marguerite especial hincapié en el aspecto patético; la religiosa se detiene muy poco en la descripción de rasgos que, recordando la humildad y la pobreza de Jesús en la Natividad o la magnitud de sus sufrimientos en la Pasión, despierten el arrepentimiento o la emoción. Del Niño se dice que era un *glorious enfant,* del Crucificado que fue *tormentez* y *penduz toz nus.* Más emotivo es, en cambio, con un sabio *clímax,* no literario sino de meditación y de participación, el recuerdo de las heridas del Cristo muerto. Pero incluso en estas frases creemos que no es esencial el recurso al patetismo para despertar la emoción, sino la ternura inconmensurable, que llega hasta rozar el erotismo: *lo metoie en mon liet, baysoie ses teindres mans, m'abeyssoye...;* encontramos aquí la continuación apasionada, en el pleno abandono de la noche, de los maternales abrazos del Niño *entre les braz de mon cuer,* de la suma reverencia con que la mujer desclavaba el Crucificado y lo cargaba sobre sus hombros, y parecía que tuviera un año por su ligereza. La escritora no se propone conmover al lector, en el que no piensa; para ella la experiencia no fue de dolor y sufrimiento sino de indescriptible consuelo, tal como dice explícitamente. Por ello nos expone, con genuina autenticidad, la ternura femenina de su intimidad con Cristo y no el *pathos* de una reflexión en torno a la dolorida humanidad del Crucificado.

A pesar de presentar una forma harto distinta del éxtasis y del trance, también la de Marguerite es una experiencia mística. Pero, mientras Llull procedía a través de abstracciones lógicas y de sugestiones líricas hacia una meta que exigía una tensión espiritual extremada y el aniquilamiento de todo lo humano, mientras para él el misticismo era un proceso de elevación, Marguerite prescinde de todo apoyo intelectual y se sirve del simple recurso iconográfico que permite ver a Cristo como lo han visto los pintores y los miniaturistas, su proceso de acercamiento a la divinidad es en cierto sentido reductivo, relajante. La pasión y el ansia dejan paso a la ternura y a la contemplación. Sin embargo el Amigo alcanza raramente la plenitud del éxtasis y es más frecuente que no llegue al Amado sino a la certidumbre de su amor hacia él; para Marguerite la convivencia con Cristo es íntima y duradera y no necesita más que la concentración, tras la liberación «de las tareas con las que estaba cargado mi pobre corazón».

No consideramos prudente relacionar estas cualidades de la

experiencia religiosa de Marguerite con su condición de mujer; San Bernardo algunas veces y San Francisco muy a menudo presentan caracteres bastante parecidos. Y es que la espiritualidad cristiana de la Edad Media tiene dos itinerarios distintos hacia la divinidad: el del éxtasis, que, a través de la tortura del amor, busca la unión con Dios en sus aspectos más sublimes y abismales, y el de la imitación, de la convivencia, que busca la penetración del misterio de la humanidad de Cristo.

Marguerite escogió el segundo camino y lo siguió adaptando el ritmo de su propia vida al ritmo de los hechos de Dios encarnado. No hay ninguna abstracción en sus palabras, sino al contrario una cierta tendencia a concretar al máximo su visión. Pensemos no sólo en notas como la de la ligereza del cadáver o la del replegamiento sobre el costado herido, sino también en el «cuando creía que la infame compañía se había alejado de él», que reflejan una participación total de la monja en los acontecimientos sobre los que medita. La gran simplicidad del estilo, que se patentiza en la estructura sintáctica lineal, donde no hallamos más subordinadas que las propias de una conversación sencilla, y que se distingue por la elección sobria y casi desaborida del léxico, subraya la naturalidad de la experiencia y se adapta con éxito poco frecuente a su tono tan íntimo y personal.

Sabemos que la experiencia de nuestra escritora constituía algo muy personal, ajeno a cualquier deseo de divulgación. Pero se presenta con una simplicidad tan cautivadora que a causa de ello se transforma en algo ejemplar y abierto a la participación. Marguerite nos enseña que la experiencia religiosa de la Edad Media puede tener una vertiente íntima y profunda, que fue sin duda la meta común de muchos cristianos de su tiempo.

## 7. LA GRACIA IRRACIONAL: GONZALO DE BERCEO

La mayoría de los hombres, en la Edad Media como en otras edades, no pueden y no desean tener experiencias místicas, ni siquiera están en condiciones de adaptarse a los rigores del ascetismo. Como saben todos los cristianos la humanidad está dominada por el pecado, cede a las lisonjas de Satanás. La literatura religiosa medieval no se olvidó del hombre pecador; a él está dedicado todo un género, uno de los más floridos a partir del siglo XII, el de los milagros, generalmente milagros de la Virgen María.[61]

El milagro es continuador directo de la tradición mediolatina, en la que generalmente suele ser fácil detectar antecedentes precisos de composiciones romances, o hasta toda una cadena de tradiciones. Sin embargo, el milagro se caracteriza por unos rasgos específicos que son bastante ilustrativos respecto a la vida moral y a los gustos narrativos de la época. He aquí, en calidad de ejemplo, un texto de Gonzalo de Berceo:[62]

### VI. EL LADRÓN DEVOTO

142.    Era un ladrón malo qe más qerié furtar
qe ir a la eglesia nin a puentes alzar;
sabié de mal porcalzo su casa governar,
uso malo qe priso no lo podié dexar.

143.    Si facié otros males, esto no lo leemos,
serié mal condempnarlo por lo qe non savemos;
mas abóndenos esto qe dicho vos avemos,
si ál fizo, perdóneli Christus en qui creemos.

144.    Entre las otras malas avié una bondat
qe li valió en cabo e dioli salvedat,
credié en la Gloriosa de toda voluntat,
saludávala siempre contra la su magestat.

145.    Dizié «Ave María» e más de escriptura,
siempre se inclinava contra la su figura,
avié muy grand vergüenza de la su catadura
tenié su voluntat con esto más segura.

146.    Como qi en mal anda en mal á a caer,
oviéronlo con furto est ladrón a prender,
non ovo nul consejo con qe se defender,
judgaron qe lo fuessen en la forca poner.

61.  Tenemos ahora dos estudios recientes de planteamiento distinto y que por ello se complementan muy bien. El volumen de U. Ebel, *Das altromanische Mirakel*, Heidelberg, 1965, y el largo ensayo de V. Bertolucci, «Contributo allo studio della letteratura miracolistica», *Miscellanea di studi ispanici*, VI (1963), Pisa, pp. 5-72.

62.  Nació en la localidad de Berceo en la Rioja hacia finales del siglo XII. Se educó en el cercano convento de San Millán de la Cogolla y pasó su vida entre Berceo y San Millán. Parece que murió hacia mediados de siglo (posteriormente a 1248). Es autor de algunas obras hagiográficas y de otras composiciones poéticas de tema religioso, pero sobre todo de *25 Milagros de Nuestra Señora* de los que el que reproducimos ocupa el número VI. Sigo la edición de A. G. Solalinde, Madrid, 1952. El metro de los *Milagros* es la cuaderna vía (cuatro alejandrinos monorrimos).

147.     Levólo la justicia pora la crucejada,
do estava la forca por concejo alzada;
prisiéronli los ojos con toca bien atada,
alzáronlo de tierra con soga bien tirada.

148.     Alzáronlo de tierra quanto alzar quisieron,
quantos cerca estavan por muerto lo tovieron;
si ante lo sopiessen lo que después sopieron,
no li ovieran fecho esso qe li fizieron.

149.     La Madre glorïosa duecha de acorrer,
qe suele a sus siervos ennas cuitas valer,
a esti condempnado quísoli pro tener,
membróli del servicio qe li solié fazer.

150.     Metióli so los piedes do estava colgado,
las sus manos preciosas, tóvolo alleviado;
non se sintió de cosa ninguna embargado,
non sovo plus vicioso nunqua, nin más pagado.

151.     End al día terzero vinieron los parientes,
vinieron los amigos e los sus connocientes,
vinién por descolgallo rascados e dolientes;
sedié mejor la cosa qe metién ellos mientes.

152.     Trobáronlo con alma alegre e sin danno,
non serié tan vicioso si yoguiesse en vanno;
dizié qe so los piedes tenié un tal escanno,
non sintrié mal ninguno, si colgasse un anno.

153.     Quando lo entendieron los qe lo enforcaron,
tovieron qe el lazo falsso gelo dexaron:
fueron mal rependidos que no lo degollaron,
tanto gozarién desso quanto después gozaron.

154.     Fueron en un acuerdo toda essa mesnada,
qe fueron engannados enna mala lazada,
más qe lo degollassen con foz o con espada;
por un ladrón non fuesse tal villa afrontada.

155.     Fueron por degollarlo los mozos más livianos,
con buenos seraniles grandes e adïanos:
metió Sancta María entre medio las manos,
fincaron los gorgueros de la golliella sanos.

156.     Quando esto vidieron qe no'l podién nocir,
qe la Madre gloriosa lo qerié encobrir,
oviéronse con tanto del pleito a partir,
hasta que Dios quisiesse, dexáronlo vevir.

157.     Dexáronlo en paz, qe se fuesse su vía,
ca ellos non qerién ir contra sancta María.
mejoró en su vida, partióse de follía,
quando cumplió su corso murióse de su día.

158.    Madre tan pïadosa de tal benignidat,
       qe en buenos e malos face su pïadat,
       devemos bendicirla de toda voluntat:
       los qe la bendissieron ganaron grand rictat.
159.    Las mannas de la Madre con las d'El qe parió,
       semejan bien calannas, qui bien las connoció;
       Él por bonos e malos per todos descendió:
       Ella si la rogaron, a todos acorrió.


El primer rasgo relevante es la postura del poeta con relación
a la materia de su relato. El escritor de milagros no es nunca
testigo del prodigio que describe, no es más que el mediador entre
una fuente y su público, para el que es a la vez traductor y edu-
cador. De ello deriva una actitud de modestia que el poeta no
puede abandonar, condicionado por un lado por la humildad reconocida (veremos luego por qué razones) con la que se presenta
a su auditorio o a sus lectores, y por el otro forzado por el inmenso respeto que es debido a la divinidad que demuestra su
poder en el milagro. Al no ser testigo presencial de los hechos,
el narrador da garantías de la veracidad de su relato con un escrúpulo que llega hasta la pedantería; véase, por ejemplo, la
estrofa 143 en la que Berceo, más que admitir su ignorancia de
la vida del protagonista, subraya su propósito de mantenerse
estrictamente fiel a los datos de la tradición, rechazando cualquier
añadido por verosímil que parezca. En una época en que no
existe el mínimo respeto por la precisión de los datos transmi-
tidos por la tradición, tanto si se trata de un hecho histórico
como de un texto literario, la situación del escritor de milagros
es prácticamente única. Ello no implica que el narrador se prohíba
cualquier intervención personal limitándose a una traducción al
pie de la letra; las modificaciones formales o de perspectiva son
siempre lícitas, lo que cuenta es presentar los hechos intactos.
Y lo que cuenta todavía más para nosotros es el cuidado extre-
mado con que se aplica para inculcar al público que esto es realmente así, sugiriendo que el hiato entre el hecho y el auditorio,
representado por el narrador, está reducido al mínimo. Todo esto
explica además por qué el nivel estilístico del milagro es aparentemente y voluntariamente elemental, utilizando todos los artificios retóricos del estilo *humilis* y renunciando a los que son
propios del elevado, a pesar de que Berceo, como demuestra en

algunos de sus pasajes, estaba en posesión de una excelente preparación escolástica.[63]

El protagonista del milagro naturalmente es siempre un pecador. Notemos, sin embargo, que el poeta no describe los pecados del ladrón, no se detiene en ningún episodio revelador de sus actividades y, aún menos, se entretiene en la exposición de las razones psicológicas o de los hechos que lo arrastraron al pecado. Para el autor la culpa es un dato implícito, anterior al relato; basta por lo tanto mencionarla sumariamente: «Era un ladrón malo... Uso malo que priso non lo podie dejar» (vv. 142a y d). El personaje, privado aquí hasta de la poca identidad que se obtiene de un nombre propio (no es más que un genérico ladrón), el no poseer ni un pasado concreto, ni unos rasgos psicológicos o físicos, presenta una personalidad borrosa. Lo único que interesa es su condición de culpable, de culpable genéricamente. No se trata tampoco de una abstracción tipológica (en nuestro caso del tipo «ladrón»), ya que el relato empieza en un momento en el que la participación del personaje es meramente pasiva y se puede por lo tanto prescindir de las caracterizaciones y los condicionantes que se incluyen en la definición de tipo. En la presentación del personaje se manifiesta una única preocupación por parte del poeta: añadir que el malvado conserva su devoción hacia la Virgen (una fe profunda [v. 144c] y también la práctica del culto externo [vv. 144d y 145c]).

Esta manera de presentar el personaje a nuestra consideración conlleva una postura muy especial del autor en relación con problemas muy relevantes. Ya veremos a su debido tiempo que también la épica y la novela ofrecen el personaje del malvado, pero lo conciben de manera totalmente distinta. Aunque en realidad el malvado se define como tal en el curso de la acción, demostrando con hechos concretos que es merecedor del desprecio del lector, los narradores suelen presentarlo desde el principio como un ser intrínsecamente malo, y renuncian a que la maldad emerja de su comportamiento porque lo dotan de una tal obstinación en la perversidad que lo transforman en algo absolutamente rígido y desprovisto de matices y contrastes.[64] Por

63. Léase el prólogo de los *Milagros,* edic. de A. G. Solalinde, Espasa-Calpe, Clásicos Castellanos, Madrid, 1952.
64. Hacemos una generalización que naturalmente no carece de excepciones. Basta pensar, por ejemplo, por la alusión que haremos seguidamente, que el

este camino se llega hasta a imaginar dinastías de malvados que se transmiten de padres a hijos su particular moral torcida y que se avergonzarían de ser honrados. Y es que los poetas no quieren dejar ninguna escapatoria para estos personajes, quieren llevarlos a una muerte cruel y a la condenación eterna con el firme propósito de marcar con fuego las culpas más peligrosas para la sociedad de aquellos tiempos, despertando en el público una repugnancia saludable. En nuestro caso, en cambio, la problemática social y hasta moral (ya que la moral se refleja en la vida colectiva) están ausentes o son irrelevantes; el milagro afecta únicamente al individuo. Falta la descripción del mal porque no interesa la problemática del mal. Podría sobrevivir, sin embargo, el gusto de una tal descripción, pero la Edad Media no conoció (y si la descubrió fue en un otoño ya muy tardío) la seducción del mal y no jugó la carta de la duda entre condenación y salvación dejándose fascinar por las dos a la vez como sucede en tiempos más recientes. Por otra parte el malo de los milagros es, a pesar de ser tan tosco y apriorístico, menos monocorde que el malo de otros géneros narrativos. Sin embargo, a todos se les ocultan las razones últimas del mal, no las sienten o no profundizan en ellas; por lo menos el traidor de la épica tardía y de la tradición italiana es genéticamente malo, lleva el mal en sus cromosomas, como diríamos hoy en día; pero no nos explicamos por qué es malo nuestro ladrón, el único vestigio de justificación lo hallamos (probablemente sin propósito intencionado del autor) en los vv. 142c-d, es decir en la necesidad económica y la costumbre engendrada por ella. Pero tal vez lo que está implícito aquí es que el destino no depende de nuestra voluntad sino que nos viene dado misteriosamente.

La acción narrativa empieza en realidad con la captura del ladrón y su condena. Nótese la linearidad del relato; el poeta, sin embargo, no deja la menor duda a propósito de la legitimidad de la pena infligida;[65] es más, se para a demostrar que debido

---

Ganelón de la *Chanson de Roland* presenta unas características muy distintas y que muchos rebeldes de la épica se pierden por su insolencia o empujados por las circunstancias, no por sus cualidades innatas.

65. La pena nos parece desmesurada, pero en la Edad Media era normal. El *fuero de Baeza,* de la segunda mitad del siglo XIII, dispone que «Qualquier que de furto o de ladrocinio fuere vençudo [convicto, culpable], sea justiciado» (edición J. Roudil, La Haya, 1962, p. 104).

a la evidencia del delito el culpable no tiene argumento alguno de defensa. En cambio la descripción de la ejecución es rica en detalles, casi para subrayar la inexorabilidad desde el punto de vista racional y humano del procedimiento empleado. Cualquiera que analizara racionalmente los hechos no podía tener ninguna duda a propósito de la muerte del ladrón. Sólo si hubieran podido saber entonces lo que supieron después, los verdugos habrían podido actuar de otra manera. *Rebus sic stantibus* su conducta es perfectamente justa. Berceo contrapone, pues, con clara conciencia, dos realidades distintas. Por una parte está el plano puramente humano para el cual el ladrón es culpable, merece la muerte y la recibe con una técnica que no deja escapatoria; por otra, un plano que es a la vez humano y divino, en el que el ladrón compensa sus culpas con la devoción mariana por lo que obtiene la milagrosa intervención salvadora de la Virgen. Sin embargo, no se trata de dos planos gobernados por dos causalidades distintas sino que dependen los dos de la naturaleza misma, aunque los hombres no tienen elementos suficientes para comprender el segundo de ellos igual que el primero. En realidad no rige ninguna causalidad inteligible para el plano a la vez humano y sobrenatural; el ladrón no reclama la ayuda de la Virgen,[66] que queda así totalmente gratuita (*quisoli* [v. 149c], pero habría podido no querer). Así, pues, se produce el milagro y no es únicamente una intervención momentánea que salva de la muerte, sino, como es habitual en esta literatura, una verdadera suspensión del tiempo.[67] El ladrón no grita, nada desvela el prodigio que se descubre sólo cuando se concluye el suplicio cuya finalidad era asegurar la muerte del condenado (en nuestro caso el ser colgado de la horca). Es entonces cuando se desencadena la ciega obstinación de los verdugos; obsérvese que el poeta describe minuciosamente las precauciones que se toman para asegurar el éxito de la nueva ejecución y el contraste con la intervención de María que es aquí tan rápida y decisiva como imprevisible.

La Virgen interviene dos veces en favor de su devoto y con-

---

66. Carecería de sentido decir que Berceo daba por supuesta la invocación, porque lo que realmente importa es que Berceo no consideró necesario mencionar los ruegos del pecador para provocar la acción sobrenatural.

67. Recordemos el conocido milagro de la monja que deja el convento y cae en el pecado; cuando al final se arrepiente y vuelve al monasterio se encuentra con que nadie ha notado su desaparición porque la Virgen la ha substituido en los quehaceres a lo largo de toda su ausencia.

sigue salvarlo definitivamente. Pero no ha hecho más que salvar el cuerpo, evitar su muerte. Hasta aquí no hay ningún elemento del relato que suponga consecuencias morales. El malvado no ha pedido nada ni ha prometido nada; no sorprendería que llegara a imaginar que dispone de un salvoconducto para nuevas fechorías. Pero no es así, tal como podíamos prever,[68] *partióse de follia,* abandonó la vida disoluta. No es casual, sin embargo, que su arrepentimiento se produzca de una manera también gratuita; la Virgen no pide garantía alguna para su intervención, sino que actúa conforme un cálculo providencial, regido por unas relaciones misteriosas, imprevisibles, de una clarividencia que aturde a los hombres.

Hay muchos elementos en este relato que parecen denunciar una religiosidad burda y superficial, un modo de narrar primitivo e ingenuo: la caracterización del protagonista, la deficiente justificación del milagro, la obstinación de los verdugos, la falta de reacciones del condenado, el recurso final a la reforma moral de éste. Ya hemos hablado de las motivaciones de la humildad del estilo, que sin embargo no es descuidado. Cabe ahora señalar un último detalle. El poeta no pretendía en ningún momento sorprender a su público con la solución dada a su relato. En realidad el género mismo ya no le permitía esta posibilidad al establecer límites precisos a la variación de los acontecimientos: está claro que el pecador tiene que salvarse. Por esto declaraciones como la del v. 144b no aportan ningún conocimiento que no se supiera ya de antemano. Sin embargo, notemos que Berceo no deja de dar seguridades a su auditorio cada vez que se pone en duda la suerte de su protagonista (vv. 148c-d, 153d).

Es por ello que los datos narrativos son muy rígidos. Estando ya fijados el punto de partida y la solución final, sólo queda por explicar el cómo, la realización específica del milagro. He aquí por qué Berceo tiene que forzar los términos de este «cómo», que son los únicos que le quedan disponibles, he aquí por qué se para tanto en las ejecuciones, en la satisfacción por la ligereza del ejecutado, en la porfía de los verdugos. Volvemos, pues, al punto central: el núcleo vital del milagro es precisamente el contraste entre la alegría callada y *viciosa* del ajusticiado que logra sobrevivir y la ceguera febril de los demás, entre quien sien-

---

68. Pero no es seguro, porque la *salvedat* del v. 144b podría referirse a la salvación física, no a la eterna.

te que lo sobrenatural puede intervenir entre los hombres modificando sin explicación aparente el curso de los acontecimientos y quien no diremos que no cree en esta posibilidad (al final también los verdugos llegan a comprender lo acontecido), pero por lo menos no la tiene presente; el contraste, en resumidas cuentas, es entre irracionalidad y racionalidad.

El tipo de religiosidad que se desprende de los milagros es precisamente la fe en los hechos irracionales conjurados por la devoción a María. Se trata de un acontecimiento inhabitual, claro está, y precisamente por su carácter excepcional no es obra de la divinidad misma sino de una mediadora, la Virgen, que obtiene para su devoto lo que no debería suceder. Acontecimiento particularmente inexplicable: Cristo se encarnó para los buenos y para los malos (v. 159c), y su Madre ha prestado socorro a todos los que la han invocado (v. 159d). El hombre no puede comprender; un género que parecía fundado en una correspondencia mecánica de servicio y premio (veneración aún sólo externa y formal de María y salvación de cualquier pecado por horrible que sea) se revela depositario de una conciencia muy distinta de la vida y del destino humanos. Pero entre la miseria del hombre pecador, ignorante o desconfiado ante la intervención de lo sobrenatural, y la inexcrutable magnitud de la divinidad existe un lazo de unión, una mediadora (María) y el consuelo de su intervención liberadora. Quedan, pues, firmes la esperanza y la fe. He aquí cómo la religiosidad tosca y superficial de los milagros se nos revela en realidad rica y profunda; otra faceta fascinante de la experiencia moral y literaria de la Edad Media.

Capítulo III

# LA EXPERIENCIA LÍRICA

## 1. Hacia la identificación de una tradición lírica arcaica

Decíamos anteriormente que todos los pueblos han tenido siempre sus cantos, sus refranes, sus cuentos y sus leyendas; es fácil, por lo tanto, formular la hipótesis de que también las gentes de habla romance poseyeron en la alta Edad Media una poesía lírica en el habla de todos los días, fundamentalmente distinta de la lírica mediolatina contemporánea. Tal hipótesis encuentra confirmación, por otra parte, en ciertas informaciones que nos suministran ocasionalmente algunos escritores y en determinadas decisiones eclesiásticas. Ya hemos mencionado antes la más antigua de estas noticias, la de San Cesáreo de Arlés. Al cabo de pocos años el III Concilio de Toledo (589) prohibió que el que participara en vigilias sagradas «saltationibus et turpibus invigilet canticis» («permaneciera en vela bailando y cantando canciones groseras») (y el edicto real correspondiente establece «quod bellematiae¹ et turpes cantici prohibendi sunt» [«que las tonadas tabernarias y las canciones groseras queden prohibidas»]). Al año siguiente el obispo de Cartagena, Liciniano, habla de «ad excitandam libidinem nugatoribus cancionibus» («canciones frívolas para excitar la líbido»), entonadas durante los bailes. En el 639 el Concilio de Châlons se lamenta de que en las fiestas se canten «obscina et turpea cantica... cum choris foemineis» («cantos obscenos y gro-

---

1. «Vallematia sunt inhonestae cantiones et carmina et ioca turpia» («Las tonadas tabernarias son canciones deshonestas y poemas y juegos groseros»), G. Goez, *Corpus glossariorum latinorum*, V, Leipzig, 1894, p. 586 (cfr. V, p. 612 57 y VI, p. 127a).

seros... con coros femeninos»). Y también se cantaba en ocasiones distintas; San Isidoro de Sevilla sabía bien que «saeculares opifices inter ipsos labores amatoria turpia cantare non desinunt» («los trabajadores seglares no paran de cantar, mientras hacen sus ocupaciones, tonadas amatorias y groseras»), y San Valerio del Bierzo (muerto en el año 695) conocía a un clérigo que en los banquetes cantaba poesías lascivas y bailaba acompañándose con «nefaria cantilena mortiferae ballimaciae dira carmina» («nefastos cantos de terribles tonadas tabernarias, composiciones infames»). Otras veces están atestiguadas poesías «in blasphemiam alterius» («para maldecir a otro»), cantos de escarnio, pero nos limitaremos a citar solamente un nuevo decreto del obispo de Tours (858) que vuelve a prohibir que los domingos se lleven a cabo

> illas... ballationes at saltationes canticaque turpia ac luxuriosa... nec in plateis nec in domibus neque in ullo loco, quia haec de paganorum consuetudine remanserunt.

> (aquellos bailes, pantomimas y cantos groseros y lujuriosos... ni en las plazas, ni en las casas ni en ningún otro lugar, ya que son restos de las costumbres paganas.[2])

Es conveniente no perder de vista el origen de todas estas noticias, que no son desde luego informaciones objetivas destinadas a describir una situación literaria sino condenas y prohibiciones formuladas en unos términos totalmente ajenos a la naturaleza y significación de los cantos que anatemizan. Sin embargo, de estas referencias podemos extraer algo más que la simple comprobación de la existencia de una lírica vulgar, y no nos referimos únicamente a la última cita, que parece adecuada para atestiguar que existió una continuidad indiscutible entre la tradición lírica popular de los siglos del paganismo y la de la época carolingia, pero que en realidad expresa una total reprobación de los contenidos de estas composiciones calificados de paganos porque son absolutamente extraños a la correcta conducta cristiana. A nuestro entender es más interesante la alusión a los coros femeninos que cantaban estas poesías y sobre todo la vinculación repetidamente mencionada entre lírica profana, música y baile.

---

2. Utilizo K. Voretzsch, *Einführung in das Studium der altfranzösischen Literatur,* Halle, 1925,[3] pp. 60-61, y R. Menéndez Pidal, *Poesía juglaresca y orígenes de las literaturas románicas,* Madrid, 1957, pp. 340-344.

Que toda esta poesía fuera grosera y de carácter lascivo no se puede inferir de lo que se ha dicho. La que era objeto de condenas lo era sin duda, pero es verosímil que hubiera géneros y composiciones para los que esta calificación era improcedente y que precisamente por ello nunca fueron recordados por los escritores de la época.

Saber que existió un determinado tipo de poesía es importante pero no suficiente: ¿se trata de una única tradición lírica común a toda la Romania o por el contrario hubo tradiciones diversas y distintas en el espacio y en el tiempo? ¿Cuáles eran los caracteres específicos, la realidad literaria de esta o de estas tradiciones? Para contestar a estas preguntas haría falta contar con un cierto número de textos, pero en realidad no tenemos ninguno. Una poesía destinada a los incultos y si no compuesta por ellos, por lo menos difundida entre las clases populares, no estaba desde luego destinada a la escritura, ya que los incultos no sabían leer, ni poseían una conciencia literaria capaz de hacerles creer que sus canciones eran dignas de ser recordadas permanentemente. Los *clerici*, la gente de cultura, podían sin duda alguna deleitarse con este tipo de poesía pero lo que no podían hacer de ninguna manera era considerarla apta para la escritura, habida cuenta de los cánones literarios que les inculcaban en la escuela latina y de las características tanto de lengua como de temática de la poesía popular; además tenían muy claro que pesaba sobre ellas el estigma de la inmoralidad. En resumen, toda esta producción se ha perdido sin remedio.

Los filólogos que se plantearon el problema hacia finales del siglo pasado no tuvieron más remedio que intentar una investigación paciente encaminada a descubrir los ecos y las derivaciones de estas primitivas tradiciones líricas perdidas en la poesía románica conocida desde el siglo XII en adelante. El mérito de haber iniciado una investigación de este tipo y de haberla llevado a puerto corresponde a Alfred Jeanroy cuya obra *Les origines de la poésie lyrique en France au moyen âge,* es imprescindible para el estudio de la lírica antigua de toda la Romania.[3] Jeanroy

3. La primera edición es de 1889, la última, que es la tercera, es de 1925, pero hay varias reimpresiones posteriores; advertimos que este estudio, al igual que los que citaremos más abajo, se propone también la solución de un problema distinto del que estamos tratando aquí, es decir el de los orígenes de la poesía lírica culta, de lo que nos ocuparemos en la nota 126 del apartado 8 de este

quiso, en efecto, identificar los rastros de una tradición antigua en los *refrains* («estribillos») que han sobrevivido en bastante cantidad en el interior de novelas en prosa o en verso (posteriores a 1200) o incorporados en colecciones de poesía más tardías, y en las *chansons d'histoire o de toile*,[4] conservadas igualmente en el interior de textos narrativos del siglo XIII. Y más notable todavía es que el investigador francés descubrió textos paralelos en las tradiciones portuguesa, italiana y alemana, paralelismos que según su opinión son pruebas de la irradiación de la poesía francesa pero que a nuestro entender se pueden interpretar mejor como afloraciones de una poesía popular arcaica común.

La poesía lírica francesa deriva prácticamente en su totalidad de la tradición provenzal, pero cuando en el ya citado *roman* de *Guillaume de Dôle* una muchacha canta:

> He! He! Amors d'autre païs,
> Mon cuer avez et lié et souspris.

(¡Ay, ay! Amor de otro país, tenéis mi corazón atado y cogido.)

y otra:

> Dieus, quel vassal a en Doon!
> Dieus, quel vassal! Dieus, quel baron!
> Ja n'amerai se Doon non.[5]

(Dios ¡qué vasallo tiene en Doon! Dios ¡qué vasallo! Dios ¡qué barón! Yo no amaré si no es a Doon.)

el influjo provenzal queda descartado, lo que salta a la vista por el hecho de ser el *yo* de los versos una muchacha enamorada y no, como entre los trovadores, un poeta amante. No es ahora el momento de reproducir todo el complejo razonamiento de Jean-

---

capítulo III. El problema de los orígenes de la poesía lírica ha sido estudiado por M. Rodrigues Lapa en varios artículos («O problema das origens líricas», «Das origens da poesia lírica medieval portuguesa», etc.), que ahora se encuentran recogidos en M. Rodrigues Lapa, *Miscelânea de Língua e Literatura portuguesa medieval*, Universidade, Coimbra, 1982.

4. El nombre es debido a su carácter narrativo y a que eran cantadas por las mujeres mientras tejían o bordaban.

5. Vv. 1186-1187 y 1207-1209.

roy; baste decir que las *cantigas de amigo,* uno de los tres géneros de la poesía gallego-portuguesa medieval, están también puestas en boca de mujeres.

La investigación de Jeanroy está compendiada por un minucioso estudio métrico destinado a proporcionar una base técnica a la tesis que se sustenta en la obra, pero el cuerpo del trabajo consiste en una descripción de la temática de la poesía popular francesa arcaica y de sus presuntos ecos románicos y germánicos. Sin querer restar importancia a su trabajo, ha puesto en evidencia un límite muy claro de las tesis de Jeanroy un investigador que en realidad quería desarrollar sus ideas tras algunos años de desconfianza y reserva general. En su ensayo *Minnesinger und Troubadours*[6] el germanista Theodor Frings volvió a tomar en consideración el cuadro de correspondencias temáticas entre las composiciones provenzales, francesas, portuguesas, italianas y alemanas; pero amplió el radio de sus averiguaciones y pudo afirmar que temas como el del encuentro y diálogo de los dos amantes, del alba, de la soledad de la mujer, del deseo, se hallan lo mismo en la China, que en Rusia, que en Servia, que en la Grecia antigua. La consecuencia involuntaria de ello es que, debido a la naturaleza misma de la poesía lírica popular, ligada a una temática muy elemental, cuanto más se limita la investigación a temas generales y esenciales, más aumenta el riesgo de soslayar la realidad específica de las tradiciones concretas para quedarse con la comprobación, en nuestro caso sobrante, de la propensión del alma humana a cantar en todas partes los mismos sentimientos y los mismos temas.

Es conveniente, por lo tanto, fijar la atención en un ámbito más reducido y más concreto, según la pauta de los estudios del gran filólogo Ramón Menéndez Pidal. Este investigador descubrió una serie de semejanzas entre las *cantigas de amigo* gallego-portuguesas y las poesías líricas castellanas contenidas en cancioneros tardíos de finales del siglo xv y del xvi.[7] En ambos casos la protagonista suele ser una muchacha enamorada y los temas son idénticos; por ejemplo, el momento amoroso que provoca

---

6.  Berlín, 1949 («Deutsche Akademie der Wissenschaften zu Berlin, Vorträge und Schriften», 34).

7.  *La primitiva poesía lírica española,* 1919, ahora en *Estudios literarios,* Madrid, 1952,[7] pp. 201-274. Cfr. también *Sobre primitiva lírica española,* en *De primitiva lírica española y antigua épica,* Buenos Aires, 1951, pp. 115-128.

el insomnio o el encuentro con el amado en una romería. En algunos casos se pueden incluso hallar concordancias verbales precisas. En una poesía gallego-portuguesa de Arias Nunes una muchacha canta:

> Pela rribeyra do rryo
> cantando ya la virgo
> d'amor;
> quem amores á
> como dormirá,
> [a]y, bela frol? [8]

(Por la ribera del río cantando va la doncella de amor; quien tiene amores, ¿cómo dormirá, ay bella flor?)

Y el Marqués de Santillana (muerto en 1458), que nos confiesa su familiaridad con la poesía gallego-portuguesa,[9] incluye en el elegante *villancico* dedicado a sus hijas que a él se atribuye, el siguiente dístico de indudable tradición popular:

> La niña que amores ha,
> sola, ¿cómo dormirá?

No obstante las diferencias métricas,[10] el investigador llegaba a la conclusión de que las dos tradiciones debían ser fragmentos análogos, si bien discontinuos, de un conjunto peninsular, afloramientos de una misma lírica de carácter esencialmente tradicional. Este último término designa para Menéndez Pidal una situación literaria particular que produce un

8. Sigo el texto de G. Tavani, *Le poesie di Ayras Nunez,* Milán, 1964, páginas 63-64. Los primeros tres versos coinciden con un *refram* de Joham Zorro.

9. En la *Carta-prohemio al Condestable de Portugal,* en Menéndez Pelayo, *Antología de poetas líricos castellanos,* IV, Santander, 1944, p. 26; Marqués de Santillana, *Obras Completas, II,* edic. M. Durán, Madrid, Castalia (Clásicos Castalia), 1980.

10. Como veremos más adelante las *cantigas de amigo* se presentan en estrofas paralelísticas seguidas de estribillo; las poesías musicales castellanas, en cambio, empiezan con una *cabeza* o *villancico* (aunque esta palabra designa a menudo toda la composición) muy breve que presenta el tema, y éste es glosado en una serie de estrofas monorrimas que terminan cada una con la repetición de toda o parte de la cabeza con función de estribillo; vid. también E. Asensio, *Poética y realidad en el cancionero peninsular de la Edad Media,* Gredos, Madrid, 1970 (2.ª edic. ampliada); A. Sánchez Romeralo, *El villancico,* Gredos, Madrid, 1969.

estilo anónimo o colectivo..., resultado natural de la transmisión de una obra a través de varias generaciones, refundida por los varios propagadores de ella, los cuales en sus refundiciones y variantes van despojando el estilo del primer autor, o autores sucesivos, de todo aquello que no conviene al gusto colectivo más corriente, y así van puliendo el estilo personal, como el agua de un río pule y redondea las piedras que arrastra en su corriente.[11]

La hipótesis de Menéndez Pidal fue acogida con respeto por la agudeza y amplitud de su punto de vista, pero recaudó escasas adhesiones. Parecía más sencillo considerar las composiciones mélicas tardías como una filtración de la refinada lírica culta castellana del siglo xv calificando su popularismo de afectación manierista.

Pero en 1948 se produjo un hallazgo que cambió por completo los términos de la cuestión. Menéndez Pidal ya subrayó que la estructura métrica del *villancico* debía ser antiquísima porque en el siglo xi había penetrado en la poesía de la España árabe (en Al-Andalus) y había sido adoptada hasta por poetas de primera magnitud. Pues bien, hay un género poético árabe, nacido precisamente en Al-Andalus, la *muwaššaḥa,* que presenta una característica singular. Se trata de una poesía estrófica en lengua árabe clásica cuyo esquema de base es el siguiente: *AA, bbbAA(AA), cccAA(AA),* etc., es decir una *cabeza* seguida de 5 o 7 estrofas, cuya primera parte es monorrima con una rima distinta para cada estrofa, mientras que la segunda adopta las rimas de la *cabeza* que probablemente se repetía a continuación como estribillo; la última parte (la que repite las rimas de la *cabeza*) de la última estrofa se llama *jarŷa* y generalmente sus versos son atribuidos a alguien que no es el poeta, quedando su intervención preparada por los versos precedentes de la misma estrofa. Al estar la *jarŷa* atribuida generalmente a una mujer, está redactada en una lengua distinta al árabe clásico, una lengua

11. Cfr. R. Menéndez Pidal, *España, eslabón entre la Cristiandad y el Islam,* Madrid, 1956, p. 65. Una puesta al día de los estudios sobre la lírica románica de los orígenes, con una concisa revisión de los planteamientos anteriores al descubrimiento de las jarchas, se puede hallar en M. Frenk, *Las jarchas mozárabes y los comienzos de la lírica románica,* UNAM, México, 1975, obra resumida y modernizada bibliográficamente en *GRLMA,* II/1 (fasc. 2, pp. 25 ss.), C. Winter, Heidelberg, 1979; además, R. Hitchcock ha recogido la bibliografía existente en un útil librito, *The kharjas: A critical bibliography,* Grant & Cutler (Research Bibliographies and Checklists, XX), Londres, 1977.

de uso común, que puede ser por ejemplo el árabe vulgar; pero algunas jaryas de muwaššaḥas árabes o hebreas[12] eran ininteligibles hasta que en 1948 el especialista en semíticas inglés Samuel Miklos Stern[13] logró descifrar algunas y se descubrió que estaban escritas en el antiguo idioma romance de Al-Andalus, es decir, en un dialecto mozárabe que nació del latín ibérico paralelamente a aquellas hablas romances del norte de la península (gallego, asturiano, castellano, aragonés, catalán) que más tarde, tras la Reconquista, lo suplantaron. Las muwaššaḥas que contienen estrofas mozárabes se pueden datar entre antes de 1042 y 1349; las primeras son, pues, casi medio siglo anteriores a las poesías provenzales más antiguas.

Pues bien, también las jaryas son cantos de muchacha enamorada y se inscriben en la tradición peninsular que había previsto Menéndez Pidal, como una tercera rama del gran tronco arcaico,[14] de la que ahora intentaremos definir con más exactitud los caracteres y las formas.

## 2. Las «JARYAS» MOZÁRABES Y SU CONTEXTO

Leamos ahora algunas de estas preciosas jaryas mozárabes escogidas entre las cincuenta y seis que han llegado hasta nosotros.[15]

> Garid vos, ay yermanellas,
> com contenir he meu male.

---

12. El género fue cultivado también por poetas judíos de la Península Ibérica.

13. Stern comparte el mérito del descubrimiento con el investigador español J. M. Millás Vallicrosa y sobre todo con el arabista E. García Gómez. La contribución a la interpretación de estos difíciles poemillas ha sido múltiple, desde Stern a García Gómez, a Codera, a Menéndez Pidal, a Dámaso Alonso, etc.

14. Para el desarrollo de esta tesis ver especialmente R. Menéndez Pidal, *Cantos románicos andalusíes continuadores de una lírica latina vulgar,* en *España eslabón entre la Cristiandad y el Islam,* Madrid, 1956, pp. 61-153.

15. Las jaryas han sido descifradas sólo en parte por el motivo que señalaremos más abajo y también por la pésima tradición manuscrita que nos las ha transmitido, ya que los copistas que, verosímilmente no comprendían el mozárabe, corrompieron - notablemente los textos. Sigo la edición de E. García Gómez, *Las jarchas romances de la serie árabe en su marco,* Madrid, 1965, hay reedición en Seix Barral, Barcelona, 1975. Véase, también, J. M. Sola-Solé, *Corpus de poesía mozárabe,* Hispam, Barcelona, 1973; S. Stern, *Les chansons mozarabes,*

Sin al-habīb non vivreyu,
¿ad ob l'irey demandare? [16]

(Decid vosotras, ay hermanillas, / cómo he de atajar mi
mal. / Sin el amigo no puedo vivir: / ¿adónde he de ir a
buscarlo?)

Vaisse meu' coraǧon de mib;
ya Rabb, si se me tornarad!
Tan mal me doled li 'l-habīb!
Enfermo yed: ¿cuánd sanarad?

(Mi corazón se me va de mí / ¡Ay Señor, no sé si me volverá! / ¡Me duele tanto por el amigo! / está enfermo: ¿cuándo
sanará?)

¿Que faray, mamma?
Meu 'l-habīb est ad yana.

(¿Qué haré, madre? Mi amigo está en la puerta.)

Ya mamma, meu 'l-habibe,
vais' e no más tornarade.
Gar ke fareyo, ya mamma:
¿no un beǧyello lešarade? [17]

(Madre, mi amigo / se va y no tornará más. / Dime qué haré,
madre: / ¿No me dejará [siquiera] un besito?)

La primera *jarŷa* está inserta en una poesía del gran poeta
hebreo Yehudá Ha-Levi (muerto hacia 1140), la segunda aparece
en dos composiciones distintas, una del mismo Yehudá Ha-Levi

---

Palermo, 1953 (existe una reedición anastática, Londres, 1965); K. Heger, *Die
bisher veröffentlichten Hargas und ihre Deutungen,* Tübingen, 1960.

16. S. Stern, *Les chansons mozarabes,* interpreta *contener a meu,* en el v. 1 y
*advolarey demandare*; la lectura de García Gómez, en el v. 2, sigue la interpretación de E. Alarcos Llorach, «Sobre las jarŷas mozárabes», *Revista de Letras*
(Oviedo), I (1950), pp. 297-299.

17. El problema de la interpretación es muy complicado. Las estrofillas romances están escritas en alfabeto árabe o hebreo igual que las composiciones
de las que forman parte, y esto crea graves dificultades, sobre todo porque en
los alfabetos semíticos la notación de las vocales es muy aproximativa. He aquí
el aspecto que presenta el penúltimo texto tras haber sido transliterado: *kfr'
m?mh myw 'lhbyb 'st'dy'nh.* García Gómez interpreta las últimas palabras así:
*est' ad yana* («está en la puerta»).

y otra de Todros Abulafia, también judío, pero muchos años posterior ya que vivió en la corte de Alfonso X el Sabio y de Sancho IV de Castilla y murió entre 1305 y 1306; la tercera cierra una poesía del hebreo Yosef ibn Saddiq, muerto hacia 1149. La cuarta, finalmente, ha sido utilizada por dos poetas árabes de los que hablaremos seguidamente.

¿Cómo explicar que una sola *jarŷa* se utilice en poesías distintas? No se trata de un caso aislado; el fenómeno se produce dentro de nuestro escaso corpus unas 12 veces, y en algunos casos son hasta tres los poetas que utilizan el mismo fragmento lírico romance. Estas repeticiones, por otra parte, están previstas en las preceptivas árabes [18] y parecen, por lo tanto, perfectamente normales. Las explicaciones pueden ser dos: o bien un poeta hebreo o árabe creó una estrofa que después fue imitada por poetas sucesivos, o bien todos las sacaron de la poesía popular mozárabe, o independientemente unos de otros o siguiendo el ejemplo del primero que utilizó la estrofilla. El problema en resumidas cuentas es: ¿las *jarŷas,* incluso las que fueron utilizadas sólo por un poeta, son obra de éste o proceden de una tradición preexistente?[19]

Cabe señalar aquí que los tratadistas de métrica árabes nos informan de que la *muwaššaḥa* estaba construida sobre la *jarŷa,* lo que significa que la *jarŷa* es el núcleo originario que determina la estructura métrica de toda la poesía, sea por la medida de los versos (las composiciones son rigurosamente isosilábicas), sea por sus rimas que se repiten en la *cabeza* y al final de cada estrofa. No tiene sentido, por lo tanto, que un poeta árabe construyera una estrofilla mozárabe con formas del futuro románico -*ay* en la rima, como sucede a menudo, cuando estas rimas presentan graves inconvenientes si hay que encontrar sonidos correspondientes en árabe; ni tampoco lo tiene que echara mano de las asonancias -*ale*: -*are* o *mamma*: *yana,* totalmente ajenas a las costumbres métricas de su tradición. En suma, parece más verosímil que por lo menos una parte de las *jarŷas* deriven de la tradición lírica románica.

18. Cfr. Ibn Sana' al-Mulk, en Heger, *op. cit.,* p. 187.

19. No buscamos una explicación válida para todos los casos; seguramente más de una vez un poeta utilizó el texto de un predecesor suyo o recurrió a la tradición romance. Para sustentar nuestra argumentación bastaría que la segunda hipótesis se hubiese realizado una sola vez. Vid., al respecto, M. Frenk, *op. cit.*

Veamos ahora con qué técnica el poeta insertaba la estrofa mozárabe en su composición. Escogemos el cuarto de los textos reproducidos anteriormente, para poder comparar dos utilizaciones distintas de la misma composición.[20] He aquí, pues, la *muwaššaḥa* de Abu-l-Walid Yunus ibn 'Isà al-Jabbaz Mursí, poeta árabe de poca cultura, que vivió tal vez en el siglo XII:

> *¿Quién me ayuda contra un ciervo*
> *que a los leones combate,*
> *y no me paga mi deuda*
> *cuando espero que la pague?*

1. Siempre estoy, por obtenerla,
   entre esperanza y deseo,
   y, por mucho que se enfade,
   no por eso desespero.
   Antes grito: «Alma, no tengas
   sobre ella un mal pensamiento»,
   *y al pecho le digo: «Sufre»,*
   *y a quien siempre cumple tarde:*
   *«Haz lo que quieras, que nunca*
   *airado estoy con lo que haces.»*

2. Tú que desdeñas, injusta,
   a quien aguante no acorre,
   no importa que me consuma,
   con tal que no me abandones.
   Muerto estoy, cuando quien mira
   con unos ojos gachones
   *y prepara agudos dardos*
   *desde esos arcos fatales,*
   *dispara contra mi pecho*
   *saetas que son mortales.*

3. Mi corazón ¿qué te ha hecho,
   que sus penas no se acaban?
   Te eleva quejas de amores
   y no le sirven de nada.
   ¡Piedad! Mi vida y mi muerte
   entre tus manos se hallan.

---

20. Se trata de las traducciones de García Gómez en *Las jarchas..., op. cit.,* pp. 191-195 y 199-203. El texto de la *jarŷa* es el de Stern.

*¡Tú que, al par, curas y enfermas!*
*Puedes quitarme mis males.*
*Me derrito por quererte.*
*¡Haz de mí cuanto te agrade!*

4. ¿Quién me ayuda, si en sus ojos
me está la muerte acechando?
Es la hermosura en esencia,
si se va contoneando.
Quisiera pintar sus prendas
pero no puedo lograrlo.
*Ver su mejilla es lo mismo*
*que en un jardín pasearse;*
*mas ¡guay de cortar sus frutos!*
*lo impiden agudos sables.*

5. La encerrada doncellica
a la que la ausencia aflige;
la que con sus trece años
llora, abandonada y triste,
embriagada de deseos,
qué bien a su madre dice:
*Ya mamma, meu 'l-habibe,*
*vais' e no más tornarade.*
*Gar ke fareyo, ya mamma:*
*¿no un beğyello lešarade?*

Leamos ahora la composición del poeta tardío Abu 'Utman ibn Luyun, de Almería (1282-1349), de estilo sin duda arcaizante pues pertenece a una época en que el género de la *muwaš-šaḥa* iba ya desapareciendo:

*¿Cómo, di, han de estar los pechos,*
*si el Destino de ellos hace*
*hitos de todos los dardos*
*que a esos ojos lanzar place?*

1. ¿Qué resignación ni alivio
me caben, ni qué paciencia?
A cierva de dulce brama
quiero, que hasta el sol desprecia.
Por ella mi juicio pierdo;
y hasta pierdo la vergüenza,

y médico no hay que cure
ni mal, si no que se ablande
quien me consume en amores
ahora y siempre, luego y antes.

2. Tiene esta dulce gacela,
dos jardines en su cara,
y en su talle floreciente
brillan redondas granadas.
Jazminero es su mejilla
protegido por dos lanzas.
*¡Cuánto león que en la selva*
*reinó fiero y sin rivales,*
*a sus pies, de amor herido,*
*vino muriendo a humillarse!*

3. De este amor no has de moverme:
¡deja, censor, tus censuras!
Me transtornó quien no tiene
más joyas que su hermosura,
Es su encanto mi confite,
y sus labios mi agua pura.
*¡Ay mejilla, en la que lo rojo*
*con lo blanco se debate,*
*y que de sólo mirarla,*
*sin morderla, ya echa sangre!*

4. Téngole amor por honrarla
y ella me odia y me desprecia.
¡Que vender mi fe a la baja
mi Dios no me tome en cuenta,
por quien te enseña ese talle
que como un ramo menea,
*y esa lánguida mirada,*
*acechada por un áspid,[21]*
*como estrella que a otra estrella*
*quiere unas perlas robarle!*

5. Bien haya la que, apurada
por la ausencia de su amigo
cuyo amor le quita el sueño

---

21. Señala García Gómez en la p. 203 que el áspid es el «rizo de la sien» y que tiene valor de comparación tópica.

cual cruelísimo enemigo,
así a su madre le canta
dando a sus penas alivio:
*Ya mamma, meu 'l-habibe,*
*vais' e no más tornarade.*
*Gar ke fareyo, ya mamma:*
*¿no un beǧyello lešarade?*

No obstante el filtro que representa la traducción, se puede observar que la *jarǧa* constituye una clara disonancia en el interior del poema, aunque esté atenuada por los versos de preparación de la última estrofa. Para empezar hay la fortísima ruptura lingüística, que como se ha dicho es fundamental para el género; pero no menos brusco es el paso de la confesión lírica en primera persona al discurso puesto en boca de un personaje que habla en tercera, la muchacha enamorada que no tiene nada que ver con lo que antecede. Incluso la congruencia temática de la estrofilla romance con el resto de la poesía es más bien relativa, cuando no totalmente ausente; en los textos que hemos citado la *jarǧa* desarrolla el tema de la ausencia del amado y del abandono de la muchacha enamorada, mientras que en la poesía la enamorada desdeñosa está presente y no se niega a ser admirada por el poeta, sino que cuanto más visible se muestra, más lo atormenta.[22]

De acuerdo con su función disonante la *jarya* tiene un carácter destacado, de cuerpo extraño, de cita, y esto no se obtendría completamente si su origen no fuera heterogéneo respecto al de la poesía, si no preexistiera a ésta presentando una autonomía particular. Consideremos además que, aunque estas pequeñas poesías mozárabes estén orientalizadas en la terminología y hasta en algunos temas, salta a la vista la diferencia estilística con el resto de la composición en la que están insertas; falta el gusto por la metáfora, falta la sensualidad gozosa y rebuscada que es propia de la poesía semítica. En su lugar encontramos una expresión sencilla y directa y un sentimiento fuerte pero elemental.

22. Es posible que se volviera a usar la misma *jarǧa* para añadir a los otros motivos de disonancia la presencia de unos versos conocidos en un contexto nuevo e imprevisto; es el mismo efecto que se habría producido si se hubiera utilizado el texto por primera vez, pero éste hubiese tenido suficiente popularidad como para resultar familiar al auditorio en su contexto original.

Ya que todo el género está construido sobre el contraste entre la *jarŷa* y el contexto, tenemos que pensar que en el ambiente andaluz de la época existía un gusto especial por lo popular y por sus formas poéticas, fueran éstas árabes o romances; gusto que desde luego no compartía la cultura latina contemporánea, en la que los temas y las formas populares afloran con más circunspección y tras un filtraje más depurado o bien brotan con una plenitud total excluyendo o desfigurando la dialéctica de los distintos tonos. En realidad, en la historia cultural del occidente europeo el gusto por la lírica popular representa más la excepción que la regla; nuestra tradición se muestra fundamentalmente recelosa ante el dato folklórico. No hay que interpretar el fenómeno como el reflejo de una postura aristocrática y cerrada; en realidad son los ambientes más refinados e intelectualizados los que sin prejuicio alguno utilizan elementos populares, empujados por la aspiración a una pureza y una genuinidad míticas e ilusorias más que por una auténtica comprensión de lo popular en sus caracteres más específicos; así el refinado intelectual Angelo Poliziano componía en el siglo xv unas octavas en las que trasluce la influencia de lo popular o los cultos poetas castellanos de la generación del 27 reelaboraran literariamente materiales de la tradición folklórica. En la España cristiana de aquellos siglos la poesía popular debía tener sin duda una vitalidad tan presente en las realidades cotidianas que un literato no podía considerarla digna de atención; nadie debió ocuparse de ella, como de un utensilio cualquiera; hubo que esperar a que llegara el siglo xv para que las personas cultas adquiriesen una distancia crítica suficiente para poder valorar lo popular en cuanto tal, sólo entonces se puso de moda el *villancico,* la cancioncilla mélica de origen y tono popular. Pues bien, todo lo que sabemos de la vida cultural de Al-Andalus nos atestigua la existencia de una refinada madurez semejante a aquélla, que además —a diferencia de la Europa cristiana del momento— se desarrollaba en un ambiente esencialmente ciudadano, el más adecuado para engendrar el mito del popularismo; es decir, que no debemos en absoluto sorprendernos de que las *jarŷas* confirmen plenamente la existencia de este gusto.

Tenemos así un nuevo argumento a favor de la genuina procedencia folklórica de estos poemillas, pero al mismo tiempo tenemos la seguridad de que fueron seleccionados y filtrados y a

veces hasta retocados,[23] según las exigencias de un gusto deter
minado en la manera misma de ver y apreciar lo popular. No
estamos ante transcripciones rigurosas, que no podemos esperar
ni siquiera de los filólogos del siglo pasado, sino ante textos vis-
tos desde determinadas perspectivas estéticas. Señalaremos sólo
dos ejemplos, uno temático y uno técnico. No cabe duda de que
el repertorio temático de la lírica popular mozárabe tal como
aparece en las *jarŷas* es incompleto y resulta falso, porque no le
debieron faltar, entre otros, aquellos *cantica turpia* ('cantos groseros') que despertaban la indignación de los círculos eclesiásticos; el cuadro temático que tenemos es el que se desprende
de la selección que realizaron los poetas árabes y hebreos, es decir
que es fruto del gusto convencional por lo popular que imperaba
entonces en Al-Andalus. Por otra parte tampoco tenemos razones para creer que estos poemillas estén enteros en la forma que
conocemos; no alcanzamos a entender por qué la lírica popular
arcaica en su totalidad tenga que presentar esta brevedad excla-
mativa que no corresponde a formas más tardías que conocemos
mejor.[24] Por otra parte, como diremos más adelante, el fenómeno
de la transmisión fragmentaria lo encontramos también en la
tradición castellana de los siglos XV y XVI.

Si las observaciones precedentes son exactas, hay que admitir
que las canciones mozárabes son efectivamente testigos preciosos
de la poesía románica arcaica de la Península Ibérica, pero testigos genuinos hasta un cierto punto ya que están filtrados a
través del gusto de ambientes exóticos y de artistas consumados.
Tal vez porque fueron utilizadas como teselas en un mosaico nuevo y distinto del que les fue propio, se nos aparecen hoy como
elementos insustituibles pero despojados de un valor poético au-
tónomo: temas esencializados y esquematizados, tratados con una
simplicidad directa y rápida, libres casi por completo de la formalización expresiva que es propia hasta de las tradiciones poéticas populares. Seguramente la pura sugestión temática y el timbre de la frase romance debieron ser suficientes, según los poetas
árabes y hebreos, para que el fragmento desarrollara la función

---

23. García Gómez señala a menudo la existencia de modificaciones, hipo-
téticas y verosímiles, por parte del poeta árabe que utilizaba el texto romance.

24. Entre las cuales son breves únicamente las que buscan el hallazgo ful-
minante de un elogio o de un epigrama (como los *stornelli* italianos) o bien el
sintetismo propio de los proverbios.

lírica que le estaba reservada en el conjunto de la composición. Una poesía tan simple e inmediata parece incluso ajena a cualquier tipo de consideración crítica, pero se trata de una impresión exagerada. Será útil comparar estos textos con otros afines para que el contraste nos defina con más claridad la individualidad de cada uno.

## 3. VARIEDAD DE LA INTUICIÓN LÍRICA DE TIPO TRADICIONAL

Pasemos ahora a considerar una *cantiga de amigo* de Martín Codax, que fue gallego y seguramente también juglar y que vivió según parece en el siglo XIII:[25]

> Ondas do mar de Vigo,
> se vistes meu amigo?
> e, ai Deus! se verrá cedo?
>
> Ondas do mar levado,
> se vistes meu amado?
> e, ai Deus! se verrá cedo?
>
> Se vistes meu amado
> o por que eu sospiro?
> e, ai Deus! se verrá cedo?
>
> Se vistes meu amado
> por que ei gran cuitado?
> e, ai Deus! se verrá cedo?

(«Olas del mar de Vigo, / [decidme] si visteis a mi amigo y, / ¡ay, Dios!, si vendrá pronto. // Olas del mar airado, / [decidme] si visteis a mi amado / y, ¡ay, Dios!, si vendrá pronto. // ¿Visteis a mi amado / por el que suspiro? / y, ¡ay, Dios!, si vendrá pronto. // [Decidme] si visteis a mi amado / por el que tengo gran preocupación, / y, ¡ay, Dios!, si vendrá pronto.)

25. C. Ferreira da Cunha, *O cancioneiro de Martin Codax*, Río de Janeiro, 1956; el texto se publica con el n.º 1 en la edición de Cunha. También en *Auswahl altportugiesischer Lieder*, al cuidado de S. Pellegrini, Halle, 1928, p. 37, y en Nunes, *Cantigas de Amigo*, Coimbra, 1928 (reprint Lisboa, 1973), vol. II, página 441.

Esta vez estamos seguros de que la poesía, que nos ha llegado por conductos distintos, está entera, por lo que no tienen sentido aquí las reservas que son indispensables en el caso de los cantos mozárabes o de la lírica tradicional castellana. Otra vistosa diferencia es la peculiar técnica compositiva conocida bajo el nombre de paralelismo y en la que nos pararemos un momento. Si comparamos las dos primeras estrofas veremos que las dos parejas de versos se corresponden exactamente y en ambos casos presentan la única variante de la rima: *de Vigo / levado y amigo / amado,* variación que permite cambiar la asonancia (en este caso la rima es consonante, pero véase la estrofa tercera) sin modificar sustancialmente el sentido de las frases, ya que *amigo* y *amado* en este contexto son perfectamente sinónimos (media sólo una pequeña diferencia de perspectiva: en el primer caso el amor es de él hacia la mujer y en el segundo de la mujer hacia él), y *de Vigo* y *levado,* aunque no se ajusten a este requisito, no son más que dos calificativos del mismo sustantivo. La tercera estrofa empieza con el mismo verso que ocupa el segundo lugar en la primera (v. 7 = v. 2), pero el verso siguiente, completamente nuevo, imprime vitalidad a la poesía añadiendo por vez primera después de la estrofa inicial un concepto que no ha sido expresado con anterioridad; pero la variación es mínima, apenas más relevante que la de los vv. 1/4 y 2/5, ya que el verso aporta sólo una simple oración de relativo declarativa. La cuarta estrofa, finalmente, está construida con el segundo verso de la segunda estrofa (v. 10 = v. 5) y con un verso paralelo al v. 8, aunque esta vez las diferencias son algo más sensibles (pero el sentido sigue siendo el mismo). Hay que añadir además que al final el estribillo, repetido después de cada estrofa, expresa un concepto distinto del de las estrofas. En conclusión, para construir una composición de 12 versos, son suficientes 4 versos base (1, 2, 3 y 8), variados según una técnica precisa.

Esta estructura paralelística que, como es natural, presenta numerosas variantes, se puede explicar funcionalmente por la hipótesis de que las *cantigas* eran cantadas por dos coros o dos voces que se alternaban ejecutando el uno (o la una) las estrofas impares y el otro (o la otra) las pares y cantaban luego al unísono el estribillo. En nuestro caso el primer coro o la primera voz, volvería a cantar repitiendo el último verso cantado en solo (v. 7 = v. 2) y el segundo coro o voz haría lo propio. Si además, como es probable, estos cantos acompañaban el baile, la estructura correspondería a movimientos simétricos de los dos grupos en que estaban divididos los bailarines.

Pero la técnica del paralelismo, como todas las técnicas poéticas, no se puede interpretar sólo desde el lado funcional, sino que conviene analizarla como condicionante y punto de partida de la creación poética. Hay que preguntarse en primer lugar por qué la empleó el poeta (y ello sucedió en parte por el peso de la tradición, pero sobre todo por el deseo de alcanzar determinados efectos expresivos) y cómo la empleó, es decir cómo se engendra la poesía en la composición y cómo se define ésta a través de la relación dialéctica entre rigidez esquemática y expresividad individual.

Llegados a este punto el examen temático de una determinada producción ya no basta; si observamos que la *cantiga* de Martín Codax canta la nostalgia del amigo lejano como la primera de las *jaryas* mozárabes que hemos copiado, será una consideración más o menos exacta pero no precisamente muy original y desde luego no contribuirá a esclarecer las diferencias patentes que existen entre los dos textos. Pero un enjuiciamiento crítico tampoco puede quedarse sólo con un dato técnico (en este caso el paralelismo), como veremos más adelante. Tradiciones emparentadas temática o técnicamente pueden ser muy distintas desde el punto de vista expresivo.[26]

Empecemos por el examen de los temas, ya que nos viene facilitado por lo reducido del repertorio de la lírica gallego-portuguesa. En esta tradición el interlocutor de la muchacha enamorada suele ser la madre; con menos frecuencia habla con las hermanas (o amigas) y escasas veces con la naturaleza. El comienzo de la *cantiga* no tiene más que dos ejemplos semejantes en toda la tradición. El uno corresponde a una poesía del mismo Martín Codax que empieza así:

> Ai ondas que eu vin veer,
> se me saberedes dizer
> porque tarda meu amigo
> sen min?[27]

---

26. Cfr. E. Asensio, *Poética y realidad en el cancionero peninsular*, cit.
27. Cfr. S. Pellegrini, *Studi su trove e trovatori della prima lirica ispano portoghese*, Bari, 1950, p. 50; edic. Cunha, número 7.

(¡Ay!, olas que vine a ver, / ¿me podréis decir / por qué tarda mi amigo / si no [está] conmigo?)

y el otro corresponde a unos versos atribuidos al trovador provenzal Raimbaut de Vaqueiras:

Altas undas que venez suz la mar,
que fay lo vent çay e lay demenar,
de mun amic sabez novas comtar,
qui lay passet? No lo vei retornar! [28]

(Altas olas que venís por el mar, / que el viento hace mover por aquí y por allí, / ¿podéis darme noticias de mi amigo, / que cruzó el mar? ¡No lo veo volver!)

La pregunta adquiere un tono ilusorio de realidad concreta con la alusión a Vigo. La mención de lugares precisos, un santuario, la tierra en que reside el amante, no es infrecuente en las *cantigas de amigo,* pero no tiene en absoluto la función de introducir una nota de realismo; se trata de una forma de estilización de lo real que, a la vez que hace presente a la memoria un lugar preciso y conocido por todo el mundo (por ejemplo Vigo), trasciende su valor concreto transformándolo en sede referencial pero también ideal de la anécdota lírica. Aquí además la referencia concreta está debilitada por la alternancia con su expresión paralela, que subraya la función alusiva del nombre, no menos ornamental y convencional que *levado* ('movido'). *Vigo,* pues, no esconde nada, no sugiere ni disimula un dato concreto, esencial a la situación poética.

En realidad, a pesar de su brevedad extremada, la poesía está perfectamente abierta a la comprensión, es el canto de una muchacha gallega cualquiera cuyo enamorado está ausente y que se pregunta si volverá pronto. Claro que nosotros ignoramos dónde está el *amigo* y por qué se ha marchado, pero esto no cuenta para el texto, ya que está centrado únicamente en la nostalgia de la muchacha y la expresa con una claridad absoluta. Ello no impide sin embargo que la poesía tenga un halo de magia y de misterio; pero esta impresión no reside en los hechos, sino en la

28. Cfr. Linskill, *The poems of the Troubadour Raimbaut de Vaqueiras,* La Haya, 1964, p. 258.

situación sentimental y sobre todo en la patética repetición de frases y de temas. Es el encanto de las preguntas que no esperan respuesta, es la envidia angustiada de las olas que pueden llegar hasta el enamorado al que ella sólo puede esperar, es el estribillo que pasa del deseo a la invocación y a la plegaria. En el entramado finísimo del paralelismo se expresan sin dificultad las actitudes matizadas y complejas de la psicología femenina, constantes como la repetición de los versos paralelos, y al mismo tiempo complejas como sus variaciones. Y el ritmo lentísimo y oscilante de la estructura está bien fusionado con la situación lírica; es más, refleja la misma esencia de un sentimiento cansado y agridulce, de la distensión lenta y soñadora que media entre la naturaleza confidente y el alma enamorada.

Leamos ahora un brevísimo poema castellano conservado en el incomparable *Cancionero musical de Palacio,* una antología manuscrita de la primera mitad del siglo XVI que recoge, junto a sus melodías, la producción musical que estaba de moda en el momento y que, en parte, se remontaba al siglo anterior:[29]

> En Ávila, mis ojos,
> dentro en Ávila.
>
> En Ávila del río
> mataron mi amigo,
> dentro en Ávila.

No sabemos si esta poesía, como las demás que se nos han transmitido en el mismo cancionero, es el fragmento inicial de la composición original o si corresponde a la totalidad del poema, pero es probable que sea más exacta la primera hipótesis.[30] Si es así, es probable que nuestro poema fuera originariamente de carácter paralelístico, como sugiere la presencia en rima de la expresión *del río,* pues es un calificativo del topónimo Ávila no usual y por ende con valor ornamental y relacionado con la asonancia;

---

29. Sigo la edición de J. Romeu Figueras, *La música en la Corte de los Reyes Católicos,* IV, tomo 2, Barcelona, 1965. El texto se puede leer también en la *Antología de la poesía española: poesía de tipo tradicional,* de D. Alonso y J. M. Blecua, Gredos, Madrid, 1956 (numerosas reediciones), en J. M.ª Alin, *El cancionero español de tipo tradicional,* Taurus, Madrid, 1968, etc.

30. Pues en algunos casos tenemos las mismas poesías conservadas por otros manuscritos en los que aparecen con mayor número de estrofas.

análogo es el caso de *amigo,* cuya alternancia con *amado* es bien conocida.[31] La reducción de la poesía al estribillo y a la estrofa inicial puede ser debida a las dos razones siguientes, o a una de las dos: o bien el recopilador del cancionero estaba interesado en reunir un rico repertorio musical y no se preocupaba de las estrofas que seguían a la primera, pues reproducía exactamente la misma música, o bien estaba guiado por un gusto específico por los poemas breves, por los fragmentos significativos, gusto que en aquellos mismos años se advierte en España entre los que empezaban a recoger y a imprimir otro género también tradicional, el *romance.*

Cualquiera que sea el motivo de esta fragmentariedad, no debemos olvidar que también esta vez el texto que conocemos no sólo ha llegado a nosotros gracias al interés de ambientes cultos y a través de un gusto específico por lo popular, sino que probablemente se nos presenta en una perspectiva que no es la original (ya sabemos que en un texto tradicional es prácticamente quimérico hablar de original y que éste, desde el punto de vista crítico, equivale a cualquier reelaboración; lo que pasa con nuestro texto es que ha sufrido la intervención de alguien que no puede ser equiparado a los transmisores normales de la tradición). Las observaciones que siguen son válidas, por lo tanto, para el texto tal como nos ha llegado y no pueden desde luego ir referidas ni al hipotético original ni a las variantes propiamente tradicionales, aunque es posible que tengan valor también para aquellos.

La composición breve tiene un planteamiento muy distinto de los poemas que hemos estado viendo hasta ahora. Empecemos por la técnica. Aun suponiendo que fuera en su origen paralelística, no por ello tendrá que producir necesariamente el resultado de *Ondas do mar de Vigo:* para empezar el estribillo precede a la primera estrofa, y este detalle, aparentemente secundario, lo cambia todo; la *cabeza* (o *villancico* en sentido estricto) no es ya el eco del canto sino que anticipa sintéticamente sus motivos esenciales, es su exponente, su presentación y no su conclusión, y precisamente por ello está más íntimamente vinculado al poema, no lo comenta desde fuera como sucedía anteriormente. El tono lento y afligido de toda la *cantiga* gallego-portuguesa se subli-

31. Cfr. más arriba *Ondas do mar de Vigo.*

maba con la vuelta constante del estribillo, que con su regulari-
dad correspondía a la variedad del juego en el interior de las
estrofas; aquí la *cabeza* es rápida, nos pone inmediatamente en
contacto con el dramatismo de la situación, tiene todavía algo del
carácter directo de la *jarŷa*.

Pero más interesante todavía es el hecho de que la lírica
castellana abandona la posición egocéntrica absoluta que era propia de la poesía mozárabe y de la gallego-portuguesa. Sin duda
también en ésta se expresa un estado de alma, pero hay más,
aparece una situación concreta, en nuestro caso un delito, el
asesinato del amado en Ávila que tiene una relevancia que no es
menor que la del estado anímico de la mujer. El lirismo nace
precisamente de la doble presencia del estado de alma y de la
manera en que se presenta la situación.

Aparentemente, en efecto, tenemos aquí, a pesar de la brevedad extremada de la composición, un conjunto muy relevante
de datos informativos, desde luego superior al que se extrae de
la *cantiga*. Tenemos a Ávila, que no es un lugar tópico como
Vigo, sino el teatro real de unos hechos concretos, puesta de
relieve por su repetición obsesiva (cuatro veces en 5 versos), tenemos al amado, a su muerte, tenemos el deseo de la mujer de ver,
de estar en Ávila. Pero en realidad aquí la carga de misterio es
muy superior a la de la *jarŷa* o de la *cantiga*. Y es que la información no es una magnitud objetiva, sino que se mide en correspondencia a nuestra demanda como lectores. En las *jarŷas* la
situación es tan elemental y evidente que lo dicho parece exhaus-
tivo y no deja márgenes de incertidumbre (a nadie se le ocurre
investigar cuál es la enfermedad que padece el amigo ni por qué
se marcha y nadie se pregunta qué es lo que está haciendo ante
la puerta porque es obvio que quiere entrar); en la *cantiga* todo
está tan centrado en el estado anímico de la mujer, en su deseo y
en su nostalgia, que los datos explicativos que no tenemos care-
cerían de significación (así por ejemplo da lo mismo que el amigo
esté en las Cruzadas o que sea un pobre pescador); en el poema
que analizamos, en cambio, la situación exterior tiene tanta relevancia y una función tan clara, que desearíamos saber qué es lo
que pasó en Ávila y por qué pasó. La información es insuficiente
en relación con el peso funcional que tiene el hecho en la composición y nuestra necesidad de completarla personalmente crea
un fuerte halo de misterio y tragedia que es la esencia misma

de la poesía; todo ello, desde luego, estaba previsto por quien compuso o reelaboró la pieza.

Es obvio que el planteamiento que acabamos de analizar no es privativo de este poema. He aquí otra composición del mismo cancionero cuyo tema se aproxima bastante al de la preocupación por el amante lejano:

> ¡Ay que non era,
> mas ay, que non hay
> quien de mi pena se duela!
>
> Madre, la madre,
> el mi lindo amigo
> moricos de allende
> lo llevan cativo;
> cadenas de oro,
> candado morisco.

La situación lírica es bastante parecida, no por el tono pero sí por la construcción. También aquí tenemos un estado de alma que se contiene en la lamentación del estribillo, en la invocación a la madre y en el *lindo* del v. 4, y también hay un acontecimiento, una acción externa y objetiva: los moros han capturado al amado. También aquí contamos con muchos detalles informativos, pero cada uno de ellos en lugar de aclarar la situación engendra un misterio: *de allende* es una expresión completamente genérica y sitúa el país musulmán en un universo mágico mientras se esperaría encontrarlo más allá de los montes cercanos. Y ¿a qué viene la incursión?, ¿qué representa la captura?, ¿por qué el inesperado esplendor de las *cadenas* de oro?, ¿por qué el *candado morisco* que sigue evocando riquezas como el verso anterior a la par que alude en tono misterioso a un destino inexorable?

He aquí ahora un tema muy distinto en una composición del mismo origen que las anteriores:

> Dentro en el vergel
> moriré.
> Dentro en el rosal
> matarm'han.

Yo m'iva, mi madre,
las rosas coger;
hallé mis amores
dentro en el vergel.
Dentro en el rosal
matarm'han.

Encontramos de nuevo un estado de alma y un hecho acaecido y narrado ligados estrechamente en una atmósfera de misterio y de magia. Dentro de los límites nada elásticos de una tradición figurativa y temática concreta la ambigüedad está explotada al máximo; la predicción de muerte del estribillo, que aparentemente parece expresar un violento contraste con la elegante estilización, festiva ya de entrada, del *vergel* y del *rosal*, se revela en realidad como una proyección en el futuro de una indescriptible felicidad amorosa experimentada ya en un pasado próximo y repetible si vuelve la muchacha a su aludido *jardin de plaisance*; es decir que éste recupera su valor acostumbrado de testigo de una maravillosa embriaguez. La localización es tópica, pero no menos precisa e importante que la de Ávila o que la situada en el camino que llevaba *allende*. Sin ella, sin el sobreentendido de lo que sucedió en el *vergel,* la poesía carecería de sentido, el estado de alma de la muchacha no tendría fundamento alguno.

El análisis que hemos realizado ha tenido la función de relacionar críticamente algunos textos y de precisar algunas modalidades esenciales de la intuición lírica ibérica de tipo tradicional; tenemos ahora nuevos argumentos para volver a tratar los problemas que nos habíamos planteado al principio. No cabe duda de que en las tres tradiciones líricas que hemos examinado se observan coincidencias temáticas y en parte también técnicas; pero ¿son estos argumentos suficientes para afirmar que están emparentadas entre sí, tanto si se trata de un parentesco genético como de una vinculación tradicional?

El análisis de las obras literarias se puede llevar a cabo a niveles muy distintos. El análisis temático, por ejemplo, se puede ejercer con un grado tal de abstracción, identificando los temas en su expresión más genérica, que se acaban hallando afinidades concretas entre la mayoría de tradiciones líricas populares desde Europa al Extremo Oriente. Sin embargo, si dejamos las generalizaciones y precisamos determinaciones más exactas y selecciones concretas de motivos, podremos identificar una tradición claramente románica e incluso ibérica.[32] Y si el examen se hace todavía más concreto, entonces cada una de las tradiciones ibéricas medievales revelará una identidad propia y llegaremos, si se quiere, hasta a describir adecuadamente la individualidad de cada texto.

La elección del nivel de análisis depende naturalmente de los propósitos de cada investigador y tiene que estar en consonancia con los resultados que desea alcanzar. Está claro, por ejemplo, que el nivel de generalización máxima, aquel en el que se toman en consideración los temas reducidos a su esencialidad más esquemática, es el indicado para individuar cuáles son las situaciones líricas arquetípicas, comunes a toda la humanidad o a gran parte de ella, pero no sirve si lo que se pretende es llevar a cabo una investigación de tipo histórico. En el caso que nos ocupa no siempre se ha tenido el cuidado suficiente al distinguir entre los distintos niveles interpretativos y tampoco se han aportado siempre argumentos dotados de una especificidad suficiente. No obstante la presencia de indicios válidos, creemos que la demostración de que la lírica ibérica de tipo tradicional tiene un origen común debe fundamentarse en argumentos históricos extrínsecos, es decir en que es verosímil que tradiciones lingüísticas estrechamente vinculadas, en áreas vecinas y hasta sobrepuestas,[33] en tiempos al fin y al cabo consecutivos,[34] tengan alguna relación genética entre ellas y que no les falten concomitancias recíprocas. En el plano de la crítica, sin embargo, las divergencias de planteamiento y de tono lírico son muy notables y permiten describir claramente cada una de las tradiciones.

Todo lo dicho viene a confirmar con nuevas pruebas la com-

32. Sobre la que Menéndez Pidal, en *España, eslabón...*, *op. cit.*, p. 125, escribe: «el que entre tan pocas *jarŷas* amorosas aparezcan reiteradamente la madre o la hermana confidentes, liga de modo bien firme esas canciones mozárabes a las *cantigas de amigo* y a los cantares castellanos, concordes, desde los remotos tiempos mozárabes hasta hoy, en ambientar la fresca poesía de amor virginal dentro del más íntimo y respetuoso espíritu familiar». Vid. también M. Frenk, *op. cit.*, GRLMA, II/1, pp. 25 ss.

33. Recordemos que poetas autores de *muwaššahat*, como Todros Abulafia, escribieron en la corte de Alfonso X de Castilla, que era a su vez poeta en gallego-portugués.

34. Hemos dicho que las *jarŷas* llegan hasta el siglo XIV, pero la mayor parte de ellas corresponden a los siglos XI y XII; las *cantigas de amigo* fueron compuestas entre finales del siglo XII y el XIV; la poesía mélica castellana está documentada a partir del siglo XV.

plejidad de los problemas que plantea la lírica tradicional. Es probable que haya existido en toda la Romania, pero después de lo que acabamos de ver sería de una imprudencia exagerada pretender que es posible reconstruir como poesía formada la producción que hemos perdido y que suponemos sólo a través de hipótesis de un nivel general y abstracto. Lo que ha llegado hasta nosotros está mediatizado por una transmisión que modifica la perspectiva de los textos y en alguna medida hasta los falsea.[35] En nuestros textos encontramos mezclados en una unidad indivisible los gustos y las intenciones de los ambientes que daban vida a la lírica tradicional y de los que la recogían y le conferían una función literaria. Hoy en día es casi imposible discriminar estos dos factores especialmente porque no sabemos nada a propósito del gusto por lo popular en los ambientes cultos de las épocas. En las *cantigas* la reelaboración es algo evidente y el poeta se atribuye la paternidad del resultado de ella, las *jarŷas* y las poesías castellanas, en cambio, presentan casos en apariencia más simples pero en realidad profundamente engañadores. Lo único que queda en firme es la fascinación multiforme y a menudo cautivadora de estas composiciones.[36]

35. Esto es válido para los textos mozárabes y para los castellanos; para los gallego-portugueses la obra de cada poeta es personal: las poesías tienen profundas raíces tradicionales pero también el sello de la individualidad.

36. Las *chansons d'histoire* podrían aportar pruebas a nuestro razonamiento. Por de pronto revelan hasta qué punto puede engañarnos la transmisión parcial. Quien lea dentro del *Lai de Aristote* de Henri d'Andeli la siguiente estrofa (uso la edición de G. Saba, *Le «chansons de toile» o «chansons d'histoire»*, Módena, 1955, pp. 60-62):

> En un vergier lez une fontenele,
> dont clere est l'onde et blanche la grevele,
> siet fille a roi, sa main a sa maxele;
> en sospirant son douz ami rapele.
> —Aé cuens Guis amis!
> la vostre amors me tout solaz et ris.

(En un jardín cerca de una fuente cuya agua es clara y cuya arena es blanca, está sentada la hija del rey con la mano en la mejilla; suspirando llama a su dulce amigo. —¡Ay conde Guido amigo! Vuestro amor me quita la diversión y la risa.)

no sospechará nunca que esta poesía, que aparece entera en el manuscrito 20.050 de la Biblioteca Nacional de París, desarrolla el tema de la malcasada con una estructuración muy compleja. Nos limitamos a observar aquí que la *chanson de femme*, contrariamente a los ejemplos ibéricos, está enmarcada en un contexto narrativo (los primeros 4 versos), que es por lo menos líricamente tan importante como el estribillo en el que está cifrado el fragmento lírico.

## 4. La situación del poeta cortesano: Guillermo IX

El trovador provenzal más antiguo [37] es Guillermo, VII conde de Poitiers y IX duque de Aquitania, que vivió entre 1071 y y 1127; ya que toda la lírica culta europea moderna arranca de la escuela de los trovadores, sus once poesías [38] tienen una relevancia histórica singular que es aún mayor si tenemos en cuenta su alto valor literario.

La posición social elevada del poeta, que poseía dominios más amplios que los de su señor, el rey de Francia, ha hecho posible que los historiadores contemporáneos nos hayan transmitido toda clase de datos sobre su persona, sin olvidar alusiones a sus actividades juglarescas. Hay que añadir que en pocos casos los testigos históricos son tan unánimemente negativos como en las descripciones de Guillermo IX. Con Godofredo de Vigeois, que lo pinta como «vehemens amator feminarum» («amador vehemente de mujeres»), concuerda Godofredo el Gordo, quien lo tilda de «totius pudicitiae ac sanctitatis inimicus» («enemigo de todo pudor y de toda santidad»), y la biografía provenzal dice de él que «fo un dels majors cortes del mon, e dels majors trichadors de dompnas» («fue uno de los hombres más corteses del mundo, y de los mayores burladores de damas»). Todos los testigos de la época disponen de multitud de anécdotas que prueban la disolución de sus costumbres y los agravios que cometió contra la Iglesia, y no cabe duda, por otra parte, de que aprovechó la ausencia del conde Raimundo de Saint Gilles, que se fue a la primera Cruzada, para ocupar Tolosa y que más tarde capitaneó una pequeña expedición a Tierra Santa que fracasó estrepitosamente (1101). Pero no fue ni un canalla ni un impío. En Guillermo, como en muchos contemporáneos suyos, se alternan episodios de desafuero, de avidez y de sensualidad incontrolada con arrepentimientos, devotas peregrinaciones y actos de valor militar. Pero lo que impresionó a los cronistas no fue esta incons-

37. Por lo menos de los conocidos; aquel Ebles de Ventadorn, celebrado por otros trovadores como modelo de poeta, cuya obra no ha sobrevivido, era contemporáneo suyo.
38. O diez si tenemos en cuenta que se pone en duda la autenticidad de *Farai chansoneta nueva*. Uso la edición de N. Pasero, *Guglielmo IX d'Aquitania, Poesie*, Módena, 1973.

tancia psicológica, que entonces no podía asombrar a nadie, sino la divertida y desenfadada desfachatez del trovador que gustaba de traducir sus experiencias en forma verbal para regocijo de su auditorio particular con un desparpajo que parecía cinismo. Y éste es el punto de partida de la experiencia lírica de Guillermo, pues su obra describe un amplio arco que va desde unos «rhytmici versus cum facetis modulationibus» («versos rítmicos con alegre melodía») perdidos, que según el historiador Orderico Vital narraban las miserias del cautiverio que sufrió a su regreso de Jerusalén y que eran ejecutados ante los reyes, los barones y el *christiani coetus*[39] ('la asamblea de los cristianos'); hasta las primeras seis composiciones suyas que conocemos que son de carácter juglaresco y relatan aventuras licenciosas o por lo menos cómicas;[40] hasta sus tres poesías propiamente de amor cortés, hasta su triste poesía de adiós al mundo. El arco descrito es ideal y no es lícito convertirlo en esquema cronológico; pero tiene una coherencia interna que parece excluir la posibilidad de una inspiración bifronte, netamente bipolar que algunos investigadores modernos han querido descubrir en Guillermo.[41] Leamos ahora una de las tres citadas poesías amorosas del trovador (en la edición de Pasero la número VII):

> I.  Pos vezem de novel florir
> pratz, e vergiers reverdezir,
> rius e fontanas esclarzir,
> auras e vens,
> ben deu chascus lo joi jauzir                5
> don es jausens.
>
> II. D'amor no dei dire mas be.
> Quar no·n ai ni petit ni re?

39. Estos versos eran, pues, posteriores a 1102 y tal vez a 1106, año en que Guillermo estuvo en la corte de Felipe I de Francia.

40. Pero hay que considerar como caso aparte la IV, «Farai un vers de dreyt nien».

41. Sobre Guillermo consúltese S. Battaglia, *La coscienza letteraria...*, cit., pp. 215-240, y también Bezzola, *Les origines et la formation de la littérature courtoise en Occident (500-1200)*, 2.ª parte, II, París, 1960, pp. 243-316. La idea del «trovador bifronte» procede de Pío Rajna, *Guglielmo, conte di Poitiers, trovatore bifronte*, en *Mélanges A. Jeanroy*, París, 1928, pp. 349-360. Sustenta una tesis no muy distinta P. Dronke, «Guilhaume IX and Cortoisie», *Romanische Forschungen*, LXXIII (1961), pp. 327-338, según la cual para los trovadores, y especialmente para el primero de ellos, no hallamos nunca a Romeo sin Mercurio.

Quar ben leu plus no m'en cove!
Pero leumens     10
dona gran joi qui be·n mante
los aizimens.

III.   A totz jorns m'es pres enaisi
c'anc d'aquo c'amei no·m jauzi,
ni o farai, ni anc non o fi;     15
c'az essiens
fauc, maintas ves que·l cor me ditz:
«Tot es niens.»

IV.   Per tal n'ai meins de bon saber
quar vueill so que non puesc aver.     20
E si·l reprovers me ditz ver:
«Certanamens
a bon coratge bon poder,
qui·s ben sufrens.»

V.   Ja no sera nuils hom ben fis
contr'amor, si non l'es aclis,     25
et als estranhs et als vezis
non es consens,
et a totz sels d'aicels aizis
obediens.     30

VI.   Obediensa deu portar
a maintas gens, qui vol amar;
e cove li que sapcha far
faitz avinens
e que·s gart en cort de parlar     35
vilanamens.

VII.   Del vers vos dic que mais en vau
qui de l'enten, e n'a plus lau:
que·ls motz son faitz tug per egau
comunalmens,     40
e·l son, et ieu meteus m'en lau,
bo·s e valens.

VIII.   A Narbona, mas i u no·i vau,
sia·l prezens
mos vers, e vueill que d'aquest lau     45
me sia guirens.

IX.   Mon Esteve, mas ieu no·i vau,
      sia·l prezens
      mos vers, e vueill que d'aquest lau
      me sia quirens.                                            50

(I. Pues vemos florecer de nuevo los prados, reverdecer los
vergeles y aclararse los ríos y las fuentes, auras y vientos, bien
debe cada uno gozar del gozo del que está gozoso. II. Sobre el
amor sólo debo decir bien. ¿Por qué no tengo ni poco ni nada?
Tal vez porque no me conviene tener más. Pero fácilmente da
gran gozo a quien bien cumple sus preceptos. III. Siempre me
ha ocurrido así: nunca gocé de lo que amé, ni lo haré, ni nunca
lo hice; pues es cierto que lo hago muchas veces que [en cam-
bio] el corazón me dice: «Todo es nada.» IV. Por esta razón
tengo menos placer: porque quiero lo que no puedo conseguir.
Y si no me engaña el proverbio: «Con certeza el buen ánimo
tiene buen poder, si se soporta bien.» V. Nadie será totalmente leal respecto al amor, si no se somete, y si no es complaciente
con los extraños y con los vecinos, y si no es obediente a todos
los de aquellas moradas. VI. El que quiere amar debe profesar
obediencia a mucha gente, y le conviene saber hacer acciones
amables y guardarse de hablar pueblerinamente en corte. VII.
Respecto a [este] verso os digo que aquel que bien lo entiende
más vale y merece mucho elogio, porque todas las palabras están
hechas exactamente por igual, y la melodía, de la que yo mismo
me envanezco, es buena y valiosa. VIII. Aunque yo no voy allí,
séale ofrecido mi verso a [la ciudad de] Narbona, y quiero
que me sea garante de este elogio. IX. Aunque yo no voy allí,
séale ofrecido mi verso a Mi Esteve, y quiero que me sea garante de este elogio.[42])

La poesía de Guillermo no está concebida como el discurso
solitario con la mujer amada, según las formas más corrientes de
la poesía moderna; el poema no se limita a sobreentender un
público, sino que lo implica explícitamente, tanto con el *vezem*
del v. 1 (que se podría interpretar de manera distinta) como sobre todo con la *cobla* VII, que está dirigida a un *vos* bien
concreto. Pero esto no quiere decir que la poesía presuponga un
público absolutamente indiferenciado como sucedía con todos los
textos que hemos visto hasta ahora, con la única excepción de

---

42.   La traducción es de M. de Riquer, *Los trovadores*, Planeta, Barcelona, 1975,
vol. I, pp. 121 ss.

los escritos místicos;[43] precisamente en la *cobla* VII se establece
una neta discriminación entre el que está en grado de apreciar el
refinamiento técnico (y este *mais en vau* «más vale») y todos
los demás, y queda claro que sólo los que se hallen entre los
primeros merecen que se escriban poemas.

Es importante que la primera selección de público de nuestra
historia literaria se planteara a partir de un criterio de conciencia
estilística y que, a pesar de éste, prescindiera totalmente de la
división habitual entre *litterati* e *illitterati*. El poeta revela en
seguida una concepción de su obra como resultado de un pon-
derado trabajo artesanal, del cálculo del *mot*[44] y del *sonet*; que,
mientras por una parte recoge y continúa en un ámbito nuevo la
retórica de la Edad Media latina,[45] por otra instaura una tradición técnica que es a la vez crisol y piedra de toque de una
madurez de gusto de la que no se puede prescindir en ningún
modo. La continuidad de la tradición técnica que permite esta
viva sensibilidad por el dato formal coloca el espíritu casi cor-
porativo de los *clerici* en un ámbito que admite una temática totalmente nueva pero que conserva la estructura interclasista; los
trovadores procedían de las clases sociales más diversas, hubo
expósitos y príncipes, siervos y prelados, caballeros pobres y
nobles ricos y poderosos, pero al participar de una misma capacidad técnica, es decir de la misma tradición formal, se sentían
—como poetas— todos en el mismo plano, disponibles para
diálogos literarios que jamás fueron entorpecidos por la dispa-
ridad social, cuyo peso era inmenso en una sociedad tan jerar-
quizada como la medieval.

Hemos dicho que la técnica trovadoresca tiene dos vertientes, la verbal (los *motz*) y la musical (el *sonet*). Los trovadores,
en efecto, creaban composiciones destinadas al canto, que por
ello fueron llamadas más tarde *chansos* (en Guillermo el género
se llama todavía *vers*: cfr. v. 17). Hablaremos muy poco de la
vertiente musical, en parte por las durísimas polémicas que sub-

43. Excluyendo la poesía religiosa de Juan Ruiz que repetía situaciones vividas
por todos los cristianos y por lo tanto se dirigía potencialmente a todos.

44. Jeanroy traduce *motz* con «couplets» es decir «estrofas», pero ya Bartsch,
en una nota a F. Díez *Die Poesie der Troubadours* Leipzig, 1883 [2] (rep. Hildesheim 1966), p. 714, anotaba que aquí el sentido es «texto de la poesía en oposición
a melodía» citando numerosos ejemplos. Pasero traduce según esta interpretación
con «parole» y «musica».

45. Cfr. cap. I, § 10.

sisten en torno a la interpretación de las melodías que han llegado hasta nosotros, y que no son pocas; nos bastará señalar que la melodía era idéntica para cada una de las estrofas de la composición. La técnica verbal está encaminada como primera providencia a crear una estructura métrica original. En el poema que analizamos estamos todavía en los comienzos; Guillermo escogió una estrofa de seis versos que tiene el esquema: 8a 8a 8a 4b 8a 4b,[46] en cada estrofa cambia la rima de los octosílabos mientras que la de los cuadrisílabos es constante en toda la composición (ens).[47] Pero el refinamiento y la búsqueda de la novedad llegaron hasta tal punto que en poco más de 2.500 poesías conocidas, los trovadores idearon 885 esquemas métricos distintos, algunos muy difíciles.[48] La elección de la rima representaba para los trovadores la solución de problemas todavía más dificultosos así como un camino hacia fecundos hallazgos líricos. Fueron, en efecto, los trovadores los primeros en valorar a fondo este ornamento que era ya conocido por la poesía latina medieval aunque en formas algo distintas y menos generalizadas y que, en un primer momento, figuró en la literatura romance bajo la modalidad más simple de la asonancia. Pero no es éste el lugar de analizar a fondo los resultados alcanzados por los trovadores en este campo.[49]

El círculo escogido al que se dirigía el trovador no estaba

46.   Advertimos que el cómputo de las sílabas se hace a la francesa y no a la castellana, y que el octosílabo, por ejemplo, es el verso de ocho sílabas con final agudo o el de nueve con terminación llana, mientras que el castellano o el italiano presenta, como es sabido, nueve sílabas si es llano y ocho si es agudo. En nuestra poesía, como en general en las de los trovadores más antiguos, las palabras-rima suelen ser agudas.

47.   Las estr. VIII y IX son dos *tornadas,* estrofas que sirven para cerrar el poema o para expresar la dedicatoria del mismo (como en nuestro caso); son más breves que las precedentes y repiten el mismo esquema y rimas de la última. La tornada puede faltar o puede haber de una a tres. Las estrofas en las que, como aquí, las rimas van cambiando se llaman *coblas singulars;* existen también las *coblas doblas,* entonces las estrofas tienen de dos en dos el mismo esquema y las mismas rimas; por último, las estrofas se llaman *unissonans* cuando todas son isométricas y tienen las mismas rimas.

48.   Cfr. I. Frank, *Repertoire métrique de la poésie des troubadours,* I, París, 1953.

49.   Para éste como para todos los demás problemas de fondo de la lírica trovadoresca cfr. Battaglia, *La coscienza letteraria,* cit., pp. 171 ss., y A. Jeanroy, *La poésie lyrique des troubadours,* Tolosa-París, 1934. Resulta muy útil la extensa introducción de M. de Riquer en *Los trovadores, historia literaria y textos,* Planeta, Barcelona, 1975, vol. I; de carácter más general, vid. C. Alvar, *La poesía de trovadores, trouvères y Minnesinger,* Alianza Editorial, Madrid, 1981.

formado únicamente por los conocedores de sus habilidades técnicas; quienes le escuchaban participaban también de la experiencia amorosa cantada por el poeta. En el poema que nos ocupa hay un tácito pero innegable paralelismo entre *qui ben l'enten ni plus l'esgau* (v. 38) y *qui be·n mante los aizimens* (de Amor) (vv. 11-12), entre los que saben apreciar la forma (y no se trata solamente de los colegas, quienes también saben componer versos) y los que comparten la obediencia a las leyes de Amor. Así pues, la estrofa VII corresponde perfectamente, en su registro particular, a las estrofas V y VI que precisan la conducta del *fis amadors,* del amante leal. Se comprende, pues, que por este motivo en la lírica trovadoresca los enunciados aparentemente didácticos no son menos relevantes que las referencias a la técnica y desde luego son bastante más frecuentes que éstas; su frecuencia es debida a que están relacionados con un tema menos objetivo y todavía más esencial para el poeta y, diríamos más exactamente, para el hombre. La poesía trovadoresca, pues, se presenta decididamente no sólo como una técnica peculiar y distinta, capaz de provocar una selección de público, sino sobre todo como una experiencia definitoria, fenómeno que no se produjo jamás en la literatura mediolatina.

En realidad la actitud que culmina en las estrofas V y VI pero que ya apunta en los versos 5-6 y 10-12 (además del proverbio de los vv. 23-24) se puede calificar como didáctica sólo por aproximación. La realidad es harto distinta; es cierto que el poeta, al participar de una experiencia excepcional como es la amorosa, se siente autorizado para comunicar a los demás las enseñanzas que él ha recogido, pero esta irradiación, a pesar de producirse en las formas indeterminadas (*cascus, qui, nuils, hom*) que son típicas del didactismo, tiene en realidad dos finalidades muy especiales. Por una parte transforma la experiencia individual del poeta de acontecimiento singular, vacío de relevancia y de significado, en un modelo ejemplar cuyo valor particular queda ratificado por la repetibilidad, por la posibilidad de ser compartido por otros individuos, quedando así revestido de notable importancia; por otra parte permite al trovador volver a recorrer y ensayar la difícil vía de su propia perfección amorosa proyectándola más allá de sí mismo, poniendo al desnudo todos los detalles y subrayando cada mérito.

Gracias a la primera de estas dos funcionalidades de la poesía el trovador evitaba el riesgo más grave para el poeta medieval, el de dejarse fascinar por su propia situación individual y de quedarse atado a ella, víctima de un particularismo ocasional que a los hombres de la época se les antojaba absolutamente trivial y gratuito, inadecuado a la elaboración literaria, incluso en el nivel elemental de la memoria autobiográfica.[50] Ya hemos visto que los poetas religiosos resolvían el problema cantando una situación común a todos los pecadores a través del reflejo de ésta en su interior individual; el poeta profano escogía su público limitándolo muy rigurosamente pero se guardaba de rechazar, como harían los modernos, cualquier tipo de solidaridad externa, sino que, al contrario, confirmaba la validez de su comunión con los demás transformando su experiencia en un modelo para todos y elevándola de esta manera a términos suprapersonales.

De aquí se deducen dos nuevos problemas, el de la «sinceridad» de estas poesías y el del carácter intelectual o no intelectual de la experiencia amorosa trovadoresca. Por lo que se refiere al primer punto la crítica ha oscilado a menudo entre formulaciones maximalistas contrarias; unos han querido interpretar la poesía trovadoresca · como reflejo autobiográfico, reconstruyendo, a partir de supuestos indicios contenidos en los poemas, historias de amor e itinerarios del deseo a la satisfacción o a la desilusión o a nuevas pasiones; lo que supone disponer los diferentes testimonios según una cronología tan necesaria a la exégesis como imaginaria (sólo contadas veces las canciones de amor son fechables, aunque sólo sea por aproximación) y esforzarse en desentrañar, con notable gasto de agudeza, los enigmas de los *senhals,* nombres convencionales que encubrían la identidad de las damas amadas por los trovadores.[51] Sobre el camino trazado por los fantásticos biógrafos del siglo XIII, que seguramente satisfacían la curiosidad de un público burgués, generalmente italiano y ajeno a la mentalidad cortés, los modernos investigadores han descrito, por lo menos para los trovadores de amplia producción, unas biografías amorosas capaces de despertar la envidia de los *playboys* de nuestros días; sobre todo si pensamos que las mujeres

---

50.   Que en los siglos medios fue muy escasa y tímida, como se va poniendo en claro en la *Geschichte der Autobiographie* de G. Misch, 3 volúmenes en 6 tomos, Berna-Frankfurt, 1950-1962.

51.   Aquí *mon Esteve* del v. 47. Pero a menudo nada asegura que se trate de damas y no de amigos y protectores.

amadas eran siempre también entonces de origen noble y a veces hasta reinas. El problema es que, aparte de las sugerencias de las *vidas* y de las *razos*,[52] en este campo muy poco fidedignas, los elementos para las identificaciones se extraen generalmente de las *tornadas,* que son a menudo claramente descifrables; pero no tenemos pruebas de que la *tornada* vaya referida a la misma persona que la poesía, que no sea, en cambio, como es más verosímil, una simple dedicatoria. En nuestro caso, ¿por qué tendría que ser *Esteve* la mujer amada por Guillermo y no un amigo de Narbona a quien el poeta deseara probar su afecto y su habilidad?

Pero ¿no es la de Guillermo una experiencia fría, o incluso la ficción intelectual de una experiencia amorosa escondida? ¿Cómo es que en toda la composición no hay ninguna mención de una mujer concreta sino sólo del amor? También en este aspecto Guillermo empieza una tradición; no queremos decir que la mujer esté ausente en toda la lírica trovadoresca: lo que sucede es que entre ella y el poeta se interpone una distancia insalvable. Sin embargo no tenemos que creer por ello que el amor trovadoresco no tenga una naturaleza erótica muy concreta; el mismo Guillermo dice en otro poema que una mañana poseyó el amor de ella y añade:

> Enquer me lais Dieus viure tan
> qu'aia mas mans soz son mantel!

> (¡Ojalá Dios me deje vivir hasta que ponga las manos bajo su manto!) (X, vv. 23-24)

y no sería difícil reunir fragmentos análogos de otros trovadores, cuyo amor tiene, pues, un móvil y una finalidad claramente sensuales.[53] Pero ello no justifica leer toda su producción en términos

---

52. Las primeras son breves indicaciones biográficas de un solo poeta y a menudo contienen junto a inventos sugeridos por los textos, indicaciones preciosas; las segundas son, en cambio, simples explicaciones de poemas, generalmente deducidas directamente de los versos, leídos con mentalidad realista. Tal como se ha señalado, las *vidas* y las *razos* fueron compuestas en el siglo XIII generalmente en tierras de Italia, aunque sus materiales eran anteriores. Ver las dos ediciones de G. Favati, *Le biografie trobadoriche,* Bolonia, 1961, y de J. Boutière y A. H. Schutz, *Biographies des troubadours,* París, 1964.²

53. Cfr. M. Lazar, *Amour courtois et fin'Amors dans la littérature du XIIᵉ siècle,* París, 1964, pp. 64-68 y 118-134.

de sensualidad. En realidad la satisfacción de los sentidos o es una meta lejana e improbable o es un recuerdo remoto; el lirismo nace de una situación psicológica distinta, en la tensa soledad de la esperanza o de la desilusión, y los valores interiores o sociales que se desprenden de ella son intelectuales y no sensuales.

El poeta se halla, pues, en la situación de quien quiere *so que no puesc aver* («lo que no puedo tener») (v. 20), del que no tiene *ni petit ni re* («ni poco ni nada») (v. 8) de Amor. Su ejercicio moral y lírico es cantar esta experiencia, en el arco breve que va de la esperanza (*A bon coratge bon poder, qui's ben suffrens*) («el buen ánimo tiene buen poder si se soporta bien») al desengaño (*tot es niens*) («todo es nada»). Los trovadores descubrieron el lado positivo de este estado de alma y revelaron sus infinitos recursos poéticos.

El poeta amoroso de escuela romántica canta la pasión describiendo su ardiente tensión hacia la mujer, su proyección en ella, en su concreta imagen física y espiritual y su caída tras la desilusión y el rechazo. Su poesía es un diálogo con la amada en la apertura representada por la conquista o en la amargura del fracaso. Aquí, por el contrario, la pasión, que no deja de solicitar y empujar, no es más que un presupuesto, no es el objeto del poema, y el diálogo no se entabla con la mujer, pues se duda o se desespera de lograr su audiencia (y precisamente por ello aparece remota y extraña), sino con un círculo de iguales que pueden comprender la experiencia del poeta; ésta constituye el tema principal de toda composición.

Con esta naturaleza y este enfoque la lírica no puede no tener un claro planteamiento intelectual, porque no se trata de traducir el movimiento pasional en gestos, acciones o manifestaciones externas que constituyan su equivalente expresivo y muestren su fuerza y dirección, sino de analizar y de comunicar estados de alma, y no de comunicarlos a ella para que se conmueva y sienta lo mismo que el poeta, sino a alguien capaz de entenderlos y de sentirse identificado en ellos. Esto se lleva a cabo a través de las formulaciones genéricas que ya hemos señalado, por lo que la experiencia individual se eleva espontáneamente a modelo y parámetro, gracias a su formulación abstracta, de la conducta colectiva; y al ser la experiencia amorosa racionalizable y compartible por otros es posible fundar una comunidad cortés como reflejo y prolongación social de una vivencia psicológica y lírica, lo que constituye la novedad más singular de esta poesía.

La traducción de la experiencia amorosa en estas formas características responde, por otra parte, a motivos distintos. Pensemos en el grave problema que representa la expresión lingüística adecuada de una realidad psicológica intuida por vez primera. El poeta ha recorrido a todas las ofertas de su tradición cultural y las ha aprovechado sabiamente, pero todas ellas no le brindaban más que traducciones racionales o metafóricas. Consideremos el concepto de *obediensa*, formulado en las *coblas* V y VI. El *Ars amatoria* de Ovidio aconsejaba granjearse el favor de las criadas y de los sirvientes de la mujer amada (II, vv. 251-260), pero consistía en un comportamiento táctico para no tener impedimentos en el trato con la dama. Los autores cristianos, por otra parte, escribieron mucho a partir de San Agustín sobre la *obedientia* que el fiel debe a su Señor y, por amor de Él, a sus superiores; pensemos en la amplia difusión que alcanzó este concepto al estar en el núcleo de las reglas monásticas.[54] En nuestro texto, la *obediensa* es claramente, para Guillermo, no un medio sino un valor por sí mismo, igual que en la ética cristiana; define al amante no ante la dama, sino ante Amor, ya que confirma que éste es *fis* («leal») para con él. Se suman de esta manera la naturaleza extrínseca sugerida por Ovidio («als estranhs et als vezis, a totz sels d'aicels aizis, a motas gens») y el sentimiento esencialmente intrínseco de la virtud cristiana; no olvidemos, además, otro componente: el vasallo también tiene que ser *obediens* respecto a su señor feudal.[55] Gracias a estas tres tradiciones, la palabra, puesta en su contexto lírico, adquiere un sentido nuevo específicamente cortés. Este proceso de integración semántica es constante en los trovadores y responde a la necesidad de forjar un instrumento expresivo adecuado a los nuevos contenidos y, por lo tanto, nuevo él mismo; para hacer frente a esta exigencia el trovador se veía obligado a utilizar las tradiciones que mejor habían elaborado un léxico abstracto: la religiosa, la poesía antigua

---

54. También *aclis* tiene un ámbito semántico religioso, desde el valor de «entregado a la plegaria» al de «humilde, devoto», válido aquí. Cfr. *Mittellateinisches Wörterbuch*, I, col. 95.

55. Cfr. D. Scheludko en *Der provenzalische Minnesang*, hgg. von R. Baehr, Darmstadt, 1967, pp. 308-309 (pero es un estudio de 1940); A. Roncaglia, «*Obediens*», en los *Mélanges M. Delbouille*, II, Gembloux (1964), pp. 597-614, y también L. Pollman, *Die Liebe in der hochmittelalterlichen Literatur Frankreichs*, Frankfurt, 1966, pp. 230-232.

y finalmente la reciente metaforización intelectualizante de las relaciones feudales. Aunque los orígenes son los que acabamos de señalar, no tenemos que creer en absoluto que, por el hecho de emplear terminología de fuente religiosa, los trovadores cantaran un amor no profano sino místico, de naturaleza divina, o que, por el hecho de emplear conceptos feudales, calcaran exactamente sus relaciones amorosas sobre el esquema de las costumbres de su tiempo; lo que suele suceder en realidad es que este léxico sirve de metáfora para nuevos sentidos, que son los que el investigador debe perseguir e interpretar.

Gracias a estas fórmulas tan especiales Guillermo crea para su meditación amorosa una resonancia social que, a pesar de ser ajena a las relaciones entre el poeta y la dama, no lo es a las de éste y Amor, sino que por el contrario las garantiza como auténticas. Y también hay que poner en un plano parecido la comunión con la naturaleza que se expresa en el encabezamiento de la poesía que es el primer ejemplo conocido del «exordio primaveral» destinado a transformarse en tópico. No cabe duda de que éste procede de las enseñanzas retóricas sobre el *locus amoenus,* pero su función va desde luego más allá de la simple ornamentación. No sólo la primavera sugiere con la renovación de la naturaleza la vuelta vigorosa de las exigencias vitales, la fatal llamada de los sentidos o el paralelo entre la fecundidad natural y el erotismo, sino que permite también situar estos estímulos naturales innegables, cuya corrosividad laica es consciente, en un contexto de correspondencias. El poeta amante encuentra su lugar en la sociedad convirtiendo su experiencia en unas formas de conducta que lo ponen en armonía con un selecto ambiente cortés y se sitúa en un momento feliz de la naturaleza, bajo el signo de la alegría.

En este universo de risueña armonía la incertidumbre de lo real está expresada con la ausencia de la dama y con su conducta imprevisible. Es el mismo Amor, que no tiene ya configuración de divinidad pero que tampoco es un dato psicológico, sino un poder externo, quien vincula el poeta a la duda y a la esperanza. Repetimos que aquí reside el centro de la poesía. El centro psicológico y ético porque, a partir de la presuposición de una justicia de Amor, tal vez incognoscible, que da a cada uno lo que merece, el poeta que no tiene *ni petit ni re,* interrogando y analizando descubre el sacrificio de su lealtad (vv. 11-12), la esperanza en la recompensa (vv. 21-24), la necesidad de la humildad (estr. V y VI), los caracteres de su conducta (estr. VI) y sobre todo el humanísimo tropiezo de la desilusión, la condena a desear lo que está fuera de su alcance, el sabor amargo de la vanidad de todas las cosas; pero cabe notar que la cita de la desilusión precede a la de la esperanza; la poesía, pues, no se desarrolla sobre un arco de pesimismo creciente sino que constituye una respuesta desengañada pero válida por sí misma, ennoblecedora, con el riesgo de que *Tot es niens.*[56]

## 5. Participación en la realidad y desvinculación: Bertran de Born y Peire Cardenal

No es tarea fácil definir la posición del trovador en la sociedad en que vive, determinar su compromiso o su desvinculación; pero sin duda la manera menos eficaz de plantearse un problema tan capital para nuestra comprensión de la postura del poeta cortés, es considerar toda la producción trovadoresca como un único bloque, tal como se ha venido haciendo; este enfoque descansa en la muy especial (y problemática) homogeneidad de temas y de estilos propia de la producción trovadoresca que permite confundir en una única figura abstracta a los 460 poetas que conocemos, y toma además, indebidamente, la canción de amor como único testigo de su situación social. En realidad, aunque sea en el ámbito de una situación lírica que —como veremos— condiciona estrictamente, hallamos entre los poetas provenzales personalidades de lo más diverso y el sentido del sector de su producción destinado a la canción de amor se aclara a la luz de la totalidad de ésta. También en el caso de la poesía provenzal unas consideraciones que no distinguen y no especifican con precisión corren el riesgo de acarrear gravísimos malentendidos.

Dentro de esta perspectiva diferenciadora, y aunque queramos tratar principalmente de la canción, no se puede dejar de valorar la postura que los trovadores adoptaban frente a la realidad en el sector no amoroso de sus composiciones, especialmente cuando

---

56. Cfr. sin embargo lo que se dirá en el § 8 a propósito de la ordenación de las estrofas en las poesías trovadorescas. Aquí la restringida tradición manuscrita que tenemos (tres testigos, dos de ellos cercanos entre sí) es unánime.

en la mayoría de los casos es el mismo poeta el que canta el amor y escribe, por ejemplo, sirventeses políticos.[57]

Conviene, pues, llegados a este punto, pararse a considerar un ejemplo de este género poético, y para ello escogemos un poema de Bertran de Born, a quien ya Dante (*De vulg. Eloq.*, II, 2) celebra como modelo de poeta bélico:

I. Miei-sirventes vuolh far dels reis amdos,
   Qu'en brieu veirem qu'aura mais chavaliers:
   Del valen rei de Castela, n'Anfos,
   Qu'auch dir que ve e volra soudadiers;
   Richartz metra a muois et a sestiers          5
   Aur e argen, e te·s a benananza
   Metr'e donar, e no vol s'afiansa,
   Anz vol guerra mais que qualha esparviers.

II. S'amdui li rei son pro ni coratjos,
    En brieu veirem champs jonchats de quartiers  10
    D'elms e d'escutz e de brans e d'arzos
    E de fendutz per bustz tro als braiers;
    Et arratge veirem anar destriers
    E per costatz e per pechs mainta lanza
    E gauch e plor e dol et alegranza.            15
    Lo perdre'er grans e·l gazanhs er sobriers.

III. Trompas, tabors, senheras e penos
     Et entresenhs e chavals blancs e niers
     Veirem en brieu, que·l segles sera bos,
     Que om tolra l'aver als usuriers,           20
     E per chamis non anara saumiers
     Jorn afiatz ni borges ses soptanza
     Ni merchadiers qui venha de ves Franza;
     Anz sera rics qui tolra volontiers.

IV. Mas si·l reis ve, ieu ai en Dieu fianza,     25
    Qu'ieu serai vius, o serai per quartiers;

---

57. El sirventés, que debe su nombre o bien al hecho de utilizar siempre el esquema y la música de una canción preexistente o tal vez a que era compuesto por un subordinado (*sirvens*) para defender las acciones de su señor o atacar a sus enemigos, es un género de poesía política y propagandística, de ataques personales, de moralismo. El medio-sirventés se llama así debido a su brevedad.

V. E si sui vius, er mi grans benananza,
  E si ieu muoir, er mi grans deliuriers.[58]

(I. Medio sirventés quiero hacer sobre los dos reyes, pues en breve veremos que habrá más caballeros gracias a don Alfonso, el valiente rey de Castilla, de quien oigo decir que viene y que querrá mercenarios. Ricardo despilfarrará oro y plata a celemines y arrobas, y tiene como un placer gastar y dar; y no admite su juramento, sino que más prefiere la guerra que el gavilán la codorniz. II. Si ambos reyes son valientes y animosos, en breve veremos campos sembrados de pedazos de yelmos, de escudos, de espadas y de arzones y de [hombres] hendidos del busto hasta las bragas; y veremos caballos vagando errabundos, y muchas lanzas [clavadas] en los costados y en el pecho, y júbilo y llanto y pena y alegría. Grande será la pérdida, pero mayor la ganancia. III. Trompas, tambores, banderas, pendones, enseñas y caballos blancos y negros veremos en breve, y el tiempo será bueno porque se quitará la hacienda a los usureros y las acémilas no podrán ir seguras por los caminos, ni los burgueses sin sobresalto, ni [ningún] mercader que venga de Francia; antes bien quien robe a su placer será rico. IV. Pero si el rey viene, tengo puesta la confianza en Dios que viviré o que seré descuartizado; V. si vivo, será para mí gran dicha; si muero, una liberación muy grande.)

Aunque, contrariamente a lo que suele suceder con la mayoría de los sirventeses de Bertran de Born, no es posible fecharla con exactitud,[59] nuestra composición tiene una relación directa con una situación histórica determinada: las guerras endémicas entre Ricardo Corazón de León, rey de Inglaterra, duque de Normandía

58. Sigo el texto de *Die Lieder Bertrans von Born*, hgg. von Carl Appel, Halle/Salle, 1932, pp. 88-89. La traducción es de M. de Riquer, *Los trovadores* Barcelona, 1975, II, pp. 734 ss.
59. La poesía pudo ser compuesta entre julio de 1189 (cuando Ricardo subió al trono) y junio del año siguiente (cuando Ricardo y Felipe partieron hacia la cruzada) o bien entre marzo de 1194, fecha de la vuelta de Ricardo de la prisión en manos de Leopoldo de Austria, y julio de 1195, cuando Alfonso VIII fue gravemente derrotado por los árabes y tuvo que olvidar las campañas en el sur de Francia. El 8 de enero de 1197 Bertran era ya monje de Dalon. El sirventés ha sido estudiado recientemente por C. Alvar (*La poesía trovadoresca en España y Portugal*, CUPSA, Madrid, 1977, pp. 85 ss.), quien se inclina a pensar que fue escrito en 1190, siguiendo a L. E. Kastner (*Romania*, LVII [1931], pp. 479-503). Por otra parte, tanto L. E. Kastner como C. Alvar consideran que los aliados, en este caso, no podían ser Bertran de Born, Ricardo y Alfonso VIII: el castellano,

y de Aquitania, conde de Poitou, y Felipe Augusto de Francia, y la perspectiva (de la que no tenemos confirmación en otras fuentes) de una posible intervención del rey de Castilla Alfonso VIII a favor de Ricardo, con cuya hermana se había casado. La adecuación a la realidad contemporánea es total, los personajes citados (N'Anfos, Richartz) son absolutamente históricos. y fácilmente identificables, la animadversión hacia Felipe Augusto no se declara explícitamente porque es obvia (y por otra parte la alusión del v. 23 es bastante significativa).

Nos parece todavía más importante que en el sirventés se exprese con toda claridad una concepción política y ética que no sólo no es teórica sino perfectamente adecuada al contexto histórico y que ni siquiera es individual de Bertran, ya que es propia de toda su clase social. El poeta era señor del castillo de Autafort, en Aquitania, junto con su hermano Constantí; pertenecía, pues, a la baja nobleza, empobrecida y belicosa.[60] Bertran era vasallo del duque de Aquitania y por lo tanto del rey Ricardo, aunque el vasallaje no era directo sino que había dependencias intermedias. Sin embargo, el partidismo que el trovador demuestra hacia este rey en su poesía no procede de los deberes feudales ni, mucho menos, de un incipiente sentimiento nacionalista aquitano antifrancés. En realidad Bertran había sido enemigo acérrimo de Ricardo y de su padre, Enrique II, durante muchos años, y ello debido, al igual que en las circunstancias de nuestra poesía, a las mezquindades de la política de su estamento, que en Aquitania intentaba minar la autoridad de los soberanos interponiéndose primero en la lucha entre los duques de Aquitania y el conde de Tolosa [61] e instigando luego a los hijos de Enrique II contra su padre y entre ellos. Desaparecido Enrique II, muerto desde hacía tiempo su primogénito Enrique el Joven, desacreditado Juan (el futuro Sin Tierra), acrecentándose siempre más la presión de la monarquía francesa, el programa de la baja nobleza aquitana era precisamente éste: aprovechar el enfrentamiento entre los Plantagenet y los Capetos para sacar el máximo partido.

---

al parecer, había inclinado su política a favor de Felipe Augusto de Francia, perjudicando con ello a Sancho VII de Navarra y constituyendo un serio peligro para los aquitanos.

60. Ambas cosas están probadas por las peleas entre los dos hermanos por la posesión de Autafort, aparentemente su único bien.

61. Se ha aludido a ello al hablar de Guillermo IX.

Esta posición política está indisolublemente ligada a una ética de clase muy particular, articulada entre los dos polos de la generosidad del soberano y del botín de guerra. En realidad, hablando de los dos reyes no se alude nunca a sus razones ni a sus propósitos, la elección de uno de ellos no está determinada por su política ni por su manera de ponerla en práctica. Lo que cuenta es que don Alfonso enrolará a mercenarios (v. 4) y que Ricardo «despilfarrará oro y plata a celemines y arrobas» (vv. 5-6), como el que goza regalando sin pedir ninguna garantía; sólo queda por ver quién será el más generoso, el que tendrá «más caballeros» (v. 2), que no es frase que pondere el potencial bélico de los dos soberanos. En la literatura medieval es frecuente el elogio de *largueza* y a menudo resulta petulante y quejumbroso, pero no hay que confundir el panegírico de un juglar, interesado en la recompensa, con el entusiasmo de Bertran de Born que ve en la generosidad del soberano un factor esencial de su propia estabilidad social, desde el punto de vista de su clase.[62] Pero no es éste el único elogio ni el fundamental; la mayor cualidad del mismo Ricardo no es, en efecto, su *largueza,* sino su amor a la guerra, pues la desea más «que el gavilán a la codorniz» (v. 8), la guerra que es ganancia, rapiña: «Grande será la pérdida, pero mayor la ganancia» (v. 16), y significa decadencia de las leyes absurdas que permiten al usurero conservar sus bienes, a los cargamentos de los mercaderes circular en pleno día por los caminos sin ser molestados, a los burgueses y comerciantes de Francia ser inatacables; cuando empiece la guerra, entonces «quien robe a su placer será rico» (v. 24). Para el hidalgo empobrecido y hambriento la guerra es más providencial que la generosidad de su señor, ya que crea una circunstancia en la que el valor de uno depende de su capacidad de imponerse con la fuerza y la ganancia de su disposición al saqueo. Como decía Appel, «Bertran canta de esta manera el ideal de la caballería medieval de rapiña»,[63]

62. No olvidemos que la generosidad formaba parte de las cualidades del soberano, por lo menos desde los tiempos de Esmaragdo y de Jonás de Orleans, es decir desde el siglo IX. Cfr. D. M. Bell, *L'idéal éthique de la royauté en France au Moyen Âge,* Droz, Ginebra-París, 1962, pp. 20 y 25. Cfr. también las pp. 45-72 del volumen de Köhler que citamos en la nota siguiente.

63. Appel, *Bertran von Born,* Halle, 1931, p. 73. El ideal era llevado a la práctica con frecuencia. Köhler, en su importante estudio sobre «Riqueza y generosidad en la poesía trovadoresca» (dentro del volumen *Trobadorlyrik und höfischer Roman,* Berlín, 1962, pp. 45-72) cita a los juglares Falconet y Taurel que irónica-

y hay que subrayar la palabra *ideal* porque sin duda el poeta veía en la prosperidad de los burgueses, mercaderes y usureros que se enriquecían a costa suya, una injusticia que clamaba venganza, y en las disposiciones destinadas a protegerles un signo inequívoco de la corrupción de los tiempos.[64]

La vinculación del poeta a una situación contingente y a la problemática de su clase no podría ser más íntima ni podría tener en el texto un relieve más marcado. Creo que un poema como éste se debe considerar todavía más comprometido que los sirventeses escritos por encargo, para hacer propaganda de un tipo de política o de acción; aquí, en efecto, se va más allá de la simple ocasión individual, para alcanzar una situación más permanente pero por ello menos inmediata. Una relación de esta naturaleza entre vida y poesía no la encontramos en las canciones de amor, ni en las del mismo Bertran de Born ni en las de los demás poetas. Ello es debido a que en éstas tal relación está planteada conscientemente en otros términos y no por falta de confianza en la espontaneidad.

En el sirventés, por otra parte, el poeta no se limitó a los elementos que hemos estudiado hasta ahora. La caballería de rapiña se ha transformado sin esfuerzo en vitalidad y en color, la ética de clase se ha convertido en estética. Volvamos a leer las dos estrofas centrales, especialmente la II. El cuadro del campo después de la batalla, con su tapiz de armas y de equipamientos destrozados, de cadáveres desfigurados, de caballos sin guía, de heridos, no está mediatizado por la alusión final al *gazanh*, tiene interés y fuerza por sí mismo, y éstos no proceden de la tragedia que nosotros vemos en la situación, sino del «júbilo y llanto y pena y alegría» (v. 15), de tan vital quiasmo de sentimientos opuestos. Los vv. 17-18 prescinden totalmente de cual-

_____

mente se fían mucho de la generosidad del señor de Tartarona porque «rauba ser e matis / Las estradas e·ls camis» (cfr. F. A. Ugolini, *La poesia provenzale e l'Italia*, Módena, 1949,[2] pp. 49-51).

64. Nótese que se cita en primer lugar al usurero, cuyas prácticas estaban severamente perseguidas por la Iglesia precisamente en el plano moral, y que los mercaderes y los burgueses en general se juzgan con el mismo patrón, no porque la reprobación eclesiástica se extendiera hasta ellos sino porque la pequeña nobleza los miraba con igual animadversión, ya que era ésta enemiga natural de la economía monetaria que veía, no sin motivos, como algo nocivo y extraño. No me parece forzado interpretar «que·l segles sera bos» (v. 19) en sentido moral («el mundo mejorará») y no solamente: «y el momento nos será favorable».

quier rasgo sentimental humano; quedan nada más los sonidos, los movimientos, los colores de la guerra. «Él [Bertran] disfruta poniendo en acción su fuerza y su habilidad, pero también disfruta representándose el tumulto de la lucha como un bello juego de movimiento, sonido y colores.»[65] La eficacia de la representación poética atestigua la fuerza con que Bertran siente estos temas y prueba cómo los motivos de la guerra y del saqueo se elevan a espectáculo poderoso y solemne. Por otra parte minimizaríamos a nuestro poeta inmerecidamente si redujéramos su inspiración a la avidez y al gusto por el movimiento y el color; en realidad es todo el hombre que se compromete en la guerra y, a su manera, Bertran la siente como prueba máxima y medida del individuo. Volvamos a leer las dos tornadas, en las que el sentimiento noble y caballeresco de la lucha y de la conquista se resuelve en «resignación ante la muerte, y tal vez hasta en deseo de muerte»,[66] a pesar de conservarse íntegro el orgullo del guerrero.

Appel se preguntaba si no se escondía en estas palabras simples y solemnes un signo del cansancio que condujo más tarde a Bertran al claustro; yo no hablaría de cansancio sino de conciencia viril del riesgo y de sus valores. Y tengamos también en cuenta que la entrada de nuestro poeta en el convento, al igual que muchos otros ejemplos de renuncia al mundo de hombres de armas de su tiempo, es un índice de la amplitud e inconstancia de ciertas actitudes psicológicas típicamente medievales;[67] que van de la violencia y el placer al ascetismo y a la mortificación. Y esta configuración psicológica se refleja en toda la construcción de nuestra poesía mucho más íntimamente de lo que implica la hipótesis del provenzalista alemán, pues en ella se compenetran sin esfuerzo la vitalidad más mundana y la solemnidad severa del sacrificio; y esto constituye una prueba definitiva de la estrecha vinculación del canto a la situación real y a la psicología colectiva, además de individual, del tiempo en que fue compuesta.

Una participación tan íntegra e inmediata, aunque esté traducida en términos de clase, por encima de los individuales, no llegan a compartirla otros géneros poéticos. Podríamos pensar

65. Appel, *op. cit.*, p. 79.
66. Ibídem, p. 98.
67. Aludíamos a ello al hablar de Guillermo IX.

en la sátira, pero no sucede así. Citamos como ejemplo una *cobla* famosa de Peire Cardenal, el mayor poeta satírico provenzal:[68]

Li clerc si fan pastor
e son aucizedor,
e semblan de sanctor
quan los vey revestir,
e pren m'a sovenir                                    5
de n'Alengri, qu'un dia
volc ad un parc venir,
mas pels cas que temia,
pelh de mouton vestic,
ab que los escarnic;                                 10
pueys manget e trahic
selhas que·l abellic.[69]

(Los clérigos se las dan de pastores y son asesinos, y parecen de gran santidad a quien los ve revestirse; y yo me pongo a recordar que Isengrín, un día, quiso entrar en un corral, pero por miedo a los perros se vistió piel de cordero, con lo que los engañó, y luego se comió y se tragó todo lo que le vino en gana.)

El sirventés tiene un punto de partida preciso, tal como se deduce de la alusión contenida en los vv. 56-60 a las luchas entre el clero y Federico II Staufen, y tal vez no se equivoca Lavaud al considerar que fue compuesto entre 1229 y 1230, pero la ocasión concreta está totalmente superada al expresarse en términos de una validez permanente; *li clerc* del v. 1 no son los clérigos que se opusieron al emperador, son todos los clérigos, podríamos decir que son «el clérigo» como tipo genérico y permanente, y en este sentido pueden despertar el recuerdo de don Isengrín, el lobo del *Roman de Renart,* y especialmente de aquellas versiones del siglo XIII en las que la desengañada vitalidad del antiguo poema ha dejado paso a la sátira de la hipocresía

68. Nació de familia noble en el Puy-en-Velay, vivió entre 1190 y 1271 aproximadamente, generalmente en su región natal. Nos ha dejado unas cien poesías de inspiración satírica y moral.

69. El texto, excepto un par de modificaciones en la puntuación, es el de C. Appel, *Provenzalische Chrestomatie,* Leipzig, 1930,[6] p. 113, que considero preferible al de la más reciente pero también menos rigurosa edición de R. Lavaud, *Poésies complètes du troubadour Peire Cardenal,* Tolosa, 1957, pp. 170-177, basada en dos manuscritos poco fidedignos; la traducción castellana es la de Riquer en *Los trovadores,* III, p. 1505.

y de la falsedad. Don Isengrín no es pues un personaje individualizado aunque dotado de cualidades genéricas como lo era en el *Renart* originario, sino una alegoría adaptada a los esquematismos didácticos de la sátira, que nos revela así plenariamente sus intenciones generalizadoras y los recursos empleados para conseguirlas, volviendo a utilizar una temática tanto más eficaz cuanto más constante.[70] Queda claro, pues, que el proceso satírico es siempre un proceso de abstracción de lo real concreto e individualizado hacia su pretendida esencia permanente. El dato ocasional, biográfico, no es más que un pretexto para la sátira.

## 6. DEL MOTIVO BIOGRÁFICO A LA POESÍA FORMAL: PEIRE VIDAL

No podemos pararnos a estudiar con la amplitud suficiente las características de la poesía satírica medieval, sus potencialidades líricas y sus éxitos. Lo que nos interesa comprobar ahora es si la lírica amorosa tiene un punto de partida real y en qué sentido. Uno de los casos a primera vista más explícitos es una breve canción de Peire Vidal:[71]

> I.  Ab l'alen tir vas me l'aire
>     Qu'ieu sen venir de Proensa;
>     Tot quan es de lai m'agensa,

70. La sátira dirigida a un individuo funciona de modo parecido, pues tiende a fijar en el personaje criticado aquellos caracteres que se pueden remitir a las generalizaciones propias de la tradición satírica. En realidad el poeta satírico no ataca la conducta individual por unas razones específicas de indignidad sino que la somete a esquemas preestablecidos que son condenados en cuanto tales; comprueba la repetición de una culpa, no descubre su nacimiento. Sucede algo parecido con las descripciones físicas, que tienden siempre a un retrato tópico. El *Roman de Renard* (branches II, I, Ia y Ib) ha sido publicado con traducción y estudio por L. Cortés Vázquez, Universidad, Salamanca, 1979. Sobre la sátira románica, vid. *GRLMA*, IV/1, C. Winter, Heidelberg, 1968, donde se incluye un artículo de F. Schalk sobre la sátira moral y literaria (pp. 245-274) y otro de A. Adler sobre la sátira política (pp. 275-314). Sobre la sátira en general es útil el libro de M. Hodgart, *La sátira*, Guadarrama, Madrid, 1969; véase también K. R. Scholberg, *Sátira e invectiva en la España medieval*, Gredos, Madrid, 1971.

71. Sigo la edición de D'A. S. Avalle en las *Poesie* de Peire Vidal, Milán-Nápoles, 1960, pp. 164-165. El poeta era tolosano de origen burgués, y vivió aproximadamente entre 1140 y 1205. Véase sobre su vida S. Battaglia, «La poesia di Peire Vidal», *Studj romanzi*, XXIII (1933), pp. 137-164 (para nuestro poema cfr. p. 155) y también E. Hoepffner, *Le troubadour Peire Vidal: sa vie et son oeuvre*, París, 1961 (para nuestra poesía, cfr. pp. 26-28).

Si que, quan n'aug ben retraire,
Ieu m'o escout en rizen                    5
E.n deman per un mot cen:
Tan m'es bel quan n'aug ben dire.


II.  Qu'om no sap tan dous repaire
Cum de Rozer tro c'a Vensa,
Si cum clau mars e Durensa,                10
Ni on tant fins jois s'esclaire.
Per qu'entre la franca gen
Ai laissat mon cor jauzen
Ab lieis que fa.ls iratz rire.


III.  Qu'om no pot lo jorn mal traire      15
Qu'aja de lieis sovinensa,
Qu'en liei nais jois e comensa.
E qui qu'en sia lauzaire,
Del ben qu'en diga, no.i men;
Que.l mielher es ses conten             20
E.l genser qu'el mon se mire.


IV.  E s'ieu sai ren dir ni faire,
Ilh n'aia.l grat, que sciensa
M'a donat e conoissensa,
Per qu'ieu sui gais e chantaire.           25
E tot quan fauc d'avinen
Ai del sieu bell cors plazen,
Neis quan de bon cor consire.


(I.  Con el aliento aspiro el aire que siento venir de Provenza. Me gusta todo lo que es de allí, de modo que, cuando oigo elogiarla, lo escucho sonriendo y por cada palabra pido ciento: tanto me agrada oír hablar bien de allí. II.  No se conoce tan dulce morada como la que se extiende del Ródano hasta Vensa y que cierra el mar y Durena, ni donde resplandezca tan pura alegría. Así que he dejado mi gozoso corazón entre la franca gente con aquella que hace sonreír a los afligidos. III. Nadie puede penar el día que la recuerde pues en ella nace y empieza la alegría. Quienquiera que la alabe, por bien que diga de ella no miente, pues, sin disputa, es la mejor y la más gentil que se mira en el mundo. IV.  Y si yo sé decir y hacer algo, sea el mérito para ella, que me ha dado ciencia y cono-

cimiento gracias a lo que soy alegre y cantador. Y todo lo bueno que hago, incluso cuando medito con buen corazón, me viene de su agradable hermosa persona.)

El poeta está lejos de su amada, con ella ha dejado también
su corazón (vv. 13-14); la precisa delimitación entre el Ródano
(Rozer), la pequeña ciudad de Vensa (Vensa), el mar y el río
Durena (Durensa) indica el condado de Provenza, o la Provenza
propiamente dicha: desde allí sopla el viento que él respira
ávidamente. La referencia parece extremadamente concreta y en
el fondo lo es, pero tampoco en este caso se trata de una inspiración tomada directamente de un dato existencial. En realidad
Peire Vidal está empleando aquí un *topos* muy documentado en
las literaturas románicas medievales[72] del que citamos un ejemplo de Bernart de Ventadorn:

> Can la frej'aura venta
> deves vostre pais,
> vejaire m'es qu'eu senta
> un ven de paradis.
>
> (XXXVII, vv. 1-4)

> (Cuando sopla el aura fría desde vuestro país, me parece
> que siento un viento de paraíso.)

Tenemos pues que enfrentarnos con el lugar común desarro-
llando las sugerencias que hemos apuntado en su lugar,[73] es decir
considerándolo como un lenguaje específico y sumamente selec-
cionado que presta ayuda en la expresión de determinadas situaciones, que son las que en plenitud de derechos pueden figurar
en la poesía lírica. El *topos* realiza, pues, aquí como en otros
lados, una función doble: por una parte, recogiendo el punto de
partida originario, vivido, lo traduce a una forma que, al ser

---

72. No es éste el lugar de discutir sus orígenes. Cfr. de todas maneras las
indicaciones bibliográficas que Avalle señala en el lugar citado. El tópico del viento
que llega de la tierra de la amada ha sido estudiado recientemente por J. M.
D'Heur «Le motif du vent venu du pays de l'être aimé, l'invocation au vent,
l'invocation aux vagues», *ZRFh*, 88 (1972), pp. 69-104; nos interesan especialmente las pp. 78 ss., donde se recogen testimonios provenzales, franceses y gallego-
portugueses.

73. En el capítulo I, § 4.

tópica, está en cierta manera despersonalizada, despojada de la noción de individualidad irrepetible. Por otra parte el lugar común, puesto que goza de una intrínseca dignidad literaria garantizada precisamente por su naturaleza recurrente, facilita la inserción de la inspiración individual dentro de un contexto perfectamente autorizado. El *topos* se comporta, pues, como un filtro, como un conmutador, o —si se prefiere— como una palabra, que es un elemento de un código que existe fuera de nosotros y nos trasciende pero que hace posible la expresión de un mensaje que tiene el máximo grado de personalidad compatible con la capacidad de comprensión de quien tiene que recibirlo. La comparación puede y debe extenderse a la consideración del *topos* desde el punto de vista literario; el *topos* no es menos individual que la palabra, y si se quiere lo es todavía más, porque la palabra adquiere cariz poético en virtud de relaciones sintagmáticas o semánticas que le atribuye quien la escribe, mientras que el *topos* además de explotar estos mismos procedimientos de identificación puede ser construido en su interior de forma siempre distinta. La utilización del lugar común es inexpresiva e igual a todas las otras solamente cuando la poesía está ausente.

Un análisis pertinente podría poner de manifiesto sin dificultad la belleza de los versos de Peire Vidal, pero lo que nos interesa es haber subrayado el proceso de filtración al que se someten los datos anecdóticos en uno de los casos poco frecuentes en que éstos asoman a la superficie. Pasemos ahora a un análisis más detallado de la segunda parte de la canción, y empecemos resumiendo los temas. El poeta ha dejado su corazón con la dama (*a*), que hace sonreír a quien está enfadado (*b*); en efecto quien se acuerda de ella no puede pasar mal el día (*c*) porque la alegría tiene su origen en ella (*d*) y quien la alaba por mucho bien que diga de ella no puede mentir (*e*) porque ella es la mejor que existe (*f*); el poeta tiene que estarle agradecido por todo lo que sabe decir y hacer, pues ella le ha dado *sciensa e conoissensa* (*g*); gracias a éstas él es poeta (*h*) y todo lo que hace y piensa lo debe a la belleza de ella (*i*). Pues bien, estos nueve motivos que acabamos de enumerar son en realidad otros tantos tópicos de la poesía trovadoresca; no nos es posible citar aquí ni siquiera parcialmente el amplio repertorio de lugares paralelos que podríamos reunir fácilmente, pero nos parece indispensable citar por lo menos una referencia para cada motivo:

(*a*) Lai es mos cors.[74]

(*b*) Qu'ab son joi fai los iratz rire.[75]

(*c*) ·l jorn que·l vei non puosc faillir en re.[76]

(*d*) lai ab lieys creys iois e pretz.[77]

(*e*) Cfr. toda la estrofa III de la canción III de Peire Rogier, que desarrolla este concepto.

(*f*) Donna, ·l genser c'anc nasques
e la melher qu'eu anc vis.[78]

Para los últimos tres motivos cito conjuntamente algunos lugares de Peire Rogier:

De midons ai lo guap e·l ris.[79]

...vers es,
que·l ben qu'ieu dic tot ai de liey.[80]
Per lieys aic ieu joy, ioc e ris.[81]

No es, pues, posible negar que la canción de Peire Vidal es un tejido de motivos manidos y debemos preguntarnos en consecuencia qué sentido tiene una composición con estas característi- cas. Si planteamos el problema en términos de sinceridad expre- siva, es decir de correspondencia entre lo que nos cuenta el poe- ma y la experiencia personal del poeta, como tenía por norma la crítica decimonónica, la respuesta no puede ser otra que el total desprestigio de una pieza que se revela como fría imitación de una temática constante y trillada, así como negación de la autenticidad de su inspiración. Pero los críticos de nuestro siglo, adiestrados por el formalismo de la poesía novecentista, que nos ha enseñado que un poeta puede definirse como tal no por el contenido de sus obras sino por la simple elaboración formal de unos textos, han propuesto una solución distinta: es mérito de

74.  J. Rudel, edición Jeanroy, París, 1924, p. 7 (III, v. 33).

75.  Bertran de Born, edición Appel, cit., 3, 19, p. 7 (citado por Avalle, *op. cit.*, p. 164, con la cita equivocada).

76.  Rigaut de Barbezieux, *Liriche,* edición Vàrvaro, Bari, 1960, p. 124 (II, v. 57).

77.  Peire Rogier, edición Appel, Berlín, 1882, p. 45 (III, v. 9).

78.  Bernart de Ventadorn, edición Appel, p. 115 (XX, vv. 37-38).

79.  Edit. cit., p. 45 (III, v. 12).

80.  Edic. cit., p. 55 (VI, vv. 7-8).

81.  Edic. cit., p. 59 (VII, v. 25).

Robert Guiette haber reivindicado, frente a una crítica demasiado atenta a los datos de contenido y amarrada tenazmente a ciertos apriorismos decimonónicos, el lugar que corresponde al aspecto formal de la canción cortés. A este respecto el investigador belga es tajante:

> Las canciones corteses están concebidas como el resultado de una elaboración y no como medios expresivos. Insisto, la poesía, en las canciones corteses, está situada enteramente en la forma, en el objeto realizado, existente, cuya utilidad es conocida. El estilo lo es todo y el componente ideológico no es más que un «material».

Y en otro lugar: «La finalidad que se proponía la poesía formal no era expresar algo (un argumento), sino revelar una forma en su eclosión (en este caso una canción cortés).»[82]

Esta perspectiva de Guiette encuentra un apoyo validísimo, aunque totalmente independiente de él, en la teoría literaria que elaboró el lingüista Roman Jakobson, dentro de la escuela de los formalistas rusos,[83] de la que fue uno de los fundadores. Para Jakobson «la puesta a punto respecto del mensaje en cuanto tal, es decir la consideración del mensaje por sí mismo, constituye la función poética del lenguaje»;[84] ya que ésta es la «función que pone de manifiesto la evidencia de los signos, profundiza la dicotomía fundamental de los signos y de los objetos»,[85] está claro que la poesía es un fenómeno preeminentemente formal, y, en efecto, todos los análisis que hace Jakobson de textos poéticos son formales.

Queda, pues, por precisar cuáles son las posibilidades formales que ofrece la tradición trovadoresca y cuáles sus realizaciones concretas, queda por ver el modo de ser específico del formalismo trovadoresco; un intento de interpretación en este sentido es el de Paul Zumthor que trabaja sobre el lenguaje poético medieval.[86]

---

82. R. Guiette, *Questions de littérature,* Gante, 1960, pp. 16 y 25 («Romanica Gandensia», VIII).

83. Cfr. V. Ehrlich, *El formalismo ruso,* Barcelona, 1975.

84. Cfr. R. Jakobson, *Essais de linguistique générale,* París, 1963 (traducción española, Barcelona, 1977).

85. Cfr. R. Jakobson, *Ensayos de lingüística general,* Seix Barral, Barcelona, 1977.

86. En el volumen *Langue et techniques poétiques à l'époque romane (XIe-XIIIe siècles),* París, 1963. Consúltense las reseñas de P. Dembowski en *Romance*

Este crítico no estudia la experiencia psicológica que determina la expresión poética, sino la expresión en sí misma:

> la forma estricta que la encierra [a la expresión poética] está como tejida de una red de relaciones de semejanza, de oposición, de repetición, de complementariedad, etc. La composición poética no es más que la suma de los elementos poéticos: es estructura, organismo, vida. (pp. 185-186)

Para él la obra medieval es estilo, es decir utilización de un sistema (p. 126), es decir de una lengua secundaria, de un *registro,* «un conjunto de motivaciones y de procedimientos léxicos y retóricos, que comporta un tono expresivo particular» (p. 141), un sistema de equivalencias bien conocidas (p. 197), que el poeta no inventa sino que utiliza. Es deber del crítico, pues, identificar los registros poéticos y definir el estilo de cada composición. Es inútil intentar relacionar el canto del poeta con su biografía:

> cada elemento de la forma poética es un signo. Pero no es un signo que remita directamente a una realidad exterior (como puede hacer, en su origen, la metáfora, o el símbolo en cierta poesía moderna); es un signo «cuajado» (como se dice en la cocina que una gelatina se cuaja) en el conjunto de un registro que le comunica su manera de ser particular, y en el que todos los elementos constitutivos son significativos los unos con relación a los demás. Un signo, pues, con relación a otros signos. La poesía como tal —como tradición y como multiplicidad de obras— constituye un *amplio conjunto de signos recíprocamente motivados...* En este sentido, la poesía «románica» se puede considerar convencional. (p. 195)

No es ocioso señalar que esta perspectiva crítica es relacionable con la teoría medieval de la poesía como operación técnica artesanal, a la que hemos aludido en su lugar,[87] y a la concepción estética más general del arte como armonía.[88] Ya se habrá intuido

*Philology,* XVIII (1963), pp. 126-131, y de W. Ziltener en *Zeitschrift für romanische Philologie,* LXXXII (1966), pp. 366-370. Debemos remitir, también, al *Essai de poétique médiévale,* Seuil, París, 1972; véase la extensa reseña de F. López Estrada en *Anuario de Estudios Medievales,* 9 (1974-1979), pp. 733-786.
  87.  Cfr. capítulo I, § 10.
  88.  Para este tema remitimos a las obras de De Bruyne y de Assunto citadas

que, planteando así el problema, no hay una diferencia efectiva entre un *topos* propiamente dicho como el del *aire de Proensa* y motivos como el de la dama como fuente de *joi*; baste decir que el primero se puede utilizar en distintos registros mientras que el segundo es propio del de la lírica cortés. Para ambos se puede hablar, como hacíamos más arriba, de un código expresivo particular o *sur-langage* «supra-lenguaje», como dice Zumthor.[89] Pero ya hemos dicho que el código tópico tiene un mensaje que traducir; ¿no sucederá lo mismo para todas las formas de *sur-langage*?

## 7.  La burla como indicio de un contenido: Gace Brulé

Tenemos que aclarar ahora que según Zumthor la estructuración poética del discurso se hace mediante tres *écarts,* «procesos de desvío»: melódico con respecto al discurso, rítmico con respecto a la prosa y verbal con respecto al uso semántico y léxico corriente.[90] El acto poético no tiene, pues, relación con el contexto, es decir con la experiencia vivida que, como máximo, puede intervenir en la elección del tema (amor o guerra, etc.); en cuanto a la expresión, la elección está determinada solamente por los registros preexistentes, que implican no solamente unos esquemas rítmicos y sintácticos, sino también unas expresiones formulísticas y unos motivos.[91] En esta perspectiva todos los versos o las partes de verso de las dos poesías de Bertran de Born o de Peire Vidal que comunican informaciones referenciales[92] se sitúan en el plano de la prosa, no de la poesía, con una

---

en el mismo parágrafo 10 del cap. I. Sería, sin embargo, conveniente llevar a cabo una investigación sobre la relación entre esta teoría y la práctica artística; pues da la impresión de que se trata de una teoría de procedencia puramente intelectual y que se aplicaba solamente a algunas artes sin que tuviera valor para la poesía, especialmente para la narrativa, como se verá en su lugar.

89.  Hay que decir que el análisis de Zumthor es siempre lingüístico y no tópico.

90.  El concepto de *écart* se remonta por lo menos a las reflexiones de Paul Valéry y ha sido utilizado, antes de Zumthor, por otro romanista, Albert Henry (en los *Atti dell'VIII Congresso di Studi Romanzi,* II, Florencia [1960], pp. 555 ss.).

91.  Para todo esto ver *op. cit.,* pp. 196-197.

92.  Por ejemplo, en Peire, casi toda la primera parte, en cuanto expresa y comunica el alejamiento del poeta de la Provenza en la que vive la dama.

inversión total de la identificación romántica entre experiencia subjetiva y lirismo.[93]

Una poesía formal, sin embargo, no renuncia a la individualidad y ni siquiera recurre a principios distintos de los de la poesía, digamos, de contenido. Sólo que, mientras que ésta se define por una selección en los contenidos expresivos, por ejemplo en la ideología o en la experiencia asumida como algo vivido individualmente e irrepetible, en aquélla la selección es solamente formal, faltando cualquier opción de contenido, de mensaje, a menos que ésta no se filtre dañando al formalismo y devolviendo el discurso al nivel de prosa. Dos canciones trovadorescas que no presentaran estas fisuras, que hemos podido identificar en el poema de Peire Vidal, tendrían un mensaje indiferente y básicamente no-comunicativo; para que esto se realice es evidentemente necesario postular que la indiferencia estaba ya en los poetas, que para ellos el contenido de los motivos, de las fórmulas, de los esquemas que utilizaban era indiferente, como un material aceptado positivamente. Pero ¿es verdaderamente inútil preguntarse cómo llegó el poeta a la aceptación de este material convencional? En algunas ocasiones se hace patente que se trata de una aceptación crítica y no de una asimilación pasiva.[94]

Consideremos el caso del *trouvère* francés Gace Brulé,[95] definido siempre, y con razón, como uno de los más fieles seguidores de las convenciones corteses. Basta la opinión de Petersen Dyggve: «Raramente se sale el poeta de los caminos marcados; expresa sus ideas mediante lugares comunes y fórmulas consagradas por el uso.»[96] Quien mide la poesía cortés según el rasero de la sinceridad realística y de la novedad inventiva no tiene

93. Zumthor pone el ejemplo de «Ja nus hons pris ne dira sa raison» de Ricardo Corazón de León (pp. 197-198), en el que el tema prosaico del encarcelamiento, corta a veces el discurso registral que es poético. Desde este punto de vista el crítico está obligado a reconocer que el mayor grado de formalización se halla en la *fatrasie*, composición libre de motivos y fórmulas sin unidad temática ni sentido, puro juego verbal, o mejor dicho registral. A este propósito ver las páginas 161 ss. de Zumthor y L. C. Porter, *La fatrasie et le fatras*, Ginebra, 1960.

94. Utilizo aquí no sin modificaciones mi estudio *A proposito della canzone cortese come lirica formale: Gace Brulé stravagante*, en *Romania. Scritti offerti a F. Piccolo*, Nápoles, 1962, pp. 515-526, del que ya he entresacado algunas frases más arriba.

95. Nacido en Champagne, vivió y escribió poesías entre finales del siglo XII y principios del XIII. Cfr. H. Petersen Dyggve, *Gace Brulé, trouvère champenois*, Helsinki, 1951.

96. *Op. cit.*, p. 171.

otro remedio que asombrarse ante el enorme éxito de las composiciones de este poeta.[97] En realidad Gace sería un terreno ideal para la experimentación monográfica del concepto de poesía formal, mientras que se adapta poco a una lectura psicológica, aunque nos guíe en ella la sabia mano de J. Frappier.[98] El poeta parece, en efecto, que limite decididamente el campo expresivo a la modulación de un sistema preestablecido de signos culturales y sentimentales; en Gace más que en otro la canción aparece como juego de tonalidades sabia pero insensiblemente variadas mediante el uso calculado de una *langue poétique* ya dada y reconocida como único sistema válido para alcanzar la cumbre lírica; de manera que el poeta no parece llegar a la poesía a partir de su experiencia sentimental, sino que goza ya de ella desde el primer momento, por lo que su «creación» poética no consiste en la invención de todos estos elementos, que ya son poseídos por su público, sino en el modo de su utilización; Gace es pues un poeta no en cuanto creador de su lengua poética sino como alguien que la pronuncia individualmente.

Esta coherencia con lo convencional le había costado la atribución de una singular poesía que reproducimos seguidamente:

I. L'autrier estoie en un vergier,
   S'oï deus dames consoiller,
   Tant qu'eles pristrent a tancier
   Et lor paroles a haucier;
   Acotez fui lez un rosier                    5
     Desoz une ente florie.
   Dist l'une a l'autre: «Consoil quier
     D'un mauvais qui m'ainme et prie
       Pour loier;
   Amerai je tel chevalier                    10
     Coart por sa menantie?

II. Uns autres me refait proier
    Frans et cortois et beau parlier,
    Et quant il reva tornoier
    En son païs, meillor ne quier;            15

87. Cfr. por ejemplo Petersen Dyggve, *op. cit.*, ibídem, o R. Bossuat, *Le Moyen Âge*, Del Duca, París, s.a. [1962], p. 89; hay reedición de 1967.

98. A quien se debe el estudio más amplio sobre nuestro poeta, en *La poésie lyrique en France aux XII<sup>e</sup> et XIII<sup>e</sup> siècles*, París, 1959.

Sages est et tient son cors chier
  Sanz orguil et sanz folie;
Mais il n'avroit d'amors mestier
  Qui tort a mercheandie.
    Au premier          20
Li fui crueix a l'acointier,
  Por le mauvais qui me prie.»


III.   Dit la bone: «Je di par droit
Que tres bele dame amer doit
Bon chevalier s'ele aperçoit        25
  Que fins et lëaus vers li soit;
Et cele cui avoirs deçoit
  Dame ne l'apel je mie:
Garce est, puis jue l'on seit et voit
  Que por loier s'est honie.       30
    Qui la croit
Fox est et sa folie boit,
  Quant de l'argent l'a saisie.»


IV.   Dit la fause: «Qui vos creroit
De mesaise et de fain morroit;    35
N'aing pas chevalier qui tornoit
Et erre et despent et acroit
Et en yver se muert de froit
  Quant sa creance set faillie;
Ne quier que mes druz peceoit    40
  Grosse lance por s'amie;
    Orendroit
Prenez l'onor et je l'esploit:
  Si verrons la mieuz garnie.


V.   —Tais toi, pute, va bordeler;   45
Je ne te puis plus escouter.
Puis que tu vuez a mal aler,
Nuns t'en porroit destorber.
Coment porras tu endurer
  En ton lit vil compaignie?»    50
Li voloit l'un des eulz crever,
  Mais Gaces no u soffri mie
    Au torner,
Ainz li ala des poins oster:
  De tant fist il vilenie.     55

(I. El otro día estaba en un jardín, oí discutir a dos damas, de tal manera, que empezaron a disputar y a levantar la voz; me oculté al lado de un rosal bajo una rama florida. Dijo la una a la otra: «Consejo busco de un malvado que quiere mi amor a cambio de dinero, ¿amaré yo a tal caballero que es vil por su ofrecimiento? II. Otro me solicita también, franco y cortés y de bella habla, y cuando va a tornear no hay otro mejor en su país; es honrado y tiene su corazón firme sin orgullo y sin locura; pero no debería tener necesidad de amor quien desprecia el trueque. Al principio le acogí con crueldad, a causa del malvado que me requería.» III. Dijo la buena: «Yo digo que por derecho una muy bella dama debe amar buen caballero si ella se da cuenta que él es cortés y leal para con ella; aquella a quien el dinero engaña, no la llamo yo dama: urraca es, pues que se sabe y se ve que por un alquiler se ha envilecido. Quien la cree está loco y bebe su locura, cuando la toma por dinero.» IV. Dijo la falsa: «Quien os creyera moriría de pobreza y de hambre; no amo yo al caballero que tornea y va errante y gasta y pide crédito y en invierno muere de frío cuando su crédito se acaba; no quiero que mi amante rompa una gruesa lanza por su amiga; pues, tomad el honor y yo tomaré la ganancia: así veremos quién sale mejor parada. V. Cállate, puta, vete al burdel; no te puedo seguir escuchando. Ya que quieres obrar mal, nadie podría impedírtelo. ¿Cómo podrás tolerar en tu lecho vil compañía?» Quería sacarle un ojo, pero Gace no soportó que lo hiciera y se lo impidió con sus puños: tan vil era la acción.[99])

No cabe duda de que este poema destaca dentro del cuadro uniforme de la producción de Gace planteando unos problemas especialmente interesantes. El comienzo, con la rápida mención del jardín, al que la *ente florie* del rosal presta color y casi una forma concreta, es lo más decoroso y convencional que se pueda desear para un exordio, comparable evidentemente al de otros *débats*:

> Dous dames honorees
> en un vergier por conseillier
> estoient assembles avant hier,
> et quant j'oi que des mariz

    99.   Edición Petersen Dyggve, cit., pp. 379-381. La atribución explícita a Gace que se deducía del v. 52 (los tres manuscritos que nos han conservado la poesía la presentan como anónima) fue puesta en duda precisamente por motivos temáticos y estilísticos (ver mi estudio, cit., pp. 518-519).

voudrent plaidier,
si me trais a l'ombre d'un nosier.

Avant ier en un vert pre,
tout a un serain,
deus dames de grant biaute
trouvai main a main
desouz une vert coudrete.[100]

(Dos honradas damas estaban reunidas anteayer en un jardín para discutir. Y cuando oí que querían disputar acerca de los maridos, me escondí a la sombra de un avellano.

Anteayer en un verde prado con gran tranquilidad hallé a dos damas de gran belleza que estaban juntas bajo una verde cobertura.)

El tema que se discute ni siquiera contradice de por sí la corrección convencional que es propia de Gace; si el caballero vil pero rico es preferible o no al pobre pero valiente es «un point de métaphysique amoureuse», como dice Jeanroy,[101] paralelo a las disputas sobre si debe tener preeminencia en amor el clérigo o el caballero, disputas que se suelen situar también en un cuadro primaveral y que, por otra parte hallan su solución en el *Tractatus de amore* de Andrés el capellán,[102] y precisamente en esta sentencia atribuida a María de Champagne:

Et extat inde dictum Campaniae comitissae dicentis: Non esset asseveratio iusta, si nobilis et decora paupertas opulentiae posponatur incultae.[103]

(Existe sobre este punto un juicio de la Condesa de Champagne que dice: No sería un juicio justo si un rico sin educación pasara por delante de un noble pobre y de buenas maneras.)

100. Cfr. K. Bartsch, *Alfranzösische Romanzen und Pastourellen,* Leipzig, 1880, pp. 48-49.

101. *Les origines de la poésie lyrique en France,* cit., p. 56.

102. Tal vez se pueda identificar el autor con un Andrés capellán de la condesa María de Champagne hacia 1185. El *De Amore,* compuesto entre 1186 y 1196, en sus dos primeros libros teoriza sobre el amor cortés y reniega de él en el tercero («De reprobatione amoris»).

103. Edición S. Battaglia, Roma, 1947, p. 316, cuestión III (traducción francesa, París, 1974, p. 167). No faltan otras elaboraciones poéticas; véase la nota 20 de nuestro estudio citado.

Pero en nuestro texto el latín almidonado y sentencioso de Andrés, consciente de su papel de codificador de una nueva doctrina social, cede el paso a una vivacidad que revela una teoría mucho más elástica y también más problemática. Obsérvese que las dos damas no se limitan a *consoillier* ('discutir') —término que reaparece en el primero de los dos *débats* citados—, sino que pasan a *tancier* ('disputar') y luego terminan por levantar la voz. El movido diálogo no está exento de términos rudos, desde *garce,* a *pute,* a *bordeler,* pero hay más. Si la educación cortés, tal como la describe Andrés, era sobre todo una forma de vida basada en el discurso, en la fuerza de la palabra como medio de análisis y de comunicación, aquí la palabra busca en la acción un medio de persuasión más eficaz: del razonamiento se pasa al insulto y del insulto a los puñetazos. Nuestro capellán se habría quedado pasmado.

Y es que, además, de las dos damas, es la defensora de los valores corteses, la *bone,* quien arremete con palabras y hechos en un ataque lleno de violencia para salvaguardar estos valores frente a las herejías de la *fause;* su idealismo teórico se ayuda con razones más convincentes. Y con ello el *débat* no sólo se escapa de los esquemas habituales de condena de la venalidad femenina, sino que presenta una doble inversión de las fórmulas corteses, irónica y divertida; una vez se produce en las palabras de la *fause* donde el tópico cortés se transforma en la grotesca imagen del caballero pobre, hambriento y temblando de frío (vv. 34-39), y otra en las palabras y gestos de la *bone.* Las dos tesis opuestas ya no expresan, como deberían, formulaciones culturalmente distanciadas para provecho de la tesis cortés, y el diálogo tampoco sirve para que se reafirme victoriosamente la ortodoxia cortés que se ponía en tela de juicio. En la lucha cuerpo a cuerpo entre las dos *dames* la misma distinción entre cortesía y anticortesía aparece jocosamente enredada y confusa. Añadamos que el poeta, que en otros *débats* adopta el papel de juez, naturalmente a favor de la cortesía, interviene también aquí pero para sustraer a la *fause* de las iras de la *bone,* y termina la composición con un socarrón y sonriente: «De tant fist il vilenie»; no se sabe si la *vilenie* es su acción en defensa de la dama contraria a la convención cortés o si hay que referir el verso, mejor que a la acción narrada, al poema mismo, y en tal caso la *vilenie* sería la composición que acabamos de leer; el poeta restauraría así al final, no sin un guiño irónico, la normalidad cortés, tildando de *vilenie* esta pequeña escapada heterodoxa.

No se trata de un caso totalmente aislado en el correctísimo Gace. En una canción de amor de lo más convencional,[104] en efecto, parece desarrollar nuestro autor con toda normalidad el tema del amante condenado a muerte porque la dama no se compadece de él, haciendo referencia al conocido motivo del corazón ausente, ofrecido a la amada;[105] nos encontramos, pues, con el poeta próximo a morir si su dama no le socorre. Pero he aquí un arranque que va más allá de los límites de la convención:

> S'ele ne me'n croit, viegne i guarder:
> Vez, n'en a mie dedenz mi!

(Si ella no me cree que venga a mirar: fíjate, no hay nada en mi interior.[106])

Al poeta no le queda ya más que morir, pero tiene un último deseo, quisiera saber

> S'onques ma dame en ot ennui
> Ne se il l'en pesa de rien.
>
> (vv. 63-64)

(Si alguna vez mi dama sintió enojo por ello o si le supo mal.)

Y no podría seguir nada menos convencional que la esperanza de que la dama llorará por lo menos al poeta *post mortem,* pero también aquí descubrimos una voluntad de ironía que rompe las reglas del juego:

> S'ele le dit, bien paiez sui.
> Se encore disoit: «Ça vien!»

---

104. La XLIV de la edición Petersen Dyggve, cit.
105. Cfr. el parágrafo anterior y también para la lírica francesa K. Hoffmann, *Themen der französischen Lyrik im 12 und 13. Jahrhundert,* Freiburg, 1936, páginas 109-110, y R. Dragonetti, *La technique poétique des trouvères dans la chanson courtoise,* Brujas, 1960, pp. 233 ss. Ver también en Gace, I, vv. 21-22: «En baisant, mon cuer me ravi / Ma dolce dame gente.»
106. Edic. cit., vv. 43-44.

U, se ce non, avec Dieu sui,
Maiz je m'amaisse mout mieus sien.[107]

(Si ella lo dijera me daría por pagado. ¡Si además dijera:
«¡Ven acá!» Pero, si no lo dice, me quedo con Dios —aunque
preferiría de veras quedarme con ella.)

Las aspiraciones convencionales del amante cortés son una mirada, un saludo, a veces hasta la alegría de la satisfacción del
amor, pero una aceptación semejante expresada en el discurso
directo y tan grosera («Ven acá»), nos la podemos esperar únicamente de boca de una tosca serrana.[108] Aquí habla en estos
términos «cele au gent cors et au cler vis» (v. 21) («la del cuerpo
gentil y de rostro claro»). ¿Y qué vamos a decir de la callada
reserva («aunque preferiría de veras quedarme con ella») que
comenta la resignación que es de rigor («Pero, si no lo dice, me
quedo con Dios»)?

Estas extravagancias, que no dejan de ser escasas, halladas en
un poeta cuyo respeto por las normas convencionales es generalmente ejemplar, demuestran claramente la parcialidad de una
lectura puramente formal de la poesía lírica cortés, que reduzca
la temática a un mero material anterior al acto poético y creativa-
mente insignificante. No queremos decir con ello que quepan
dudas a propósito del alto grado de incidencia de los aspectos
formales en la lírica cortés; lo que pasa es que su valor y su
sentido no se agotan completamente en los datos formales.

Lo que complica efectivamente la cuestión de la poesía de
trovadores y *trouvères* es que su temática llegó a traducirse en
formas de vida, que los ideales corteses fueron a la vez normas
artísticas y de conducta; es poco frecuente que la intuición de
los artistas y las realidades sociales lleguen a una correspondencia tan íntima. De ahí se derivan dos actitudes opuestas; o
bien atribuir a la poesía una carga significativa integral y ver en
ella un documento para nuestras pesquisas socio-psicológicas [109] o

---

107. Vv. 65-68. Modifico ligeramente la puntuación del editor.
108. Cfr. por ejemplo el v. primero de la estrofa 1029 del Arcipreste de Hita.
Otro ejemplo podría ser la Becchina del poeta italiano Cecco Angiolieri tal como
aparece en el soneto «Becchin' amore, i' tı solev' odiare», en *Poeti giocosi del
tempo di Dante,* al cuidado de M. Marti, Milán, 1956, p. 141.
109. Que es el camino que ha seguido últimamente I. Margoni, *Fin'amors,
mezura e cortezia,* Milán-Varese, 1965.

negársela totalmente y leerla como un ejercicio formal enmarcado en un ritual mundano, destinado a un público de iniciados.[110] Aunque en el primer caso la lírica puede tener un valor de estímulo activo respecto de las costumbres y en el segundo no, las dos perspectivas, a pesar de estar muy distanciadas por gusto y presupuestos teóricos, se pueden complementar la una con la otra, porque las dos vacían de sentido la actividad expresiva individual del poeta, que de todas formas no intentaba discutir sus contenidos.

Pero, en realidad, ni siquiera en nuestra época, en la que las poéticas y las intenciones han terminado por superar a la poesía misma y a sus resultados, se ha llegado a discutir tanto de contenidos como en la etapa cortés. La producción propiamente lírica está respaldada por una riquísima serie de *tenços,* debates, *jeux partis,* composiciones didácticas, «problemas de amor», que está íntegramente destinada a consolidar a través de esquemas dialécticos de procedencia escolástica estos nuevos ideales. Y ello sucedía porque los ideales de la poesía, por cuenta propia o por sugerencia de la poesía misma, funcionaban como ideales sociales, de manera que la discusión no afectaba a los poetas como tales sino como modelos y guías de la sociedad cortés. El presupuesto de estos interminables debates es que la cortesía se halla constantemente amenazada por un ineliminable residuo de «acortesía», lo que provoca un estado permanente de inseguridad que se manifiesta en la insistencia de la *vilenie.* Si esto es cierto, no es posible tomar el material temático de la canción cortés como un dato inexpresivo aceptado apriorísticamente. Claro está que generalmente el poeta lírico prescinde de la dialéctica entre los ideales corteses y su cara opuesta, pero no es porque el problema no tenga importancia para él; lo que sucede es que aquí no se presenta bajo la forma de dialéctica sino de experiencia a la vez personal y ejemplar. ¿Qué es, pues, la tentación de faltar a una fidelidad amorosa que no produce ningún provecho, sino poner en tela de juicio un presupuesto cultural? Es también un motivo convencional, como se sabe, pero no por ello carece de sentido.

El poeta lírico debe elevarse siempre hasta los ideales convencionales, amoldando a ellos la expresión de su experiencia

110.  Que es la actitud de Guiette y de Zumthor.

personal. No se limita el poeta a establecer variaciones de temas convencionales; por el mero hecho de aceptarlos, cada vez los prueba y los ratifica, se hace digno de ellos venciendo en su interior todos los residuos de «acortesía». La canción es así el canto de la perenne, pero conquistada y sufrida, fidelidad al ideal cortés. Existe, pues, toda una trayectoria que va de la experiencia al ideal convencional, y el poeta la realiza cada vez de una manera que le es específica, en consonancia con sus planteamientos y sus opciones; esto se traduce en la selección de los motivos y en su aceptación crítica, que siempre los presenta en una actitud determinada. Precisamente porque la canción es una conquista lírica de alturas ejemplares, ya fijadas y definidas, el poeta adopta unos modos expresivos tradicionales cuyo valor en un ejercicio tan difícil y arriesgado está reconocido unánimemente; el valor cultural de la canción explica lo reiterado de su temática. En estas formas que vuelve a verificar cada vez, el poeta plasma y traduce no una simple sinceridad de lo real, sino una sinceridad de lo fantástico; es decir, no solamente una sinceridad formal sino una sinceridad de su experiencia sublimada.

Y aquí se inserta un factor distinto e importantísimo: la poesía cortés identificó como situación lírica por excelencia la situación erótica. El trovador se encontraba, pues, operando con dos conmutadores paralelos; por una parte tenía que encauzar toda su experiencia, encerrar todo su sentido de la vida en la metáfora amatoria, y por otra tenía que traducir todas estas vivencias en un ámbito expresivo de motivos, léxico y estilemas seleccionadísimos y numéricamente limitados. Se halla, en resumidas cuentas, ante un código doble: de contenido y de expresión, mucho más limitado, por lo tanto, que el normal. El paralelismo estricto que existe entre los dos procesos nos muestra que en realidad se reducen a uno solo, pero indica también que el plano formal no está aislado, sino que, como en todas las manifestaciones lingüísticas, tiene una correspondencia precisa en el plano del contenido. No nos hallamos, pues, ante un formalismo indiferente a la expresión; el investigador de la lírica trovadoresca debe tener en cuenta las selecciones en ambos planos y vamos a anticipar que es verosímil que en correspondencia a la rígida selección de signos, se presente una carga semántica especial en el plano del contenido y en el de la forma, ya que el código ejerce una función de filtro entre la complejidad infinita de las

experiencias de los poetas y la multiplicidad de las poesías. Esto
es lo que intentaremos demostrar ahora en concreto.

## 8. ESPACIO ·LÍRICO Y METÁFORA AMOROSA: BERNART DE VENTADORN

Leamos, pues, una canción de Bernart de Ventadorn, uno
de los trovadores más fecundos y más elogiados:[111]

> I. Can vei la lauzeta mover
> de joi sas alas contra·l rai,
> que s'oblid e·s laissa chazer
> per la doussor c'al cor li vai,
> ai! tan grans enveja m'en ve				5
> de cui qu'eu veya jauzion,
> meravilhas ai, car desse
> lo cor de dezirer no·m fon.

> II. Ai, las! tan cuidava saber
> d'amor, e tan petit en sai!				10
> ·car eu d'amar no·m posc tener
> celeis don ja pro non aurai.
> Tout m'a mo cor, e tout m'a me,
> e se mezeis e tot lo mon;
> e can se·m tolc, no·m laisset re				15
> mas dezirer e cor volon.

> III. Anc non agui de me poder
> ni no fui meus de l'or en sai
> que·m laisset en sos olhs vezer
> en un miralh que mout me plai.				20
> Miralhs, pus me mirei en te,
> m'an mort li sospir de preon,
> c'aissi·m perdei com perdet se
> lo bels Narcisus en la fon.

---

111. Sabemos muy pocas cosas acerca de él; era hijo de un criado y de una
panadera y nació en Ventadorn, en el Lemosín, entre 1120 y 1130 y estuvo en
relación con distintas familias nobles y con la reina Leonor de Inglaterra, que era
nieta de Guillermo IX; su actividad poética suele situarse entre 1150 y 1180;
parece que terminó su vida retirado en el monasterio cistercense de Dalon, el
mismo en que profesó Bertran de Born.

IV. De las domnas me dezesper;                              25
    ja mais en lor no·m fiarai;
    c'aissi com las solh chaptener,
    enaissi las deschaptenrai.
    pois vei c'una pro no m'en te
    vas lei que·m destrui e·m confon,
    totas las dopt' e las mescre,
    car be sai c'atretals se son.

V.  D'aisso·s fa be femna parer
    ma domna, per qu'e·lh o retrai,
    car no vol so c'om deu voler,                            35
    e so c'om li deveda, fai.
    Chazutz sui en mala merce,
    et ai be faih co·l fols en pon;
    e no sai per que m'esdeve,
    mas car trop puyei contra mon.                           40

VI. Merces es perduda, per ver,
    (et eu non o saubi anc mai),
    car cilh qui plus en degr'aver,
    no·n a ges, et on la querrai?
    a! can mal sembla, qui la ve,                            45
    qued aquest chaitiu deziron
    que ja ses leis non aura be,
    laisse morir, que no l'aon!

VII. Pus ab midons no·m pot valer
     precs ni merces ni·l dreihz qu'eu ai                    50
     ni a leis no ven a plazer
     qu'eu l'am, ja mais no·lh o dirai.
     Assi·m part de leis e·m recre;
     mort m'a, e per mort li respon,
     e vau m'en, pus ilh no·m rete,                          55
     chaitius, en issilh, no sai on.

VIII. Tristan, ges no·n auretz de me,
      qu'eu m'en vau, chaitius, no sai on.
      De chantar me gic e·m recre,
      e de joi e d'amor m'escon.[112]                        60

112. Bernart von Ventadorn, *Seine Lieder,* hgg. von Carl Appel Halle, 1915.
pp. 250-254. Traducción de Riquer, *Los trovadores, op. cit.,* I, pp. 384-387.

(I. Cuando veo la alondra mover sus alas de alegría contra el rayo del sol y que se olvida y se deja caer por la dulzura que le llega al corazón, ¡ay!, me entra una envidia tan grande de cualquiera que vea gozoso, que me maravillo de que al momento el corazón no se me funda de deseo. II. ¡Ay de mí! Creía saber mucho de amor, ¡y sé tan poco!, pues no me puedo abstener de amar a aquella de quien nunca obtendré ventaja. Me ha robado el corazón, me ha robado a mí, y a sí misma y a todo el mundo; y cuando me privó de ella me dejó nada más que deseo y corazón anheloso. III. Nunca más tuve poder sobre mí, ni fui mío desde aquel momento en que me dejó mirar en sus ojos, en un espejo que me place mucho. Espejo: desde que me miré en ti, me han muerto los suspiros de lo profundo, porque me perdí de la misma manera que se perdió el hermoso Narciso en la fuente. IV. Me desespero de las damas; nunca más me fiaré de ellas y así como las solía defender, de la misma manera las desampararé en adelante, Puesto que veo que ninguna me ayuda contra ella, que me destruye y me confunde, las temo a todas y no las creo, pues bien sé que todas son iguales. V. En esto mi dama se muestra verdaderamente mujer, por lo que se lo reprocho, pues no quiere lo que se ha de querer, y hace lo que se le veda. He caído en desgracia y he hecho como el loco en el puente; y no sé por qué me ocurre, si no es porque he picado demasiado alto. VI. En verdad, la piedad está perdida —y yo no lo supe nunca—, pues la que debería tener más no tiene nada, y ¿dónde la buscaré? ¡Ah, qué duro de creer se hace al que la ve que deje morir y que no ayude a este desgraciado anheloso que sin ella no tendrá ningún bien! VII. Ya que con mi señora no pueden valer ruegos ni piedad ni el derecho que tengo, y a ella no le viene en gana que yo la ame, no se lo diré nunca más. Así pues, me alejo de ella y desisto; me ha muerto y como muerto le respondo, y me voy, ya que no me retiene, desgraciado, al destierro, no sé a dónde. VIII. Tristán, nada tendréis de mí, porque me voy, desgraciado, no sé a dónde. Renuncio a cantar y desisto, y rehúyo la alegría y el amor.)

Aparentemente la canción se sitúa en un punto crítico de la vida del poeta, entre un pasado de sufrimientos y un futuro de renuncias. Las dos perspectivas se alternan constantemente a partir de la segunda estrofa: por una parte *tan cuidava saber d'amor* (versos 9-10), *tout m'a...* (vv. 13-14), *se·m tolc, no·m laisset re* (v. 15), *anc mon agui... mi no fui meus...* (vv. 17-20), *me mirei...*

(v. 21), *m'an mort li sospir* (v. 22), *aissi·m perdei* (v. 23), *chazutz sui*... (v. 37), *ai be faih* (v. 38), *puyei* (v. 40), *saubi* (v. 42) y sobre todo *de l'or 'en sai* (v. 18), *pus* (v. 21); mientras por otra tenemos los futuros: *pro non aurai* (v. 12), *no·m fiarai* (v. 26), *las deschaptenrai* (v. 28), *on la querrai?* (v. 44), *non aura be* (v. 47), *ja mais no·lh o dirai* (v. 52), *ges no·n auretz de me* (v. 57). En los tiempos de pasado se expresan la ilusión, el olvido inconsciente de uno mismo, el orgullo de la esperanza; en los de futuro la desconfianza y el rechazo, no en el sentido de una determinación positiva o de un programa de vida, sino simplemente en el de la separación y la renuncia. Entre el pasado y el futuro, el presente ocupa la mayor parte de la composición y sirve para expresar el desengaño y el sufrimiento, pero todavía no el abandono: *tan granz envea m'en ve* (v. 5), *no·m fon* (v. 8), *petit en sai* (v. 10), *no·m posc tener* (v. 11), *mout me plai* (v. 20), *me dezesper* (v. 25), *las dopt'e las mescre* (v. 31), *retrai* (v. 34), *no·m pot valer* (v. 49), *aissi·m part de lei e·m recre* (v. 53), *li respon* (v. 54), *vau m'en* (v. 55), *me gic e·m recre* (v. 59), *m'escon* (v. 60). Como puede verse, mientras que el pasado y el futuro expresan actitudes bien definidas, el presente es el tiempo de la contradicción; el desengaño parece total pero en realidad es en el presente donde le quedan al poeta *dezirer e cor volon* (v. 16) y es en el presente donde se insinúa el pensamiento que es absurdo que ella lo deje morir, *que no l'aon* (v. 48). La impresión de que la canción celebra una renuncia definitiva procede de la disposición sucesiva de los temas; pues en la estrofa VII y en la *tornada* predominan el desengaño y el abandono. Verdad es que en la canción la sucesión temporal de los temas tiene un peso importantísimo,[113] pero generalmente la unidad temática que podemos tomar en consideración es la estrofa, que tiene en toda la lírica provenzal una gran autonomía: los distintos manuscritos nos han conservado las estrofas en las

---

113.  «Se trata, en efecto, de una poesía destinada a la audición; a ser percibida no al término de la lectura y como entidad global, sino de manera progresiva y a lo largo de su duración. Está pensada para que penetre en la memoria de manera que cada verso *n* se pueda aclarar por cualquier otro verso *n + x*, y nunca en sentido contrario; un desarrollo irreversible propone una serie de imágenes auditivas que se estructuran en la memoria del oyente a medida que se van sucediendo en la estrofa, y cada una de ellas produce su efecto en el marco de las demás y empujada por la energía de éstas, mientras los efectos se van acumulando y combinando», P. Zumthor, *op. cit.*, p. 208.

disposiciones más variadas;[114] en nuestro caso la única sucesión segura es la de la estrofa II respecto a la I. Para las demás el orden fijado por el editor se encuentra solamente en dos manuscritos sobre veinte y solamente el grupo VI-VII parece algo frecuente (11 veces), aunque no siempre aparece al final de la poesía que se cierra a veces con la estrofa VI, a veces con la V, y a veces con la III;[115] la sucesión II-IV está atestiguada hasta 14 veces y la III-V unas 10. En resumidas cuentas, que no es prudente realizar deducción crítica alguna a propósito de la sucesión de las estrofas, porque ignoramos cómo fue en el original y porque es verosímil que no haya tenido nunca demasiada importancia. Lo único que queda en pie es que la *tornada,* presente en 10 manuscritos, parece caracterizar a la poesía como canto a la renuncia; pero no es matiz superficial observar que está redactada casi toda en presente, el tiempo de la incertidumbre, y no en futuro, el tiempo de la verdadera decisión negativa: habla del abandono, pero sin convicción.

La renuncia a la que parece estar dispuesto el poeta no es solamente un «alejarse de ella» (v. 53); considérense los dos últimos versos; «rehuir» de amor significa naturalmente renunciar al *joi* y también a la poesía.[116] Existe, en efecto, una total identificación entre la situación amorosa y la lírica; decía en otra parte el propio Bernart:

> Chantars no pot gaire valer,
> si d'ins dal cor no mou lo chans;
> ni chans no pot dal cor mover,
> si no i es fin'amors coraus.
> Per so es mos chantars cabaus
> qu'en joi d'amor ai et enten
> la boch'e·ls olhs e·l cor e·l sen.
>
> (XV, vv. 1-7)

114. Pues el razonamiento de Zumthor se refiere a las estrofas y no a las canciones. Añade este crítico que la determinación temporal que deriva de la conexión entre las estrofas es secundario e influido por el capricho de quien copiaba o ejecutaba la obra (ibídem).

115. Sin embargo la repetición del v. 56 en el v. 58 y la del v. 53 en el v. 59 se confirman la sucesión VII-VIII.

116. Cfr. también la canción XXX, vv. 22-25: «Ja mais no serai chantaire / ni de l'escola n'Eblo, / que mos chantars no val gaire / ni mas voutas ni mei so» («Nunca más seré cantor ni de la escuela de Ebles, pues mi cantar no me sirve

(Poco puede valer el cantar si el canto no surge de dentro del corazón, y el canto no puede surgir del corazón si en él no hay leal amor cordial. Por esto mi cantar es perfecto, porque tengo y empleo la boca, los ojos, el corazón y el juicio en el gozo de amor.)

Y también:

Ab joi mou lo meu vers e·l comens,
et ab joi reman e fenis.

(I, vv. 1-2)

(Con alegría inicio el verso y lo comienzo, y con alegría permanece y acaba.)

Nos damos cuenta entonces de lo lejos que estamos de la realidad autobiográfica. El poeta no está cantando aquí la conclusión desilusionada de una anécdota amorosa específica; en el poema, por el contrario, entra en juego toda su personalidad, que está totalmente forjada por el amor, que nació solamente el día en que se formó su amor (de l'or'en sai). No es por casualidad que la alternativa para el futuro está expresada siempre en términos negativos; se trata, en efecto, de la renuncia a sí mismo, se trata, como dice el mismo poeta, de la muerte (cfr. v. 54), y no en el sentido trivial y biográfico del suicidio sino en el otro sentido más alto que deriva de la identificación entre vida y personalidad por una parte y joi y amor por la otra. Y de ahí algunas consecuencias aparentemente singulares: el joi del poeta, —a causa de su sinonimia substancial con amor, cuya parte activa encarna— y la exaltación, coinciden con el sufrimiento, que no es más que la otra cara de amor; la alienación de la que se lamenta el poeta (no fui meus, v. 17, y anteriormente cfr. v. 13) y que estamos tentados de interpretar equivocadamente según la acepción moderna, es en realidad el descubrimiento de una naturaleza propia más íntima, una posesión de sí mismos superior y más rica; y en consecuencia la conciencia de este hecho y la voluntad de salirse de él no implican un retorno a la anterior si-

_____

para nada, ni mis estrofas ni mis melodías»), donde val no se refiere al valor literario, sino a la eficacia ante la dama.

tuación de no alienación, sino que conducen a la autonegación, a la aniquilación.[117] La poesía se cifra en la imagen de Narciso,[118] que no es índice de masoquismo narcisista, no pretende revelarnos que el poeta en realidad está enamorado de sí mismo, de su capacidad de amor, sino que representa el mito de quien se pierde en el momento mismo en que se halla a sí mismo y se descubre.

El análisis formal de la poesía, mejor dicho de cada una de las *coblas,* se puede llevar más allá de lo que hemos ensayado nosotros y sobre todo se puede enmarcar en un análisis tópico, es decir, pasando del nivel sintagmático (examen del discurso lírico en su organización interior, en la relación de cada elemento con todos los demás) al paradigmático (al examen, para cada motivo, de las fórmulas alternativas o de las variantes alternativas de una misma fórmula),[119] pero creemos que ya ha quedado

117. Decía en efecto nuestro poeta en otro lugar: «Ben es mortz qui d'amor no sen / al cor cal que dousa sabor» («Está bien muerto aquel que no siente en el corazón algún dulce sabor de amor»), XXXI, vv. 9-10; y también: «nuls om ses amor re no vau» («ningún hombre sin amor vale nada»), XXI, v. 29.

118. Cfr. J. Frappier, «Variations sur le thème du miroir, de Bernart de Ventadour à Maurice Scéve», en los *Cahiers de l'Association Internationale des Etudes Françaises,* 11 (mayo 1959), pp. 134-158.

119. Consideremos por ejemplo el motivo de la alienación. Tal motivo aparece dos veces en el v. 13 y en los vv. 17-18, pero en dos contextos funcionalmente distintos; en el primer caso, en efecto, cierra el momento anterior de desilusionada toma de conciencia (*tan cuidava... e tan petit en sai*) y está introducido por el recuerdo de *celeis* a la que el poeta no puede, a pesar de todo, dejar de amar; planteado en estos términos y situado aquí, el motivo podría llamarse de alienación únicamente hablando con muy poca propiedad; en realidad la dama es el sujeto activo que toma (vv. 13 y 15) o que deja (v. 15). La estrofa II tiene, pues, una construcción dinámica, un desarrollo marcado por elementos determinados. Es muy distinta la estrofa III, en la que el tema de la alienación es inicial y no lleva a ningún desarrollo; el poeta anuncia únicamente la causa de su *no ser suyo* y después varía y profundiza su situación con el apóstrofe al espejo o la alusión al mito de Narciso. La estrofa tiene, pues, una orientación en profundidad, vertical; el motivo no es ya conclusivo sino dominante. En el plano paradigmático nos presta una ayuda M. Lazar, «Classification des thèmes amoureux et des images poétiques dans l'oeuvre de Bernart du Ventadour», en *Filologia Romanza,* VI (1959), pp. 371-400, y podemos constatar fácilmente que la formulación del v. 13 entra en un campo de alternativas posibles (cfr. p. 391) y es una de las más radicales y decisivas; en otras partes el poeta lamenta la pérdida del *sen e lo saber* o la *mezura,* se queja porque se halla como *esperdutz* o *en la folor,* sin embargo nunca escoge una fórmula tan pasiva y radical como la que tenemos aquí. Para los versos 17-19 Bernart disponía naturalmente de alternativas menos radicales y con más implicaciones de voluntarismo (*eu sui seus... e serai tostems, ·m ren a leis*), pero había ya utilizado en otra parte (XLII, v. 47) una variante que es como la nuestra, neutra con respecto al sujeto agente y negativa en cuanto a la

suficientemente claro que éste remite perentoriamente al sentido cerrado del mensaje formal. En este sentido nos parece decisiva la afirmación de Bernart, que no deja de ser un lugar común trovadoresco,[120] a propósito de la identidad, o por lo menos de la inseparable unidad, entre *joi* y *chantar,* lo que implica que este último responda a una motivación no solamente técnica y no solamente formal, sino precisamente expresiva (y esto no quiere decir proceda de la inspiración, como se aclarará más adelante).

No es, pues, ilícito hablar de un «espacio lírico» en cuyo interior se mueve constantemente el trovador. Es un espacio que tiene su traducción cronológica, en nuestro caso especialmente explícita, a lo largo del arco de tiempo que va del nacimiento del amor al momento presente de la poesía; pero preferimos usar la metáfora espacial, porque la duración del tiempo es ilusoria; en realidad el amor no tiene historia porque no tiene desarrollo, está ya cumplido desde su comienzo y no progresa hacia su realización. La proyección temporal es de una longitud indeterminada, de una lejanía buscada, precisamente porque se identifica con un único momento, en el que se suman, al ser contemporáneas, todas las facetas y las contradicciones del amor. El movimiento que no se produce a nivel temporal, se realiza, en cambio, dentro del espacio psicológico: el poeta se mueve constantemente entre la esperanza y la desilusión, entre la exaltación y el desaliento, entre la súplica de piedad y la repulsa engreída. Éste es el «espacio lírico» común a todos los poetas de amor, en cuyo interior las variantes de actitud, de entonación y de expresión pueden ser infinitas; en contadas ocasiones el poeta lo abandona para cantar, por ejemplo, la plenitud de su satisfacción. Pero incluso en este caso atina a describir su estado solamente en relación con la situación tipo; celebra más el olvido de sí mismo y el recuerdo del «espacio lírico habitual» que el hecho de hallarse en un «espacio lírico» distinto y atípico.

Ya se ha visto que el *joi,* el valor subjetivo más elevado que

---

determinación del estado: «meus no sui et ilh m'a en poder» (cfr. Lazar, p. 381). Naturalmente el examen paradigmático tendría que extenderse más allá del corpus de cada trovador, por lo menos en el ámbito de sus predecesores o contemporáneos.

120. Cfr. por ejemplo el mismo Bernart, edición cit., 41, vv. 6-7: «eu, c'ai mais de joi en mo cor, / dei be chantar» («yo que tengo más gozo en mi corazón, bien debo cantar»).

el trovador conoce y ambiciona, está intrínsecamente vinculado a la esencia misma del «espacio lírico» que acabamos de definir. Los demás valores de la poesía cortés, sin embargo, están relacionados con él en grado no menor, empezando por la *fin'amor,* que es la cualidad del que, fiel a su inspiración y a su destino, no se aparta de la morada lírica; *mezura y sen,* en cambio, son valores que se ponen a prueba a causa precisamente de la situación lírica, pues ésta los priva de sentido en un plano normal [121] para dotarlos de otro distinto en el cortés, en el que constituyen la medida del difícil equilibrio de quien ama. A los valores del amante corresponden los de la amada, *pretz, valor,* otra vez *sen* y *mezura* y sobre todo *joven,* la indefinible juventud estética y ética a la vez que engendra por sí sola el *joi.* La presencia y la suma de todos estos valores constituye finalmente la *cortesia.* La estrechez aparente del «espacio lírico» está vertebrada gracias a esta proliferación de valores, que traducen la psicología en una abstracción del intelecto a la vez que de la conducta.

El «espacio lírico» está substancialmente cerrado, y aquí tiene sus raíces la más aparente de las paradojas trovadorescas: el amor del poeta tiende hacia una meta que está más allá del radio que le está reservado; la satisfacción erótica constituiría una anulación no menos definitiva que la misma renuncia al amor. El amante sufre a causa de su situación, se queja de la falta de *merce,* sueña a veces con atrevida fantasía el final de sus penas,[122] pero, en realidad, está siempre vinculado a su positivo destino de sufrimiento.

Si definimos en estos términos la situación del poeta cortés, resultará estéril, por lo que desaconsejamos toda búsqueda de una filigrana autobiográfica. La dificultad de admitir una identidad tan singular entre las diferentes aventuras eróticas ya hace años que ha inducido a los investigadores a ser prudentes y les ha inspirado el vaciado de sentidos que es previo a toda lectura formal. Ya hemos hablado de las objeciones al formalismo, pero en su lugar[123] vimos también lo difícil que resulta trazar una bio-

---

121. Por lo que Bernart, como veíamos antes, lamentaba su pérdida.

122. Sucede por ejemplo que Bernart osa desear que ella permita «c'una noih lai o·s despolha, / me mezes, en loc aizit, / e·m fezes del bratz latz al col» (XXVII, vv. 43-45) («que una noche me metiera allá donde se desnuda en lugar adecuado e hiciera con sus brazos un lazo para mi cuello»).

123. Cfr. el § 4, pp. 165 ss.

grafía de nuestros autores aunque sea solamente desde el punto de vista literario.

Todo lo dicho, sin embargo, no equivale a la exclusión de cualquier estímulo para la poesía procedente de la realidad de la experiencia. Al contrario, estos estímulos debieron operar de una doble manera. Podía suceder, y debió suceder a menudo, que el poeta lírico se sintiera inducido al canto por una exaltación erótica concreta; pero tal exaltación, en el proceso de traducción a la poesía, se despojaba de cualquier contingencia y tendía a alcanzar aquel nivel de situación arquetípica que la autorizaba en cuanto poesía y también en cuanto experiencia no transitoria ni despreciable, sino capaz de ser compartida.[124] Por otra parte, debido a estas mismas razones, es decir a la misma naturaleza de la operación lírica, y también a causa de la situación del trovador, que era a menudo un profesional, éste podía escribir sus poemas al margen de las exigencias inmediatas de una experiencia contingente, asumiendo en su obra la totalidad de su experiencia pasada, pues ésta era más susceptible de disponerse adecuadamente según los esquemas convencionales; pero ello no quería decir que se compusieran los poemas en frío, porque hasta los poetas románticos utilizaban el motivo de inspiración momentáneo como punto de partida de todo un mundo de recuerdos secretos de experiencias pasadas, y nadie creerá que el poema *La ginestra* nació en el instante en que Leopardi se sentó en el Vesubio para observar un humilde arbusto de retama.

Así pues, si la relación entre experiencia y poesía es para los medievales más indirecta y disimulada, pero, según creemos, no radicalmente diferente de la de todos los tiempos, por el contrario tenemos un elemento que caracteriza de manera inconfundible la tradición provenzal y permanece en el fondo de todas las tradiciones que nacen de ella: el valor significativo de la metáfora amorosa. Y es que no solamente la poesía lírica eligió como tema un sector específico de la experiencia erótica, sino que lo elevó a metáfora de la totalidad de la experiencia humana, perfectamente asumible por la poesía desde el momento que estuviera traducida y expresada en términos eróticos. El fenómeno queda más claro en términos de código y mensaje: el poeta lírico dispo-

---

124. Recordemos lo que hemos apuntado en el cap. II, § 4, a propósito de la lírica religiosa.

ne, para un mensaje que engloba toda su experiencia, de un código preestablecido que está fundamentado enteramente en la metáfora del amor y a través de él debe expresar todas sus intuiciones sobre la vida.

Se podría creer que esta situación complicaba las consecuencias de la estrechez del «espacio lírico» y que obligaba al poeta a banalizar la variedad de su inspiración en repeticiones triviales. En realidad sucede justo lo contrario; en efecto, no hay por qué suponer que la ambigüedad polisémica tenga que menoscabar la expresividad poética. El «espacio lírico» que hasta ahora hemos descrito en términos de psicología de la situación amorosa, asume a partir de este momento un significado notablemente distinto y pierde su estrechez; se transforma en metáfora de la situación humana, vinculada siempre a la aspiración a una meta y a la desilusión y amargura que derivan de la imposibilidad de alcanzarla.

Éste es el hallazgo mejor de los trovadores: la infinita capacidad expresiva de la situación amorosa, no sólo porque es una de las experiencias fundamentales del hombre, sino también por su intrínseca capacidad de representar la totalidad de aquéllas. Y por ello se explica que durante siglos los poetas occidentales continuaran esta tradición sin encontrarla restrictiva o simplemente evasiva, y se explica que un hombre como Petrarca confiara a ella sin ningún problema toda su humanidad. La tradición cortés, claro está, es una fórmula expresiva que presupone establecer un canon mediante unas actitudes prototípicas que, precisamente al estar desvinculadas de la contingencia, son capaces de canalizar unas significaciones totales y plenarias que las convierten en líricas, y ello es posible gracias a la conexión con los fundamentos generales de la civilización literaria medieval que hemos estado ilustrando. A medida que dichos fundamentos se fueron dejando de lado, la tradición lírica tuvo que sobrevivir, en ambientes humanísticos, renacentistas, barrocos, neoclásicos, apuntalada por distintas adaptaciones a los contextos culturales correspondientes, hasta que dio la impresión de algo definitivamente superado (y el síntoma más manifiesto de ello fue que aparecía como algo vacío y fatuo) y fue arrollada por la eclosión del romanticismo. Pero quien creyera que pereció sin dejar huellas hasta en los poetas más recientes, se equivocaría.

La identificación de la metáfora amorosa como expresión de la situación humana explica todavía más satisfactoriamente[125] la constancia del tono didáctico de los trovadores, y más aún la presencia de la ética en todos los aspectos de su inspiración. Y es que el sufrimiento del amor, la alternativa perenne del que solamente tiene *dezirer e cor volon* y no es ya *seus,* corresponde exactamente a la situación del hombre que ha descubierto unos valores y los ha transformado en una meta, comprobando la validez y el contenido moral de su búsqueda y el mérito que deriva del sufrimiento; del hombre que cifra el sentido de la vida no en los resultados alcanzados, sino en el modo de vivirla. El ejercicio amoroso es una fuente inacabable de enriquecimiento interior, piedra de toque de las cualidades individuales, benéfico incluso para la sociedad, ya que es descubrimiento de la situación humana y valoración integral de ésta. El intelectualismo y el moralismo son inseparables de la poesía trovadoresca y se distinguen de los valores más específicamente líricos únicamente a través de una abstracción que es útil para la crítica pero también peligrosa.

Como conclusión quisiéramos evitar un equívoco: no estamos proponiendo aquí una lectura de la canción de Bernart o de toda la producción lírica cortés como poesía esotérica con una clave intelectual, no sugerimos por ejemplo, que se traduzca puntualmente el discurso amoroso a otros términos que describan la totalidad de la experiencia humana. Ya sabemos que la Edad Media disponía no sólo de unos procedimientos interpretativos muy elaborados de la obra literaria, sino también de una conciencia muy viva y aguda de los múltiples ecos de todas las realidades y de las correspondencias entre objetos, acciones o situaciones, que conservaban intacto su valor individual sin perderlo en la función abstracta de la equivalencia, sino al contrario completándose en ella y enriqueciéndose. Tampoco queremos decir que una canción trovadoresca estuviera destinada a ser interpretada según la exégesis de los cuatro sentidos o según la tipología: lo que en ella se refleja no es la práctica explicativa o su teorización traducida en poética, sino simplemente el sentido de la infinita capacidad significativa de la realidad. La experiencia conserva íntegros su valor y su sentido, pero se va saturando de un mundo cada vez más amplio de sentidos y termina por encerrar en su microcos-

125.  Véase lo que hemos dicho en otro plano en el § 4.

mos la imagen de todas las situaciones humanas. Desde la contingencia presente o pasada de un momento concreto de la efectivi-
dad del poeta a la expresión de la aventura humana exaltadora
y dolorosa existe una sucesión continuada de adaptaciones expresivas que no llegan nunca a la abstracción intelectual, sino que
quedan siempre marcadas por aquella típica generalización concreta que constituye uno de los secretos de nuestra Edad Media.
La lírica trovadoresca en cuanto obra literaria está situada en el
centro de esta trayectoria que la implica y la trasciende.[126]

126. Habría que revisar a la luz de nuestra interpretación todos los problemas
fundamentales de la lírica trovadoresca, pero aquí trataremos únicamente de dos
de ellos. En primer lugar está el problema de la relación genética con la poesía
tradicional de la que ya hemos hablado al principio del capítulo. Es verosímil
que hubiera adquisiciones temáticas y sobre todo técnicas; pero lo esencial
de la lírica trovadoresca, desde la selección del público a la posición del poeta,
desde la delimitación del propio «espacio lírico» (en el que no están compren-
didos muchos de los temas de la lírica tradicional), al valor de la metáfora amorosa, es ajeno a la tradición lírica anterior; se trata de una innovación que tiene
una génesis extremadamente compleja y en gran parte se podría estudiar al margen
de cualquier poesía lírica. Por lo que se refiere a las interpretaciones sociológicas
o antropológicas (cfr. R. Nelli, *L'érotique des troubadours,* Tolosa, 1963), de lo que
hemos dicho se desprende su licitud y su utilidad pero también su marginalidad;
por sus caracteres la experiencia trovadoresca puede explicarse a un determinado
nivel en términos antropológicos y sobre todo en relación con la sociedad feudal
o militar, tal experiencia además tiende por naturaleza propia, y siempre a un
determinado nivel, a traducirse en normas de conducta y vida (precisamente
porque consiste en la identificación de una situación existencial); pero en cuanto
lírica trasciende estos niveles, no sólo por la calidad de los resultados (lo que
equivaldría a no decir nada) sino por la gran complejidad de la situación cultural
implícita intuida y determinada en el acto creativo.

Capítulo IV

# LA EXPERIENCIA ÉPICA

## 1. Historia y realidad: el Cid

Para tratar de la narrativa medieval es obligado empezar por la épica ya que ésta no solamente representa su precedente cronológico, sino que es el género poético que inaugura la literatura narrativa tanto desde un punto de vista ideal como tipológico. Formular ahora una definición de epopeya sería metodológicamente imprudente y en cualquier caso contrastaría con nuestro propósito de preguntar directamente a los textos por su realidad, sin que el crítico se reserve el derecho de definirla *a priori*. Nos contentamos, por lo tanto, con asentar una noción mínima que nadie podrá discutirnos: la épica establece una relación primaria entre su materia narrativa y determinados acontecimientos históricos, se distingue de otros géneros narrativos precisamente porque no se relaciona globalmente con la realidad sino que está vinculada a hechos históricos específicos (que éstos sean reales o supuestos es lo de menos). Si esto es verdad, nuestro primer problema no consistirá en definir la literatura épica dentro de la narrativa; lo realmente urgente será distinguir claramente entre planteamiento épico y planteamiento histórico.[1] Para aclarar debidamente el problema que acabamos de proponer conviene leer las cuatro primeras tiradas del *Cantar de Mio Cid*, el único texto

---

1. No tiene demasiada importancia que la épica sea anterior a la historiografía o que constituya la primera muestra de historiografía en lengua vulgar, porque en el mundo romance, junto a la poesía heroica existió, antes que la epopeya, una historiografía latina relativamente evolucionada.

épico castellano que ha llegado hasta nosotros en una redacción
auténtica, bien que incompleta:[2]

I.  De los sos ojos   tan fuertemientre llorando,
    tornava la cabeça   i estávalos catando.
    Vio puertas abiertas   e uços sin cañados,
    alcándaras vázias   sin pielles e sin mantos
    e sin falcones   e sin adtores mudados.                    5
    Sospiró mio Çid,   ca mucho avie grandes cuidados.
    Fabló mio Çid   bien e tan mesurado:
    «Grado a ti, señor padre,   que estás en alto!
    Esto me an buelto   mios enemigos malos.»

II.  Allí pienssan de aguijar   allí sueltan las riendas.     10
     A la exida de Bivar   ovieron la corneja diestra,
     e entrando a Burgos   oviéronla siniestra.
     ·Meçió mio Çid los ombros   y engrameó la tiesta:
     «Albricia, Álbar Fáñez,   ca echados somos de tierra!
     Mas a grand ondra   tornaremos a Castiella.»

III. Mio Çid Roy Díaz   por Burgos entróve,                   15
     en sue conpaña   sessaenta pendones;
     exien lo veer   mugieres e varones,               16 bis
     burgeses e burgesas   por las finiestras sone,
     plorando de los ojos   tanto avien el dolore.
     De las sus bocas   todos dizían una razóne:
     «Dios, qué buen vassallo,   si oviesse buen señore!»     20

IV.  Conbidar le ien de grado,   mas ninguno non osava:
     el rey don Alfonso   tanto avie la grand saña.

2. De los demás, aparte del fragmento del *Roncesvalles,* nos quedan sólo
versiones en prosa, en las que en el mejor de los casos, se consigue reconstruir
algún fragmento versificado (cfr. R. Menéndez Pidal, *Reliquias de la poesía
épica española,* Madrid, 1951) o el *Cantar de Rodrigo.* Cito el texto de R. Menéndez Pidal, *Cantar de Mio Cid,* III, Madrid, 1956.[3] Vid. M. Alvar, *Cantares de gesta
medievales,* Editora Nacional, Madrid, 1981: en la extensa introducción se tratan
los problemas generales que plantea la épica y se añade, además, bibliografía específica puesta al día.

Recientemente se han publicado dos ediciones importantes del *Poema de Mio
Cid:* la de I. Michael (Castalia, Madrid, 1976) y la de C. Smith (Cátedra, Madrid,
1976); menos conocida es la de M. Garci-Gómez (CUPSA, Madrid, 1978). Resultará muy útil también la consulta de la bibliografía que ofrece A. D. Deyermond
en el capítulo correspondiente de *Edad Media,* en *Historia y crítica de la literatura
española,* dirigida por F. Rico, Crítica, Barcelona, 1979.

Antes de la noche   en Burgos dél entró su carta,
con gran recabdo   e fuertemientre seellada:
que a mio Çid Roy Díaz,   que nadi nol diessen
                                    [posada,    25
e aquel que gela diesse   sopiesse vera palabra
que perderie los averes   e más los ojos de la cara,
e aun demás   los cuerpos e las almas.
Grande duelo avien   las yentes cristianas;
ascóndense de mio Çid,   ca nol osan dezir nada.    30

El Campeador   adeliñó a su posada;
así commo llegó a la puorta, fallóla bien çerrada,
por miedo del rey Alfons,   que assí lo parara:
que si non la quebrantás,   que non gela abriessen
                                    [por nada.
Los de mio Çid   a altas vozes llaman,            35
los de dentro   non les querien tornar palabra.
Aguijó mio Çid,   a la puerta se llegava,
sacó el pie del estribera,   una ferídal dava;
non se abre la puerta,   ca bien era çerrada.
Una niña de nuef años   a ojos se parava:        40
«Ya Campeador,   en buena çinxiestes espada!
El rey lo ha vedado,   anoch dél entró su carta,
con gran recabdo   e fuertemientre seellada.
Non vos asariemos   abrir nin coger por nada;
si non, perderiemos   los averes e las casas,    45
e aun demás   los ojos de las caras.
Çid, en el nuestro mal   vos non ganades nada;
mas el Criador vos vala   con todas sus vertudes
                                    [santas.»
Esto la niña dixo   e tornós pora su casa.
Ya lo vede el Çid   que del rey non avie graçia.   50
Partiós dela puerta,   por Burgos aguijava;
llegó a Santa Maria,   luego descavalga;
fincó los inojos,   de coraçón rogava.
La oración fecha,   luego cavalgava;
salió por la puerta   e Arlançon passava.         55
Cabo Burgos essa villa   en la glera posava,
fincava la tienda   e luego descavalgava.
Mio Çid Roy Díaz,   el que en buena çinxo espada,
posó en la glera   quando nol coge nadi en casa;
derredor dél   una buena conpaña.                 60
Assí posó mio Çid   commo si fosse en montaña.
Vedada l'an la conpra dentro en Burgos la casa

de todas cosas   quantas son de vianda;
nol osarien vender   al menos dinarada.

Casualmente al único manuscrito que nos ha quedado del *Cantar* le falta el primer folio del primer pliego, por ello tenemos un comienzo *ex abrupto* que ejerce una fascinación indebida pues nos enfrenta a un destino misterioso cuya fuerza implacable ha desatado ya el llanto. Pero es bien sabido que el protagonista, Mio Çid Ruy Díaz, acaba de romper con el rey de Castilla Alfonso VI, quien lo ha desterrado concediéndole sólo nueve días para que abandone el reino;[3] el héroe está, pues, abandonando Bivar, su pueblo y sus casas. El verso 9 nos da una pista para identificar las causas de la crisis al nombrar a los *enemigos malos* como elemento determinante. Anteriormente Mio Cid había sido enviado por el rey Alfonso a cobrar los tributos de Sevilla, ya que el rey moro de aquella ciudad, Mutámid, era entonces vasallo del rey de Castilla. Pero mientras nuestro héroe se encontraba en Sevilla, el rey Abdállah de Granada atacó a su vecino sevillano con la ayuda de buen número de caballeros castellanos capitaneados por el conde García Ordóñez de Nájera. El Cid consideró que su deber era ayudar a Mutámid ya que éste era tributario de su rey, Alfonso, y venció a sus enemigos en Cabra; García Ordóñez y los demás cayeron prisioneros y se les dejó en libertad sólo al cabo de tres días. De vuelta a Castilla estos nobles, que pertenían a la clase de los magnates, acusaron al Cid de haberse apropiado de una parte de los tributos entregados por el rey moro, de manera que Alfonso, que tenía sus razones para no amar a Ruy Díaz, lo desterró. Por los verbos en plural de la segunda estrofa (a partir del v. 10) nos enteramos de que el Cid no está solo, lo que queda confirmado luego en el v. 16; le acompaña su mesnada, es decir, no su familia, sino sus parientes adultos capacitados para la lucha y los jóvenes que se criaban con el señor. El Cid entra en Burgos en compañía de todos ellos y al no hallar hospitalidad a causa de las órdenes tajantes del rey, acampa en el cascajar a orillas del río. En estos primeros versos destaca una sola figura, la de Álvar Fáñez (v. 14), que es en realidad el segundo protagonista del *Cantar* y sobrino del Cid.

---

3.  La biografía del Cid en relación con la historia de la Península Ibérica en la segunda mitad del siglo XI, está magistralmente reconstruida por Menéndez Pidal, *La España del Cid*, Buenos Aires, 1939.

Nos interesa subrayar ahora que lo que se nos cuenta en estos versos es rigurosamente histórico:[4] Ruy Díaz marchó al destierro en el 1081. El manuscrito único del *Cantar* está fechado en 1307, pero para estudiar la distancia entre la realidad histórica y la reconstrucción narrativa tenemos que remontarnos a la fecha de composición, porque el año de la copia no es más que un término *ante quem*; y este término se puede retrasar en el tiempo habida cuenta de que en el taller historiográfico alfonsí[5] se llevó a cabo una prosificación del *Cantar* que se remonta probablemente al último cuarto del siglo XIII. Pero el texto mismo nos ofrece indicios más relevantes al tratar de hechos evidentemente contemporáneos que inclinan a pensar que el poema fue compuesto, en la forma que conocemos, hacia 1140.[6] Dado que Ruy Díaz murió el 10 de julio de 1099, el poema fue compuesto unos cuarenta años después de la desaparición del héroe, cuando todavía vivían muchos de los que lo habían conocido. He aquí la clave del especial interés que encierra para nosotros este texto; pensemos que entre la caída de Troya y la redacción de la *Ilíada* que conocemos (siglo VI a. C.) transcurrieron bastantes siglos y que entre el desastre de Roncesvalles y la *Chason de Roland* median por lo menos trescientos años.

Nos preguntamos ahora si todos los acontecimientos narrados en el poema responden a los hechos históricos de la misma manera que el viaje a Sevilla y el destierro. En la realidad el Cid, tras la expulsión de Castilla, se ganó la vida como mercenario del rey moro de Zaragoza y luchó para él contra el conde de Barcelona. Como se puede ver el espíritu de cruzada no era precisamente un elemento determinante. El único adversario al que Ruy Díaz no habría acometido jamás era el rey Alfonso, de quien a pesar de todo se consideraba vasallo, demostrando una fidelidad superior a la que le exigían las costumbres del tiempo;[7] por otra parte el rey tampoco le había confiscado los bienes ni había des-

---

4. Cfr. Menéndez Pidal, *La España...*, cit., pp. 254 ss.
5. El rey de Castilla Alfonso X (1252-1284) promovió grandes obras historiográficas en las que se incorporaron también las leyendas épicas, debidamente prosificadas. Para la prosificación del *Cid,* cfr. D. Catalán, «Crónicas generales y cantares de gesta», *Hispanic Review*, XXXI (1963), pp. 195-215 y 291-306.
6. Cfr. Menéndez Pidal, *Cantar de Mio Cid*, Madrid, 1954,³ I, pp. 19-28, y III, pp. 1165-1170.
7. Ya que éstas permitían que, al haber sido desterrado injustamente, el Cid luchara contra su rey y destruyera sus tierras.

terrado a la esposa y a los hijos del héroe. Condicionado por esta rémora, el Cid prefirió operar en el Levante y poco a poco consiguió crearse una posición de fuerza y de prestigio. En el 1086 sus relaciones con el rey mejoraron, pero él no regresó a Castilla, y al cabo de poco volvió a romper con el soberano. Los progresos del Cid en el Levante fueron constantes y culminaron en el 1094 con la dominación directa de Valencia, que Ruy Díaz controlaba en realidad desde hacía tiempo y que más tarde defendió victoriosamente contra los almorávides, manteniéndola después hasta la muerte. Hasta el 1085 se puede decir que los éxitos del Cid no fueron más que un episodio del predominio cristiano general sobre los reinos de *taifas*,[8] que culminó aquel año con la caída de Toledo, la antigua capital visigótica, en manos de Alfonso VI. Pero esta derrota provocó una vigorosa reacción por parte del Islam, congregado alrededor del emir almorávide de Marruecos, Yúçuf, que logró derrotar al rey de Castilla en la sangrienta batalla de Sagrajas. Queda claro, pues, que en aquellos años las aventuras del Cid tenían un peso y una resonancia extraordinarios: Ruy Díaz era la avanzadilla de la Reconquista, Valencia era, después de Toledo, la primera gran ciudad musulmana que caía en manos de los cristianos.

Sin embargo, el tema del poema no es la gran empresa político-militar del caballero de Bivar. El primero de los tres cantares que componen el poema narra los primeros acontecimientos del destierro, las primeras intentonas del héroe, sus primeros éxitos; el segundo describe de soslayo la conquista de Valencia y se centra en el noviazgo entre las dos hijas del Cid y los condes de Carrión; el tercero narra cómo los dos condes, que a pesar de su alto linaje han aceptado las bodas atraídos por los bienes conquistados por el héroe, manifiestan la crueldad de su orgullo ultrajando a las dos muchachas y abandonándolas en el robledal de Corpes (en el camino de vuelta a Castilla) y cómo el Cid pide justicia al rey y la obtiene de forma total en las cortes de Toledo. El poema no pretende, pues, ni ser una biografía poética del héroe, ni contarnos los momentos más relevantes de su vida; es lícito que nos preguntemos por qué escogió el poeta, del conjunto de la historia de Ruy Díaz, determinados elementos y no otros, y de qué manera trató aquellos que escogió.

8. Los reinos de *taifas* son los sucesores del califato de Córdoba que se desmembró a partir del siglo XI.

Vamos a empezar por este segundo problema. En primer lugar se nos describe cómo se produjo la partida del Cid hacia el destierro, y por lo tanto, no podemos ni criticar ni confirmar los detalles que nos da el poeta en las estrofas que hemos citado. Lo único que podemos observar es que el itinerario Bivar-Burgos-San Pedro de Cardeña-Sierra de Miedes [9] es el que nos esperamos; pero se trata de una verosimilitud tan evidente que sería posible en cualquier narración imaginaria. Pero hay un detalle que no es únicamente verosímil, es verdadero: el poeta sabía que la frontera entre el territorio castellano y el dominio musulmán en el 1081 pasaba precisamente por la Sierra de Miedes (vv. 422-423: «Passaremos la sierra que fiera es e grand, / la tierra del rey Alfonso esta noch la podemos quitar»), es decir sobre la línea divisoria de las aguas del Duero y del Henares. Pues bien, ya en 1085, tras la conquista de Toledo, la frontera se trasladó mucho más al sur. Cabe notar además que mientras el Cid permanece en el valle del Henares teme los ataques del rey Alfonso (vv. 528 y 532) y se siente seguro sólo cuando alcanza el valle del Jalón que queda más al norte. En realidad en aquellos años Alfonso protegía las zonas correspondientes al reino de Toledo y al de Zaragoza: también en este caso el poema conserva el recuerdo preciso de una situación específica que duró poco tiempo.

No se trata de ejemplos aislados. El poeta del Cid nos sorprende a menudo por su precisión. Fijémonos, por ejemplo, en los personajes, que generalmente están rigurosamente documentados, y a veces con detalles tales que el hallazgo de la noticia en el archivo es una verdadera casualidad. Así pues Álvar Fáñez, llamado en el v. 735 señor de Çorita, está documentado como tal en cartas del 1097 y del 1107, Martín Muñoz, llamado en el v. 738 gobernador de Mont Mayor en Portugal, desempeñó este cargo por lo menos entre 1091 y 1094, y hasta el insignificante Diego Téllez «el que de Álbar Fáñez fue» (v. 2814), que hospeda a las hijas del Cid tras la afrenta de Corpes, en un diploma del 1086 aparece como «Didaco Telliz dominante Septempública», y Sepúlveda había sido repoblada diez años antes por el propio Álvar Fáñez. No podríamos exigirle más precisión a un erudito.

Y sin embargo el mismo poeta cae en errores no menos singulares. El abad de San Pedro de Cardeña es llamado don Sancho

9. Que el Cid recorre al dejar Castilla.

(vv. 237 ss.), mientras que entre 1056 y 1086 desempeñó este cargo el famosísimo San Sisebuto. Álvar Fáñez aparece siempre al lado del Cid, y en cambio a partir de 1085 su presencia en la corte está documentadísima. Los infantes de Carrión según el poema son proclamados *malos y traidores* por las cortes de Toledo, y este juicio comportaba la pérdida de todos los derechos y honores; sin embargo permanecieron tranquilamente en la corte hasta el 1105 y figuraron como testigos en numerosas cartas. Pero lo más sorprendente es que la acción central del poema, las bodas de doña Elvira y doña Sol con Diego y Fernando de Carrión, no están documentadas en ninguna parte y el mismo Menéndez Pidal, que tiende a considerar el poema como fuente histórica de primer orden, se ve obligado a rebajarlas hipotéticamente a simple promesa nupcial;[10] ni siquiera está atestiguado que las hijas del Cid se llamaran con tales nombres, porque los documentos las llaman respectivamente Cristina y María;[11] como tampoco es verdad que éstas se casaran luego con los infantes de Navarra y de Aragón tal como se anuncia triunfalmente en los últimos versos del poema.[12]

En 1961[13] Menéndez Pidal quiso explicar esta singular convivencia de escrupulosa precisión y de libre fantasía distinguiendo dos autores del poema: el uno, más antiguo, podía ser de San Esteban de Gormaz y podía haber compuesto con gran exactitud histórica el poema hacia los primeros años del siglo XII, pocos años después de la muerte del Cid; el otro podía ser de Medinaceli y podía haber refundido la obra hacia 1140 cargando las tintas en los rasgos novelescos. No podemos analizar aquí en sus detalles la compleja y docta demostración de don Ramón, el venerable maestro de la filología española; nos limitaremos a remarcar que uno de sus puntos débiles es precisamente el prejuicio que le llevó a identificar antinómicamente un polo realista y un polo

10. Cfr. el volumen cit. en la nota 13.

11. Nótese que el poema no menciona al único hijo varón del Cid, Diego, que murió a los 22 años en la derrota que sufrió Alfonso VI en Consuegra (1097).

12. Se casaron Cristina con un infante de Navarra y María con el conde de Barcelona Ramón Berenguer III (el Grande). Aragón y Navarra dependieron de la misma dinastía hasta 1134; al separarse, el hijo de Cristina, García Ramírez, fue elegido rey de Navarra. A partir de 1137 Aragón estuvo unido a Cataluña, pero Ramón Berenguer IV no era hijo de María y no descendía, pues, del Cid.

13. En *Romania*, LXXXII (1961), pp. 145-200, y luego en el volumen *En torno al poema del Cid*, Barcelona-Buenos Aires, 1963.

fantástico, núcleos de la configuración de dos autores de personalidad distinta y de la clasificación de sus varias contribuciones al texto que conocemos. Además consideramos que es discutible la idea de que unos datos originariamente realistas se deterioren necesariamente poco a poco.

En resumidas cuentas nos encontramos con que el poema contiene unas incongruencias que no podían pasar por alto incluso en el 1140, como, por ejemplo, lo referente a los nombres y a la suerte nupcial de las hijas del Cid. Si además, tal como cree Menéndez Pidal, la concepción de la obra se remonta al 1100 aproximadamente, tales incongruencias tenían que ser numerosas y vistosas ya antes de la intervención del juglar de Medinaceli. El saber del investigador español le permite generalmente demostrar que no es seguro que lo que dice el poeta sea mentira o que constituye una falsedad explicable a partir de datos reales. Pero sigue siendo posible, por no decir probable, que muchas cosas sean francamente inexactas y que muchas veces el poema no merezca la confianza que depositamos en él (desde el punto de vista que estamos tratando, claro).

Así pues, por ejemplo, no vemos por qué el cantar tiene que modificar la realidad histórica solamente porque los recuerdos se han ido confundiendo en la mente del poeta. Pensemos en Álvar Fáñez; es sobrino del Cid, tal como se hace constar en los vv. 2858 y 3438 en los que llama «primas» a las hijas del héroe y como sabemos gracias a la carta dotal de la esposa del Cid, doña Jimena. Pues bien, no es nada casual que el poema le convierta, a pesar de los datos históricos contradictorios, en el brazo derecho del protagonista. En la epopeya es normal la presencia de una relación privilegiada entre tío y sobrino, como sucede entre Carlomagno y Roldán o entre Guillermo y Vivien.[14] Y la condena final de los infantes de Carrión no es tampoco un error casual; es la adaptación de los datos históricos a un esquema épico que exige el castigo de los malvados, solemne y definitivo, tal como sucede con Ganelón.[15] En casos como éstos es verosímil que la intervención del poeta no sea más que una adaptación perfecta-

14.   Ver los parágrafos siguientes de este capítulo.
15.   Que, al final del *Roland,* es condenado a morir descuartizado. Es frecuente que el poeta épico tenga interés en señalar que el malvado está condenado también al infierno, de manera que la muerte del cuerpo va acompañada de la muerte del alma.

mente consciente de la historia a los cánones de la tradición épica.

Que el texto forma parte de una tradición muy específica se puede comprobar también desde otros puntos de vista. Se habrá advertido que la frase del v. 1 reaparece con una simple inversión en el v. 18; nos basta esta observación comparable a otras parecidas,[16] para afirmar que nos hallamos frente a una fórmula, una de aquellas fórmulas que han sido siempre típicas de la poesía épica, desde el cliché ornamental (del tipo «Aquiles el de los pies ligeros») hasta el reiterado esquematismo de las descripciones, por ejemplo, en las batallas. La técnica de las fórmulas está vinculada a las características profesionales de los difusores de la épica, tanto si eran aedos, bardos o juglares.[17] El condicionamiento recíproco que existe entre ambos aspectos se puede observar muy bien en Servia o en algunas regiones de la Unión Soviética, tártaras o mongólicas, en las que la tradición épica se mantiene viva.[18] Sucede que el recitador profesional conoce, por una parte, el repertorio tradicional de temas épicos y, por otra, el repertorio formulístico adecuado a la expresión formal de los temas; el recitador suele improvisar, no recita un texto fijado, pero la improvisación en verso explota unos esquemas rítmico-sintácticos y unas fórmulas que la agilizan de manera muy notable, por lo que no termina siendo totalmente libre sino que se mueve, con distintas variantes, dentro del límite que le imponen la temática y estos formulismos restringidos. No existen dos recitaciones del mismo texto por el mismo ejecutante exactamente iguales, sin embargo los temas y las fórmulas constituyen un número finito de posibilidades.

Está claro también que los esquemas y las fórmulas están en íntima relación con la estructura métrica empleada. El *Cantar de*

---

16. Cfr. Menéndez Pidal, *Cantar...*, cit., II, p. 736.

17. Preferimos soslayar el problema de los autores (¿fueron ambos juglares?), que en cualquier caso tuvieron en cuenta el modo de difusión de su obra.

18. Para hallar información sobre estas tradiciones, cfr. J. de Vries, *Heldenlied und Heldensage*, Berna, 1961. Para las técnicas recitativas es muy notable A. B. Lord, *The singer of Tales*, Cambridge, Mass., 1964; para el campo romance P. Rychner, *La Chanson de Geste. Essai sur l'art épique des jongleurs*, Ginebra-Lille, 1955. Es clásico, también, el libro de C. M. Bowra, *Heroic Poetry*, McMillan & Co. Ltd., Londres, 1952 (traducido ahora al italiano, *Poesia eroica*, La Nuova Italia, Florencia, 1979). Véase la introducción al libro de M. Alvar citado en la nota 2 de este mismo capítulo y la bibliografía allí recogida.

*Mio Cid* está dividido en tiradas asonantadas,[19] cuyos versos presentan dos hemistiquios, y cuyo número de sílabas puede variar entre 10 y 20, sin ninguna regla aparente;[20] como consecuencia se deduce que las fórmulas tienen que poseer elasticidad suficiente para poderse adaptar a situaciones métricas distintas. Así por ejemplo en el verso 18 hallamos la fórmula en la versión que podríamos llamar mínima (*plorando de los ojos*), de manera que corresponda a la medida de un primer hemistiquio, mientras que en el v. 1 una fórmula idéntica, con ampliaciones no esenciales, llena todo el período métrico, y gracias a la inversión de sus términos fundamentales se adapta a la asonancia *a-o* (como podría también adaptarse a la *o-o*); como puede observarse la variabilidad de la fórmula tiene una manifestación lineal (mayor o menor extensión según las exigencias del verso) y una conmutativa (inversión a causa de las necesidades de la asonancia); ambas hacen posible su uso en estrofas y en lugares distintos. Es evidente que esto representa una ayuda para el recitador. En los poemas épicos se suele hablar con frecuencia de los caballos de los distintos guerreros; aquí el juglar echa mano de otro tipo de fórmula, la de los elementos constantes y elementos alternables (en nuestro caso el adjetivo que designa la raza o la calidad específica del caballo), que le proporciona una notable simplificación de su tarea.

Otra característica de la tradición narrativa épica es la existencia de un nivel intermedio entre el formulístico y el temático: un nivel de esquemas sintácticos. En el primer fragmento que hemos reproducido salta a la vista la abundancia de verbos en formas personales situados al comienzo de los hemistiquios,[21] tan-

---

19. Las últimas palabras de los versos no son, pues, idénticas a partir de la vocal tónica, sino que coinciden solamente las vocales tónicas y la posible vocal final, mientras que las consonantes pueden variar.

20. Se trata, pues, de versos anisosilábicos. El v. 1 tiene 13 sílabas (5 más 8), el v. 2, 14 o 15 (7 más 7 u 8, según si admitimos o no el hiato) y así sucesivamente. Es difícil determinar hasta qué punto la versificación no es del tipo no silábico sino acentual; durante mucho tiempo los editores creyeron conveniente someter el texto a una rígida ortopedia que consistía en acortar o alargar el original estableciendo una supuesta uniformidad. Pero tal uniformidad no se sustenta ni siquiera en criterios mayoritarios, ya que la incertidumbre ante las posibilidades de hiato o sinalefa reduce notablemente los casos seguros (es decir que se limitan a los versos en los que no hay ninguna yuxtaposición de vocales). La única constante segura es que el primer hemistiquio es o menor o igual al segundo, nunca mayor. Sobre la métrica del *Poema de Mio Cid*, véase C. Smith, *NRFH*, XXVIII (1979), pp. 30-56.

21. I hemistiquio: vv. 2, 3, 6, 7, 16b, 21, 30, 37, 38, 51, 52, 53, 55, 57, 59;

to si en el verso se expresa el sujeto como si no (cfr. vv. 2 y 6); este comienzo, especialmente frecuente en los primeros hemistiquios de verso, determina el esquema *verbo + sustantivo*. Examinemos el verso 16b: el esquema, de lo más simple, es como sigue: *verbo + sustantivo / sustantivo + sustantivo*; pues bien, en el v. 17 el poeta repite el mismo esquema, llevando a cabo únicamente una inversión: *sustantivo + sustantivo / sustantivo + + verbo*. Otro caso: en los vv. 51-53 el poeta ha utilizado un esquema basado en la coincidencia entre frase y hemistiquio, dando más coherencia a la serie gracias a la disposición de los verbos siempre al comienzo en los primeros hemistiquios y al final en los segundos. Naturalmente la relación esquemática se realiza en contenidos expresivos que juegan por semejanza o por contraste; aquí no solamente los verbos de los primeros hemistiquios están todos en tercera persona del singular de pretéritos indefinidos y los de los segundos en tercera persona del singular de imperfectos, sino que todas las frases expresan acciones sucesivas del mismo personaje. El esquema sintáctico en sí mismo es neutro sólo hasta un cierto punto; puede que no sea casual su utilización en un lugar en el que se expresa una ira contenida a través de acciones rápidas y nerviosas. En los vv. 47-48, en cambio, el discurso se construye con una frase por verso y la plegaria de la niña tiene un tono triste y relajado. En resumidas cuentas, el poeta épico —tanto si es un recitador profesional como si no lo es— dispone de un argumento narrativo, de un repertorio de fórmulas que tiene que insertar en un discurso sintáctico relativamente constante, y está siempre en relación inmediata con una forma métrica elástica por naturaleza propia. Estamos en la situación contraria a la del poeta más moderno, que goza de una libertad temática notablemente mayor pero condicionada por esquemas métricos fundamentalmente constantes, como, por ejemplo, la octava real, y está claro que esta situación presupone una filtración harto rigurosa de los datos exteriores a través de la tradición épica a todos sus niveles.

Una vez establecido esto, podemos intentar definir el propósito del poeta al poner en relación realidad y poesía. La fusión entre ambas se realiza dentro de la obra, en la que el poeta

---

II hemistiquio: 11, 12, 26, 31, 32 (el verbo está precedido por la conjunción y en los vv. 2, 13, 49).

introduce la realidad histórica según el condicionamiento tradicional y según las imposiciones de la situación presente. El juglar demuestra un total desprecio por los acontecimientos de la vida del Cid que tuvieron un peso en la historia del siglo XI y prefiere los temas de la relación entre el héroe y su soberano o su familia. Ya se ha visto que el poeta retiene que el destierro del Cid es injusto; todo el relato está basado en esta consideración y está encaminado a inclinar el auditorio a simpatizar con la tesis en cuestión. La antigua épica exigía solidaridad con los héroes y repulsión hacia sus enemigos, era partidista, no admitía compromisos, y el poeta guiaba los sentimientos de sus oyentes con medios sutiles, incluyendo, por ejemplo, un coro en el interior del relato (en nuestro caso los burgueses de Burgos) que con su simpatía despertaba una resonancia exterior que se contagiaba al público. La situación provocada por la presencia del coro era una necesidad para el poeta épico que se ganaba la vida gracias a sus oyentes, pues tenía que lograr que participaran en la narración y se sintieran emocionados por sus avatares, y no es casual que aquí el clima de aceptación colectiva esté centrado en la relación entre señor y vasallo, tan fundamental para la sociedad feudal. Sin embargo, la vinculación feudal tenía en Castilla unas características propias, debidas a la situación del reino ibérico en la frontera de la cristiandad. Este hecho no da especial relevancia al tema antiislámico de la guerra de cruzada, pero abre posibilidades ilimitadas para un caballero fuerte y con espíritu de iniciativa obligado a ganarse la vida fuera de los límites de su reino. Un guerrero desterrado del reino de Francia se encontraba en graves dificultades, pero un castellano, acostumbrado por otra parte a una forma mucho más atenuada de feudalismo, podía mejorar su situación feudal. Castilla disfrutaba de una movilidad social impensable en Francia; el mismo Cid es de nobleza reciente y la misma mesnada que le acompaña no está formada por vasallos sino por parientes y *criados,* y sus capacidades individuales le permiten alcanzar un estado muy superior al de la gran nobleza, personificada en el *Cantar* por los infantes de Carrión, que fundamenta su poder en las rentas fijas de la propiedad de la tierra y que queda oscurecida por las riquezas en tributos reunidas por Ruy Díaz. Cuando los infantes de Carrión se ven obligados a devolver las dotes tras la condena, no tienen bastante dinero: el orgullo con que uno de ellos había reprochado al Cid los modestos molinos cerca de Bivar no era más que palabrería arrogante sin fundamento alguno.

Dentro de esta red de situaciones histórico-económicas el poeta celebra las hazañas de un caballero pobre, pero fuerte y leal, que conquista con la espada el derecho a la existencia y que, tras sufrir una vejación indebida por parte de su señor, no se humilla, sin dejar de mostrar hacia su soberano el respeto que le es debido. Es una situación a la vez arquetípica y muy específica de la sociedad castellana de aquel tiempo y es evidente que esto es esencial para el texto, que nos revela así un nuevo vínculo con la realidad: no sólo la histórica, a la que se remontan los hechos que nos está narrando, sino también la del mundo en el que éste fue compuesto, que no es menos histórica, con sus ideales, su problemática, sus ambiciones. La tradición formal actúa de conmutador entre las dos.

## 2. CARÁCTER CONTEMPORÁNEO DE LA ÉPICA: EL «COURONEMENT DE LOUIS»

Al principio de la canción de gesta que lleva por título *Coronement Looïs* se nos cuenta que Carlomagno tiene dispuesta en la capilla de Aquisgrán la solemne coronación de su hijo Luis o Ludovico el Piadoso ante la totalidad de los nobles franceses; antes de empezar la coronación propiamente dicha, sin embargo, el viejo emperador quiere subordinar la dignificación del hijo a determinadas condiciones: Luis no deberá mancharse ni de pecado ni de traición, ni desheredará a los huérfanos. Carlomagno continúa así:[22]

IX.   «Se tu deis prendre, bels filz, de fals loiers,     80
        Ne desmesure lever ne essalcier,
        Faire luxure ne a lever pechié,
        Ne orfe enfant retolir le suen fié,
        Ne veve feme tolir quatre deniers,       84
        Ceste corone de Jesu la te vié,
        Filz Looïs, que tu ne la baillier.»
        Ot le li enfes, ne mist avant le pié.

22.  Cito de *Le couronnement de Louis*, edición de E. Langlois, París, 1952[2] (C.F.M.A.).

Pour lui plorerent maint vaillant chevalier.          88
Et l'emperere fu molt grains et iriez:
«Ha! las!» dist il, «come or sui engeigniez!
Delez ma feme se colcha paltoniers
Qui engendra cest coart eritier.                      92
Ja en sa vie n'iert de mei avanciez.
Quin fereit rei, ce sereit granz pechiez.
Or li fesons toz les chevels trenchier,
Si le metons la enz en cel mostier:                   96
Tirra les cordes et sera marregliers,
C'avra provende qu'il ne piust mendiier».
Delez le rei sist Arneïs d'Orliens,
Qui molt par fu et orgoillos et fiers;                100
De granz losenges le prist a araisnier:
«Dreiz emperere, faites paiz, si m'oiez.
Mes sires est jovenes, n'a que quinze anz entiers,
Ja sereit morz quin fereit chevalier.                 104
Ceste besoigne, se vous plaist, m'otreiez,
Tresqu'a treis anz que verrons comment iert.
S'il vuelt proz estre ne ja bons eritiers,
Je li rendrai de gré et volontiers,                   108
Et acreistrai ses terres et ses fiez.»
Et dist li reis: «Ce fait a otreier.»
«Granz merciz, sire», dïent li losengier,
Qui parent ierent a Arneïs d'Orliens.                 112
Sempres fust reis quant Guillelmes i vient;
D'une forest repaire de chacier.
Ses niés Bertrans li corut a l'estrier;
Il li demande: «Dont venez vos, bel niés?»            116
«En nom Deu, sire, de la enz del mostier,
Ou j'ai oï grant tort et grant pechié.
Arneïs vuelt son dreit seignor boisier:
Sempres iert reis, que Franceis l'ont jugié.»         120
«Mar le pensa», dist Guillelmes li fiers.
L'espee ceinte est entrez el mostier,
Desront la presse devant les chevaliers:
Arneïs trueve molt bien apareillié;                   124
En talent ou qu'il li colpast le chief,
Quant li remembre del glorios del ciel,
Que d'ome ocire est trop mortels pechiez.
Il prent l'espee, el fuere l'embatié,                 128
Et passe avant; quant se fu rebraciez,
Le poing senestre li a meslé el chief,
Halce la destre, enz el col li assiet:

L'os de la gole li a par mi brisié;                            132
Mort le trebuche a la terre a ses piez.
Quant il l'ot mort, sel prent a chasteier;
«Hé! gloz!», dist il, «Deus te doinst encombrier!
Por quei voleies ton dreit seignor boisier?            136
Tu le deüsses amer et tenir chier,
Creistre ses terres et alever ses fiez.
Ja de losenges n'averas mais loier.
Ja te cuideie un petit chasteier,                           140
Mais tu iés morz, n'en donreie un denier».
Veit la corone qui desus l'altel siet:
Li cuens la prent senz point de l'atargier,
Vient a l'enfant, si li assiet el chief:                    144
«Tenez, bels sire, el nom del rei del ciel,
Qui te doinst force d'estre bons justiciers!»
Veit le li pere, de son enfant fu liez:
«Sire Guillelmes, granz marciz en aiez.               148
Vostre lignages a le mien essalcié.»

(... «Si tienes que otorgar falsas recompensas, hijo mío,
favorecer o exaltar el orgullo, cometer lujuria o cultivar el
pecado, arrebatar su feudo a un huérfano, o tomar dineros
de mujer viuda, esta corona de Jesús, hijo Luis, te prohíbo
que la poseas.» Cuando el joven lo hubo escuchado, no ade-
lantó el paso. Muchos caballeros valerosos lloraron por él y
el emperador se sintió contrariado y triste: «¡Ay de mí»,
dijo, «qué engañado estaba! Junto a mi mujer se acostó
un indeseable que engendró a este cobarde heredero. En toda
su vida no será favorecido por mí. Si lo hiciera rey, sería
un gran pecado. Le haremos cortar todos los cabellos y lo
meteremos en aquel monasterio: tirará de las cuerdas y será
sacristán, tendrá una prebenda para que no deba mendigar».
Junto al rey está sentado Arneïs de Orleans, muy noble, orgulloso y fiero; empieza a hablarle con lisonjas: «Justo emperador, calmaos, escuchadme. Mi señor es joven, no tiene
más que quince años cumplidos, se moriría en seguida si lo
hiciéramos caballero. Otorgadme, si os place, esta tarea durante tres años y veremos cómo se comportará. Si se muestra
valiente y buen heredero, lo devolveré de buen grado y con
gusto, y aumentaré sus tierras y sus feudos.» Dijo el rey:
«Esto puede otorgarse.» «Muchas gracias, señor», dicen los
aduladores que eran parientes de Arneïs de Orleans.

Apenas nombrado rey, llegó Guillermo; volvía de cazar
en un bosque. Su sobrino Bertran se acerca a su estribo; él

le preguntó: «¿De dónde venís, sobrino mío?» «En nombre de Dios, señor, vengo de dentro del monasterio donde acabo de oír una gran injusticia y un gran pecado. Arneïs quiere traicionar a su señor de derecho: debe ser ya rey, que los francos lo han aceptado.» «En mala hora se lo propuso», dijo Guillermo el valeroso. Entró en el monasterio con la espada en el cinto, inmediatamente la empuñó ante los caballeros, encontró a Arneïs muy engalanado; le entraron ganas de cortarle la cabeza, pero se acordó del Dios glorioso del cielo, que matar a un hombre es un pecado demasiado grave. Tomó la espada y la colocó en su vaina, y pasó hacia delante; cuando se hubo remangado, con el puño izquierdo le golpeó la cabeza, levantó el derecho, le dio en el cuello; le rompió en dos el hueso de la garganta, lo derribó muerto a sus pies. Después de matarlo, empezó a amonestarlo: «¡Ay de ti, ambicioso! ¡Que Dios te castigue! ¿Por qué querías traicionar a tu señor de derecho? Habrías tenido que amarle y cuidar de él, acrecentar sus tierras y dignificar sus feudos. Ya no necesitarás recompensas por tus lisonjas. Yo quería sólo reprenderte pero te has muerto, no daría nada por ti.» Ve la corona sobre el altar: el conde la toma sin demorarse, se acerca al joven y se la coloca sobre la cabeza: «Tomad, señor, en nombre del rey de los cielos, ¡que os dé fuerzas para ser buen justiciero!» Lo ve el padre, se alegra por su hijo: «Guillermo, os estoy profundamente agradecido. Vuestra estirpe ha honrado a la mía.»)

Tenemos que advertir en seguida que la canción presenta un desarrollo posterior que no se puede adivinar a través del título. Guillermo, que se transforma en una especie de protector del joven monarca, va en peregrinación a Roma pero encuentra la ciudad sitiada por los sarracenos; lucha contra ellos y los vence. Pero, mientras está a punto de casarse con la hija del rey Guaifier en premio a su valor, tiene que volver urgentemente a Francia para hacer frente a una revuelta de nobles contra Luis (Carlomagno está ya muerto). Tras la derrota del nuevo usurpador, Guillermo y Luis van otra vez a Roma para la ceremonia de la coronación imperial pero son atacados por un príncipe alemán; Guillermo lo vence y vuelve a Francia con Luis coronado emperador.

Todo el mundo sabe que Carlomagno y su hijo Luis fueron personajes históricos, la coronación de este último, además, tuvo

lugar en Aquisgrán en el año 813, antes de la muerte del padre.
Arneïs de Orleans, en cambio, no es un personaje histórico y
cabría decir lo mismo de Guillermo de Orange si nos basáramos
solamente en nuestra canción; pero existe un ciclo de 24 poemas
en el que él mismo o sus parientes son los protagonistas, y en
el ciclo aparecen rasgos que permiten identificar al héroe con el
conde Guillermo de Tolosa:[23] ambos, el héroe épico y el personaje histórico, terminaron santamente sus días en un monasterio
no lejos de Montpellier, que lleva precisamente el nombre de
San Guillermo del Desierto. El Guillermo histórico, conde de
Tolosa desde el 790, estuvo realmente en contacto con Luis;
Carlomagno le asignó precisamente el reino de Aquitania, de
manera que el conde Guillermo tuvo que desarrollar funciones
de protector y de guía del príncipe mientras éste fue menor
(nació en el 778). Pero en el 813 Guillermo de Tolosa hacía
ya unos meses que había muerto y, por lo tanto, no pudo pre-
senciar la coronación de Aquisgrán. En comparación con el Cid,
pues, la fidelidad a la historia es mucho menor. Por otra parte,
aunque en el momento de la coronación hubiera un partido de
oposición, no se presentaron conflictos dramáticos tal como los
describe el poema; y Luis no fue desde luego el soberano inepto
que vemos en el cantar.

Se presenta espontánea la pregunta de si estas confusiones
de la realidad histórica no dependen del largo espacio de tiempo
—300 años— que separa los acontecimientos de su elaboración
poética. El problema, sin embargo, adquiere un sesgo distinto si
se considera[24] que el discurso pronunciado por Carlomagno tras
la coronación del hijo, y que contiene un ˙verdadero *speculum
principis* —tal como se les llamaba entonces— es decir un programa didáctico para un soberano cristiano y feudal, no depende
de una tradición legendaria ni de una simple invención del poeta
sino de una precisa fuente histórica, la *Vita Hludowici* de Thegan,[25] en la que se narra precisamente la ceremonia del 813, cuan-

23. A propósito del ciclo de Guillermo nos informa de manera excelente
J. Frappier, *Les chansons de geste du cycle de Guillaume d'Orange*, 2 vols.,
París, 1955 y 1967.² Las pp. 47-178 del vol. II están dedicadas al *Couronnement*.
Vid. también M. de Riquer, *Les chansons de geste françaises*, Nizet, París, 1968.²
24. Cfr. E. R. Curtius, *Gesammelte Aufsätze zur romanischen Philologie*,
Berna, 1960, pp. 271-276.
25. Thegan de Tréveris (837-838) narra la vida de Luis el Piadoso en ·forma

do se supone que Carlomagno pronunció efectivamente este discurso. Queda claro, pues, que el poeta que se había remontado a las fuentes, sabía perfectamente cómo se habían desarrollado los hechos; si nos habla de Arneïs y de Guillermo, su modificación es consciente.

Uno de los factores determinantes de esta intervención es sin duda la sensibilización ante un problema contemporáneo, del siglo XII: el de la sucesión al trono de Francia. En los versos que hemos leído coexisten dos principios distintos, el electivo y el hereditario. El primero era normal entre los pueblos germánicos [26] y en nuestro texto emerge cuando, al anunciar Carlomagno a la asamblea que están reunidos para decidir sobre la sucesión del trono, los presentes se sienten preocupados por el hecho de que sobre ellos pueda reinar un soberano extranjero,[27] y está implícito en la ambición de Arneïs de substituir a Luis con la aprobación de los barones (cfr. v. 120: «Sempres Arneïs iert reis, que Franceis l'ont jugié»). Pero el principio hereditario se manifiesta en el deseo de Carlos de ser sucedido por un hijo suyo y sobre todo en la conducta de Guillermo, que considera absurda cualquier otra solución; y es que todos están convencidos de que las cualidades, al igual que los defectos, se transmiten con la sangre, hasta el punto de que cuando Carlos ve que Luis no se atreve a tomar la corona, cree que no es hijo suyo, es decir que su esposa le ha traicionado con algún indeseable (vv. 90-92). En realidad la dinastía carolingia fijó el sistema hereditario como único válido, pero, debido a la progresiva debilidad de los reyes, ya a principios del siglo IX los altos dignatarios habían vuelto a implantar el procedimiento electivo, y de esta manera Hugo Capeto fue escogido entre los nobles para ser rey en el 987. Al año, Hugo consiguió que se coronara a su hijo y este hecho se transformó en costumbre entre sus descendientes; casualmente durante algunos siglos los reyes tuvieron siempre hijos varones que coro-

---

de anales hasta el año 835; su obra está editada en los *Monumenta Germaniae Historica. Scriptores,* II, pp. 585-603.

26. Pero generalmente con la limitación de que la elección tiene que realizarse dentro del ámbito de determinadas familias o de una sola familia (cfr. Tácito, *Germania,* VII, 1). La monarquía se consolidó, por distintas razones, durante las grandes invasiones.

27. Y al oír que Carlos desea coronar a su hijo, dan gracias a Dios porque les ha evitado esta desgracia (vv. 57-60).

nar antes de su muerte, de manera que el trono, en teoría electivo, volvía a funcionar de forma hereditaria. Pero esto no podía consolidarse sin una crisis que se produjo, en efecto, en el siglo XII: en 1131 murió Felipe, hijo de Luis VI, cuando ya había sido coronado, y las prisas con que el rey se precipitó a asegurar la sucesión del segundogénito Luis (más tarde Luis VII) nos revelan los riesgos de una situación de estas características.[28] También Luis VII se apresuró a coronar a su hijo Felipe II Augusto, pero éste, cuando quedó como único soberano en 1180, ya no se ocupó de poner en práctica esta costumbre secular: la monarquía era lo suficientemente fuerte como para que la sucesión hereditaria fuera un mecanismo automático.[29]

En nuestro cantar se fusionan el problema de la herencia de la corona y el del ideal monárquico. El centro simbólico de la ceremonia de Aquisgrán es sin duda la corona depositada sobre el altar (vv. 63, 72, 78), y las palabras de Carlos describen un ideal tan elevado de soberano justo que no nos sorprende que el joven Luis se atemorice ante un deber que parece sobrehumano. Se perfila así una distancia insalvable entre el ideal y la persona física del que, a pesar de todo, deberá ser rey: un muchacho incapacitado y asustadizo, que se humilla hasta el punto de arrojarse a los pies de Guillermo, su salvador, con un gesto de sometimiento involuntario que irrita al héroe.[30] El ideal del soberano está representado, sin lugar a dudas, por Carlomagno, pero el anciano emperador tiene un papel marginal en el poema, en el que la figura del monarca está personificada en un rey que está muy lejos del arquetipo. Pues bien, también esto tiene relación con la realidad contemporánea; hacia mediados del siglo XII la monarquía francesa atravesó una crisis muy grave. Luis VII se casó en 1137 con Leonor de Aquitania, que le aportó en calidad de dote casi toda la zona sur-oriental de Francia: el condado de Poitiers y el ducado de Aquitania; esto constituía una ampliación importantísima del patrimonio real, que hasta entonces era bastante reducido, con sólo las tierras de la Isla de Francia y de la

28. Cfr. R. Van Waard, «Le Couronnement de Louis et le principe de l'hérédité de la couronne», *Neophilologus*, XXX (1946), pp. 52-58.

29. Añadamos que los hijos de Enrique II de Inglaterra en estos mismos años daban un claro ejemplo, en sus luchas ininterrumpidas contra el padre, de los peligros de la división del poder.

30. Cfr. vv. 215 ss. y 1728 ss. A propósito de la figura épica de Luis véase K.-H. Bender, *König und Vasall*, Heidelberg, 1967.

región de Orleans. Pero el matrimonio fue un fracaso y a la vuelta de la segunda cruzada, en la que ambos soberanos participaron (y que no constituyó tampoco ningún éxito), se formalizó el divorcio; tres semanas más tarde Leonor se casó con Enrique Plantagenet (1152), duque de Normandía y conde de Anjou, que al cabo de dos años fue rey de Inglaterra. Casi la mitad de Francia pasaba de esta manera a manos de un soberano que, aunque fuera vasallo del rey de París en razón de estas tierras, era más poderoso que él y disponía además con toda libertad de su reino insular. El peligro que se presentó a los Capetos fue el más grave de toda su historia, si exceptuamos la crisis del siglo XV.[31] Nuestra canción se hace eco de esta situación: no es por casualidad que todos los usurpadores y todos los rebeldes proceden de territorios que pertenecían al rey de Inglaterra, si excluimos a Arneïs; Guillermo además lleva a cabo una larga expedición en estas tierras para restablecer el orden (vv. 1980-2222).

Lo dicho no implica que el poema se limite a disfrazar a la antigua acontecimientos contemporáneos; el problema de la sucesión hereditaria no llegó nunca en el siglo XII hasta el punto de gravedad que es descrito por el poema y ni siquiera se imaginó que la sucesión pudiera realizarse fuera de la familia real; y Luis VII, por otra parte, tampoco fue un rey tan débil como el Luis del cantar. El poema se inspira en problemas contemporáneos pero los traduce a un orden distinto cuya característica principal es la de presentar todas las situaciones llevadas al extremo, como si estuvieran elevadas al cuadrado o al cubo. Ya volveremos a hablar de ello.

3. DIMENSIONES DE LA ÉPICA

Aclaremos ahora otro punto del fragmento que hemos leído antes. Arneïs propone a Carlomagno que le confíe una especie de tutoría provisional sobre su hijo y por esta razón Guillermo lo mata; pero en realidad éste durante todo el poema actúa tam-

---

31. La situación se invirtió gracias a la habilidad de Felipe Augusto y a la ineptitud de Juan sin Tierra. En pocos años el rey de Francia consiguió recuperar buena parte de los dominios de los Plantagenet y asegurar para su dinastía un patrimonio sólido así como un prestigio político y militar muy grande. Por este motivo no tuvo ya Felipe Augusto problemas de sucesión: es evidente que esta cuestión y la fuerza de la monarquía están íntimamente ligadas.

bién como protector de Luis, que por consejo de su padre, ha aceptado voluntariamente su respaldo (cfr. vv. 221-223). Es lícito, pues, preguntarse en qué se distingue la conducta del traidor de la del héroe, si no esconde, por ejemplo, un conflicto de clases. Está claro que Arneïs pertenece a la más alta nobleza francesa; bastaría aducir el hecho de que está sentado «delez le rei» (v. 99). A primera vista podríamos pensar que Guillermo, ausente de la ceremonia de Aquisgrán (vv. 113-114), era de extracción más modesta, pero si no posee tierras es sólo porque es todavía muy joven.[32] Carlomagno le llama *sire* en el v. 148, y esta denominación se aplicaba solamente a la alta nobleza, su linaje nos es descrito siempre [33] como noble y famoso; no cabe duda, en resumidas cuentas, de que Guillermo fue también uno de los magnates al igual que su antagonista.

Pero la estructuración rígidamente clasista del mundo medieval parece tan inflexible que vale la pena preguntarse si, además de la contraposición entre Guillermo y Arneïs, no se translucen en la *chanson* los intereses o los ideales de algún estamento específico. Enrique II de Inglaterra calibró la importancia potencial de la literatura con relación a la acción política y encargó obras, generalmente de tipo histórico, para favorecer sus intereses,[34] pero en nuestro caso es inverosímil que la canción, a pesar de estar animada por una vigorosa inspiración monárquica, proceda de círculos cortesanos, ya que en ellos difícilmente se habría podido apreciar un soberano con una figura tan mezquina como la del Luis del poema y una representación de la monarquía tan alejada del ideal. Por otra parte la corte de París adquirió relieve literario sólo algunos años más tarde; en el siglo XII los juglares épicos vivían gracias a un público mucho más amplio: el de las plazas y de los castillos. La alta nobleza, condenada en la figura de Arneïs y de los demás rebeldes y exaltada en Guillermo, no tenía, en realidad, ningún interés en sustentar el elevado ideal de monarquía que se nos presenta constantemente en nuestro poema, por mucho que en él se subraye el deber y la necesidad que tiene el rey de apoyarse en los grandes vasallos;

32. El poeta lo llama *bacheler* (v. 1369), que quiere decir precisamente «caballero joven».
33. Por ejemplo por parte de Carlomagno en los vv. 209-211.
34. Cfr. sobre todo R. R. Bezzola, *Les origines et la formation de la littérature courtoise en Occident (500-1200)*, III/1, París, 1963, pp. 3-207.

pero tampoco la baja nobleza queda especialmente favorecida desde la perspectiva de la canción. Una monarquía fuerte podría responder a los intereses del pueblo, pero éste tiene un papel totalmente marginal en los acontecimientos.

En conclusión, los temas de la canción son la monarquía, la lucha contra el enemigo exterior, cristiano o sarraceno, las relaciones entre el soberano y los vasallos; pero estos temas, planteados fundamentalmente desde la perspectiva de los nobles, no revelan un enfoque específicamente clasista. Y esta circunstancia no es debida a una perspectiva extraña a la situación social, sino básicamente interclasista. Los temas interesan a todo el mundo sin dar la razón concretamente a nadie; se exalta el ideal monárquico pero su realización narrativa (Luis) es despreciable. Guillermo es un gran vasallo, pero también lo es Arneïs, hay personajes de la baja nobleza del lado de Guillermo y también de los rebeldes. El pueblo suele ser normalmente monárquico y es monárquico el portero que abre a Guillermo las puertas de Tours sublevada,[35] pero los burgueses de la ciudad están con los sublevados. Resulta, pues, que los ideales de la canción son compartidos por todas las clases y las condenas están dirigidas en contra de todos los particularismos; el interés colectivo es la substancia primordial: la corona de oro, símbolo del reino de Francia, es el centro de la escena precisamente porque expresa que la colectividad francesa ha adquirido conciencia de que constituye un organismo unitario.

Lo que acabamos de señalar no es un hecho marginal: es el elemento más característico y significativo de la poesía épica, que, al representar la toma de conciencia de sí misma de una colectividad y el descubrimiento de sus intereses propios, se convierte en poesía nacional; por ello la poesía épica aparece en determinados momentos históricos de la evolución de una nación, y concretamente en su período de formación.[36] Resulta así que se

35. Cuando el héroe llega a Tours oculta su identidad al portero como medida de seguridad, pero éste, temiendo que el forastero quiera ayudar a los rebeldes, intenta entretenerle para no abrir las puertas de la ciudad; entonces Guillermo se identifica y el portero proclama abiertamente su fe en la monarquía de tal manera que el héroe admirado ante la nobleza de ánimo del villano le arma caballero en el campo de batalla.

36. Esto no impidió la exportación de la poesía épica más allá de las fronteras nacionales, porque su problemática más íntima se reproducía en colectividades que se hallaban en estados de evolución comparables. Es sabido que la épica francesa se exportó a España y a Italia, especialmente en el norte

entabla entre la obra y su público una relación muy peculiar que es específica de la épica. En efecto, si los ideales y los problemas de la canción de gesta son los de una colectividad en formación, esto quiere decir que el público está directamente interesado en ellos. La sucesión del trono de Francia, más allá de su traducción narrativa, era una cuestión que concernía a todos los franceses del siglo XII, igual que la fuerza o debilidad de la monarquía y su actitud hacia los vasallos y los enemigos. Cada oyente encuentra en la canción sus propios intereses, que no le afectan a él en particular sino en cuanto miembro de la comunidad francesa. Así, pues, mientras para el lector moderno la poesía épica puede aparecer como el colmo de la evasión y de la falta de compromiso, para el público medieval la situación era exactamente la opuesta. He aquí por qué, al margen de la pura técnica de ejecución, el poeta épico, tal como hemos visto en el *Mio Cid,* tiende a establecer una solidaridad entre el héroe, el coro interior y el coro exterior, representado por el público. Por otra parte el narrador, tanto si es el autor o sólo el ejecutante, se encuentra personalmente en la misma situación que el público con relación al acontecimiento que expone, está también comprometido con el poema porque también él es francés. Los románticos decían que el autor épico desaparece, se anula detrás de la ficción narrativa; en realidad el narrador no interfiere en el relato porque ha tomado partido del lado del público, porque siente, al igual que su público, el poema como cosa suya. Ésta es la causa de la objetividad épica y por ello es absolutamente imprescindible que los acontecimientos narrados sean verdaderos, o por lo menos vividos como verdaderos, porque de otra manera no tendrían ningún ascendente sobre el auditorio. El poeta no se presenta como el creador del relato, no es más que un testigo; lo que constituye la explicación más profunda de algunas frases que se repiten a menudo, como por ejemplo: «Señores, escuchen una canción de gran nobleza,

---

de ésta, pero no hay que confundir la transmisión de poesía épica propiamente dicha con la transmisión épica aplicada a distintas utilizaciones narrativas. Contrariamente a lo que parece lógico, incluso en el primer caso es posible que un poema celebre como héroes nacionales personajes extraños y hasta enemigos. El héroe de la resistencia serbia contra los turcos, Marko Kraljevic, fue en realidad un traidor a su pueblo y un amigo de los turcos, pero cuando los serbios cantan a Marko o cuando cantan temas épicos de origen francés están celebrando problemas propios de su colectividad haciendo suyos materiales que por su origen les son ajenos.

toda de historia verdadera sin nada falso»,[37] y que son algo más que simples toques de atención.[38]

Si lo dicho es cierto resulta que los distintos juicios que merecen la acción de Arneïs y la de Guillermo no hay que verlos desde una perspectiva de clase, sino que hay que situarlos en un plano moral. No se trata de una moral exclusivamente cristiana, sino más bien de una ética feudal: el uno falta a sus deberes feudales, el otro no. Arneïs, en efecto, tiene el propósito oculto de suplantar a Luis, tal como nos dice explícitamente el poeta en el verso 113 y repite Bertran en el 220; por ello intenta evitar la coronación de Luis, ya que le habría conferido carácter sagrado. Pero, al ser vasallo de Carlos, Arneïs tiene el deber de ser leal para con su señor y, en cambio, vemos que intenta engañarlo con *losenges* (vv. 101-139). Guillermo, por el contrario, respeta plenamente sus deberes: aunque *stricto sense* no es un vasallo ya que todavía no ha recibido feudos de su rey, está vinculado a su *dreit seignor* (v. 136), al que más tarde le ligará la promesa de protección del v. 224. Y no faltará a esta promesa ni siquiera cuando la debilidad del rey le suscita ira,[39] ni siquiera cuando al comienzo del *Charroi de Nimes,* que viene inmediatamente después del *Coronement,* la ingratitud del rey es evidente y posibilita la total liberación de los vínculos feudales. Como el Cid, Guillermo es un ejemplo del respeto debido a las obligaciones feudales, ejemplo heroico, porque el personaje va más allá de los límites que señala la costumbre. Según el rasero de la ética feudal el bueno se distingue del malo casi siempre sin problemas, sin arrepentimientos, con una especie de maniqueísmo intrínseco en apariencia muy simplista.

Este mismo esquematismo se encuentra también en otras partes. Pensemos, por ejemplo, en el cuadro político que generalmente está simplificado en el antagonismo entre franceses y mu-

---

37. Son los cuatro primeros versos de la canción de los *Quatre fils Aymon,* es decir del *Reinaldos de Montalbán,* editada por F. Castets, Montpellier, 1909.

38. Esto no quiere decir que les neguemos esta función inmediata, sino que reivindicamos una lectura a distintos niveles de profundización, niveles que pueden estar todos presentes a la vez o que se pueden alternar, según convenga. Véase A. Vàrvaro, «Il *Couronnement de Louis* e la prospettiva epica», en *Actas del III Congreso Internacional de la Société Rencesvals (Barcelona, 1964), Boletín de la Real Academia de Buenas Letras de Barcelona,* Barcelona (1967), páginas 333-344.

39. Como en los vv. 2249 ss. y 2665 ss.

sulmanes, dos etiquetas que encubren una confusa pluralidad de gentes distintas; en las descripciones de los dos ejércitos enfrentados, las tropas de Carlos o de Luis cuentan más o menos con todos los pueblos de la Europa cristiana, y las islámicas reúnen paganos de todas ralea, desde los moros a los rusos o a los escandinavos.[40] Cuando se compuso nuestro cantar las cruzadas de Oriente ya habían empezado por lo menos desde hacía cincuenta años y los contactos con los musulmanes eran frecuentes, tanto en España como en Palestina; y, no obstante, nuestra canción presenta a los mahometanos como politeístas e idólatras, a pesar de que son tan rigurosamente monoteístas que ni siquiera admiten representaciones de la divinidad. No se trata solamente de ignorancia: hay aquí una voluntad de simplificación, que se aplica al cuadro histórico, al religioso y también al ético. Las personalidades de los protagonistas, al estar definidas por coordenadas tan elementales, aparecen monolíticas. Los buenos son siempre buenos, los malos presentan una desmesurada porfía en la maldad que les lleva a consecuencias extremas: se llega hasta a teorizar sobre la maldad, a convertirla en un testamento espiritual que puede ser transmitido a los hijos en la hora de la muerte. El malvado tiene que perder el cuerpo y el alma, condenada sin remisión, y sus hijos deberán continuar su obra nefasta. Y es que la deslealtad y la traición constituyen un peligro mortal para la sociedad feudal, que no tiene más armas para combatirlas que la incansable función amonestadora de la palabra. Pero para que la poesía posea su valor educativo pleno es necesario que el castigo de las culpas sea inexorable y sin escapatoria posible, ni en esta vida ni en la otra; a pesar de todo el mal se puede perseguir, no exterminar.

La condición de los enemigos exteriores, de los infieles, es distinta y mejor. A menudo no se nos presentan como malvados sino como descaminados de la verdad; a su perfección caballeresca le falta solamente la fe cristiana, y por ello tienen un conocimiento correcto de las finalidades de la vida. Los infieles pueden convertirse y a menudo lo hacen. Mientras que el traidor no tiene más argumentos que su instinto malvado, el sarraceno

---

40. Aquí figuran como antagonistas cristianos de los francos los alemanes de la segunda batalla junto a Roma, y también esto es un reflejo de la realidad contemporánea del *Couronnement*. Cfr. Frappier, *Les chansons*...; cit., II, páginas 150 ss.

cree que tiene razones válidas; el rey Galafre, que está sitiando Roma, considera que la ciudad le pertenece por derecho, ya que se considera legítimo descendiente de César,[41] y cree que los franceses son unos usurpadores, pero tras ser vencido reconoce su error y se convierte, considerando la guerra como un juicio de Dios. El signo más evidente de que se reconoce la nobleza de los paganos es que suelen morir de una manera digna de caballero, en plena lucha y de un golpe de espada; los traidores, en cambio, suelen tener un triste final: Arneïs muere con el hueso de la garganta partido de un puñetazo, como un animal; Ganelón muere descuartizado, etc.

Un pagano convertido, sin embargo, está narrativamente acabado,[42] su historia no puede tener ya ningún desenlace, porque los personajes épicos, igual que no presentan claroscuros, tampoco poseen evolución interior, son siempre iguales a sí mismos. El tiempo épico no tiene ningún peso: en el *Couronnement* pasan algunos años entre los primeros hechos que se narran y los últimos,[43] y sin embargo Luis al final es todavía un *enfant* (v. 2683) y Guillermo un joven héroe sin feudo, nada ha cambiado en sus caracteres ni en sus maneras de pensar. Y en un plano más general, un personaje como el de Guillermo es idéntico en todos los poemas que hablan de él y los cambios de Luis no dependen de su evolución interior sino de las distintas actitudes que adopta el poeta respecto a su soberano.[44] Puede ser que se trate de un defecto de los narradores, pero los autores contemporáneos de novelas admiten la maduración de los personajes y en cierto modo están capacitados para describirla, de manera que es evidente que en la épica nos hallamos otra vez ante una manifestación de aquel proceso general de simplificación de la realidad cuya consecuencia

41. En el confuso recuerdo popular el rasgo más destacado de la romanidad parece que es el paganismo, de donde nace una vinculación con los sarracenos. Las grandes ruinas antiguas se creían a menudo obra de los musulmanes, y a veces hasta del demonio. En la *Prise d'Orange,* de la que hablaremos, Guillermo lucha en el teatro romano de Orange, que es considerado el palacio del rey moro de la ciudad; también la batalla de Archamp, de la que hablaremos asimismo más adelante, se localizó en una necrópolis romana situada en la periferia de Arles.

42. Una excepción es Guibourg, la esposa de Guillermo, que con el nombre de Orable había estado casada con el rey moro Tiébaut d'Orange, y que el héroe sedujo y conquistó por la fuerza.

43. Sólo la expedición de Guillermo en el Poitou duró tres años: v. 2011.

44. Cfr. el libro de Bender cit. en la nota 30 del parágrafo anterior.

inmediata es que todos los rasgos narrativos se hacen más nítidos y significativos. Cuando Guillermo se da cuenta de que Arneïs se está haciendo el dueño de la situación, su reacción es instantánea, sin reflexión, definitiva; solamente cuando guarda la espada en la funda parece que el arrepentimiento cruza por su mente, pero el gesto tiene la función de dar más relieve a la inexorable espontaneidad del asesinato de Arneïs. El héroe es un extrovertido, se define por aquello que hace, no por aquello que piensa. Quien piensa, calcula y sopesa palabras falaces, es un traidor. Las acciones del héroe están siempre situadas a un nivel superior al normal, y precisamente por ello más incisivo y ejemplar que cualquier otro.

La simplificación de la realidad justifica su exaltación funcional. He aquí por qué es posible que un guerrero corte de un solo tajo al enemigo con su caballo y hundiendo la espada en la tierra, que un solo héroe se enfrente a todo un ejército, como Roldán o Vivien, y que muera, pero vencedor. Todo es real en la épica, pero macroscópico, trasladado a una dimensión mayor, más nítida, ideal para esclarecer sin lugar a dudas la problemática de la colectividad y para señalar unos modelos de conducta heroica.

Todas estas características confluyen en la configuración de una estructura narrativa tendencialmente abierta. El caso del *Couronnement* desde este punto de vista es verdaderamente límite: podríamos añadir o quitar un episodio sin que se alterara el sentido general de la obra; basta con conservar el dato de la debilidad de Luis y del sacrificio heroico de Guillermo. Un género que, como el épico, pone en juego las razones fundamentales de la vida social, tiene que poder describir el triunfo de éstas; pero no suele tratarse de éxitos definitivos. La épica no está fundamentada en la sorpresa narrativa (en la épica, como en otros géneros, el poeta suele asegurar a su auditorio sobre el resultado del relato que acaba de comenzar); lo que cuenta no es la meta que se alcanza, de la que no podemos dudar a menos de perder la fe en nosotros mismos, sino los infinitos peligros que hay que combatir y superar. La colectividad está en peligro y se salva, poniendo a prueba la solidez de sus estructuras y el valor de sus héroes, pero la victoria no es nunca definitiva. El verso final del *Couronnement* («Quant il [Looïs] fu riches Guillelmes n'en sot gré») («Cuando Luis fue rico Guillermo no estuvo contento») (v. 2695) o el final del *Roland* en el que Carlomagno tiene la premonición de nuevas desgracias, no son solamente un recurso cíclico, el anuncio de nuevos acontecimientos para mantener la atención del público; son sobre todo la expresión de la conciencia de que una sociedad está siempre en peligro, siempre llena de riesgos. El valor didáctico de la épica está también ahí y no sólo en la ejemplaridad de los héroes o en la normatividad de su conducta.

## 4.  ÉPICA Y TRAGEDIA: RAÚL DE CAMBRAI

Raúl de Cambrai, protagonista del cantar de gesta homónimo,[45] perdió a su padre, Taillefer, cuando era niño; el rey tuvo que proponer a su madre, la condesa Aalais que, según las costumbres feudales, contrajera un nuevo matrimonio, pero al renunciar ésta a la boda, el feudo de Taillefer fue adjudicado a Gibouin le Mancel. El muchacho creció en la corte del rey Luis que, encariñado con él, le dio el título de senescal. Al alcanzar la mayoría de edad, Raúl, instigado por su tío Guerri, pidió al rey su herencia pero Luis se vio obligado a negársela para no enemistarse con Gibouin. A cambio el soberano le prometió la primera tierra que quedara libre y la casualidad hizo que ésta fuera el Vermandois,[46] que fue aceptado por Raúl a pesar de saber que con ello defraudaba a cuatro huérfanos. Estalló la guerra entre el bando de Raúl y la familia de Vermandois; de ésta formaba parte Bernier, el escudero de Raúl, que por deberes feudales estaba obligado a seguir a su señor. La fidelidad de Bernier no enflaqueció ni siquiera ante los horrores de una guerra llevada a cabo sin ninguna piedad; Raúl quemó la ciudad de Origny, incendiando el monasterio del que era abadesa la madre de Bernier, sin que éste pudiera hacer nada por salvarla. Pero al cabo de poco Raúl, durante un banquete, golpeó a su escudero a causa de una disputa surgida entre ambos: el gesto de Raúl disolvió automáticamente el vasallaje de Bernier.[47] El prota-

45.  Fue escrito en la segunda mitad del siglo XII y lo editaron Paul Meyer y A. Longnon, París, 1882 (SAFT).

46.  El condado de Vermandois, cuya capital era Saint-Quintin, está en la Picardía, un poco al sur de Cambrai.

47.  Ser golpeado por el señor era uno de los pocos motivos que desvinculaban al vasallo de todos los deberes feudales.

gonista intentó disculparse y pedir perdón, pero en aquel momento Bernier, al ser de nuevo libre, se había ya transformado en el peor de los enemigos de Raúl y le hostigó implacablemente hasta matarle en San Quintín. Posteriormente un sobrino de Raúl reactivó la lucha por lo que también Bernier perdió la vida.

Esta historia se puede relacionar con un núcleo de acontecimientos históricos (algunos sucesos del siglo X) aunque, como siempre, se discute cuál es la relación concreta entre historia y poesía.[48] Notaremos en seguida, sin embargo, que hay unos caracteres que contraponen esta canción a las dos aludidas anteriormente y a muchas otras. No aparece el tema de la lucha contra los sarracenos y en general contra enemigos externos, la intervención del rey es muy modesta, limitada al comienzo de los acontecimientos, cuyos protagonistas pertenecen todos ellos a dos linajes franceses implacablemente adversos. Todo esto no impide que la *chanson* forme parte de la problemática épica: basta pensar en que el nudo de la historia lo constituye una cuestión feudal —la herencia de los feudos—, y que el tono de los acontecimientos está dictado por las relaciones entre señor y vasallo y por la guerra civil.

Luis no cometió injusticia alguna al asignar la región de Cambrésis a Gibouin tras la muerte de Taillefer; un feudo conllevaba unos deberes especiales, sobre todo el *auxilium* y el *consilium,* y ya que en la Francia del norte la mujer no tenía capacidad jurídica, está claro que ni Aalais ni Raúl niño podían desempeñar obligaciones militares, y por ello no estaban capacitados para honrar los compromisos para los que el feudo, que no era una propiedad plena y no pagaba impuestos, fue creado y asignado. Para poner remedio a esta situación el soberano estaba autorizado por la costumbre a proponer a la viuda un nuevo matrimonio que devolviera al feudo su cabeza; esto es lo que Luis hizo con Aalais, que además era su hermana. Tras el rechazo de ésta, tenía derecho a entregar el feudo a un militar en el que tuviera confianza. Sin embargo, el derecho feudal no preveía que el huérfano perdiera sus derechos hereditarios, ya que al alcanzar la mayoría de edad teóricamente tenía que recibir el feudo de manos de quien lo había tutelado durante los años anteriores.

48. Cfr. P. Matarasso, *Recherches historiques et littéraires sur «Raoul de Cambrai»,* París, 1962. El argumento de *Raoul de Cambrai* se puede leer con más detalles en M. de Riquer, *op. cit.,* en n. 2, p. 225.

En la práctica la situación era difícil de resolver, porque el «guardián», tanto si se había casado con la viuda como si no, tenía tendencia a considerar el feudo que había «guardado» como algo propio y solía negarse a devolverlo al heredero legítimo. En tales casos el rey acostumbraba a prometer al joven defraudado la primera tierra que quedara vacante, con lo que a menudo se creaban nuevos problemas y se ponían en tela de juicio otros derechos hereditarios. La promesa que Luis hace a Raúl es idéntica a la que el mismo rey hace a Guillermo al comienzo del *Charroi de Nimes,* ya que éste no había salido beneficiado en una gran distribución de tierras; pero en aquel caso Guillermo rechaza con ira lo que considera una promesa desleal [49] y prefiere conquistarse un dominio en territorio sarraceno, sin robar la herencia a nadie.

En nuestro texto, en cambio, la promesa, si no culpable por lo menos imprudente, del rey desencadena el mecanismo inexorable de la fatalidad; el rey no puede faltar a su promesa, porque traicionaría su palabra, y Raúl, que la ha aceptado, tampoco, porque quedaría deshonrado: todo el mundo pensaría que su renuncia es debida al temor ante las consecuencias de su gesto, al miedo que le inspira la familia de los desheredados. No tiene otro remedio que ir hasta el fondo de la cuestión; los hechos adquieren la primera cima dramática en el encuentro entre Raúl y su madre:[50]

> XLVIII.  Dame Aalaïs au gent cors signori
> Son fil Raoul baisa et conjoï,                     965
> Et li frans hom par la main le saisi;
> Andui monterent el gran palais anti.
> Ele l'apele, maint baron l'ont oï:
> «Biax fix», dist ele, «grant voi soi et forni;
> Seneschax estes de France, Dieu merci.          970
> Molt m'esmervel del fort roi Loeys;
> Molt longuement l'avez ore servi,
> Ne ton service ne t'a de rien meri.

---

49.  En las estrofas 13-14 del *Charroi* (ed. J. L. Perrier, París, 1931, CFMA) Luis ofrece a Guillermo la herencia del conde Folco, después la de Auberi el Borgoñón, finalmente la del marqués Berengier, pero éste las rechaza sucesivamente porque el primero dejó dos hijos, el segundo un hijo y el tercero otro tanto; en el caso de que aceptara, la viuda tenía, además, que casarse con Guillermo. El héroe no sólo rechaza la herencia sino que amenaza de muerte a quien pretenda apoderarse de la herencia del hijo del marqués.

50.  Edición cit., pp. 31-32.

Toute la terre Taillefer le hardi,
Le tien chier pere qe je pris a mari,                     975
Te rendist ore, ar la soie merci,
Car trop en a Mancel esté servi.
Je me mervelg qe tant l'as consenti,
Qe grant piece a ne l'as mort ou honni».
Raoul l'entent, le cuer en ot mari:                       980
«Merci, ma dame, por Dieu qui ne menti!
Tout mon service m'a Loeys meri:
Mors est Herberz, ice sachiéz de fi,
De sa grant terre ai le don recoilli.»
Oit le la dame, souspirant respondi:                      985
«Biax fix», dit ele, «longement t'ai norri;
Qi te donna Peronne et Origni,
Et S. Quentin, Neele et Falevi,
et Ham et Roie et la tor de Clari,
De mort novele, biax fix, te ravesti.                     990
Laisse lor terre, por amor Dieu t'en pri.
Raouls tes peres, cil qui t'engenuï,
Et quens Herberz furent tos jors ami:
Maint grant estor ont ensamble forni;
Ainc n'ot entr'ax ne noise ne hustin.                     995
Se tu m'en croiz, par les sainz de Ponti,
Non aront ja li effant envers ti».
Et dist Raouls: «Nel lairai pas ensi,
Qe toz li mons m'en tenroit a failli,
Et li mien oir en seroient honni.»                        1000

XLIX.  «Biax fix Raoul», dits Aalaïs la bele,
«Je te norri del lait de ma mamele;
Por quoi me fais dolor soz ma forcele?
Qi te dona Perone et Peronele,
Et Ham et Roie et le borc de Neele,                       1005
Ravesti toi, biaux fix, de mort novele.
Molt doit avoir riche lorain et cele,
Et bon barnaige qi vers tel gent revele.
De moi le sai, miex vosisse estre ancele,
Nonne velée dedens une chapele.                           1010
Toute ma terre iert mise en estencele».
Raouls tenoit sa main a sa maissele,
Et jure Dieu qi fu nez de pucele,
Q'il nel lairoit por tout l'or de Tudele,
Ains qu'il le lait en iert traite boele                   1015
Et de maint chief espandue cervele.

(La señora Aalais de aspecto noble y distinguido saludó y besó a su hijo Raúl, y el valiente varón la cogió de la mano; ambos subieron al gran palacio antiguo. Ella se dirige a él, muchos barones la oyeron: «Hijo mío», dijo, «sois grande y robusto; sois senescal de Francia gracias a Dios. Me sorprende mucho el fuerte rey Luis, lo habéis servido ya durante mucho tiempo y tu servicio no te ha sido recompensado. Toda la tierra del atrevido Taillefer, a quien yo tomé por marido, debería serte devuelta ahora por su intercesión, ya que Mancel se ha servido de ella lo bastante. Me sorprende que hayas soportado tanto esta situación, que no lo hayas matado o deshonrado desde hace tiempo». Raúl la escucha, se le entristece el corazón: «¡Piedad, señora, por Dios que no miente! Luis me recompensa todos mis servicios; ha muerto Herbert, ya lo sabéis con seguridad, he recibido como regalo su amplia tierra.» Lo oyó la señora, suspirando respondió: «Hijo mío», dijo, «te crié durante mucho tiempo; quien te dio Peronne y Origni, y S. Quintín, Neele y Falevi, y Ham y Roie y la torre de Clari, de muerte inminente, hijo, te invistió. Deja sus tierras, te lo ruego por el amor de Dios. Raúl, tu padre, el que te engendró, y el conde Herbert fueron siempre amigos: reunieron juntos un gran ejército; jamás hubo entre ellos querella ni pelea. Si me quieres creer, por los santos de Ponti, no te enemistes con sus hijos». Y dijo Raúl: «No lo dejaré así, que todo el mundo me consideraría un débil, y mis oídos serían ofendidos.»

«Hijo mío Raúl», dijo Aalais la bella, «yo te crié con la leche de mis pechos; ¿por qué me haces sufrir en el corazón? Quien te dio Peronne y Peronele, y Ham y Roie y el burgo de Neele, te invistió, hijo mío, de una muerte inminente. Debe tener muy buenos arreos y silla de montar y buena mesnada el que se enfrente a esta gente. Por lo que a mí se refiere preferiría ser criada, monja profesa en capilla. Toda mi tierra será puesta en desorden». Raúl tenía la mano en el mentón, y juró por Dios que nació de virgen que no lo dejaría correr por todo el oro de Tudela; antes de dejarlo, sacaría muchas entrañas y esparciría el cerebro de muchas cabezas.)

Al principio la madre incita a Raúl para que obtenga la restitución de la región de Cambrésis, pero cuando Raúl le dice que el rey le ha otorgado las tierras de Herbert de Vermandois se da cuenta en seguida del veneno mortal que acompaña esta donación y le implora que no acepte; la situación se plantea a la inversa: ahora es Raúl quien se resiste. El comienzo presagia un dramático conflicto entre los dos personajes, que no deja de producirse pero a partir de un motivo inesperado, pues no es la necesidad de hacer valer los títulos hereditarios de Raúl, sino la de aceptar el nuevo feudo ofrecido por el rey y en consecuencia la guerra contra los parientes de Herbert. El poeta utiliza una técnica especial, llamada paralelismo,[51] que consiste en estructurar de manera análoga algunas partes de estrofas sucesivas. La estrofa XLVIII se puede analizar como sigue: *A:* introducción narrativa (vv. 964-968); *B:* Aalais solicita a Raúl para que reivindique su feudo (vv. 969-979); *C:* Raúl dice que ha obtenido la región de Vermandois (vv. 980-984); *D:* presagio de muerte y súplica de Aalais (vv. 985-997); *E:* Raúl rechaza el consejo (vv. 998-1000). La estrofa siguiente presenta repetidos sólo los apartados *D'* (vv. 1001-1011) y *E'* (vv. 1012-1016). Veamos cuál es la relación entre *D* y *D'*: los vv. 986-990 corresponden a los vv. 1002 y 1004-1006, de los que se apartan solamente por el cambio de asonancia (*i* en la estrofa XLVIII y *e-e* en la XLIX), que impone modificaciones y cambios de orden; éstos son los versos que contienen el presagio de muerte, mientras que la segunda parte en *D* se refiere a la amistad entre las casas de Vermandois y Cambrai, y en *D'* expone las dificultades de la guerra inminente. En el caso de *E* y *E'* la vinculación está en la relación verbal entre *Nel lairai* (v. 998) y *nel lairoit* (v. 1014) y la divergencia en la alusión al honor en *E* y las amenazas de *E'*.

Evidentemente esta técnica narrativa no tiene pretensiones de verosimilitud, no es realista sino expresionista. El poeta no está narrando sino que pretende alcanzar unos efectos dramáticos, poniendo de relieve algunos motivos a través de la repetición con variantes; además está jugando en el plano de la estabilidad de la situación y de sus mutaciones insensibles debidas a la presencia, junto a las repeticiones, de elementos alternables que desarrollan el discurso, indicando sucesivamente aspectos nuevos; la actitud central, sin embargo, es la expresada y subrayada a través de la repetición paralela. La narración no presenta, pues, como de costumbre, estructura lineal sino estrellada, es decir que no se desarrolla sobre un eje cronológico que es homólogo en el plano del relato y en el de la historia que se evoca, sino que vuelve

51. Magníficamente estudiada en el volumen citado de J. Rychner.

atrás repetidamente, interrumpiendo lo que podría ser una línea temporal para volver a empezar.

Los efectos de esta técnica son muy expresivos y patéticos, pero varían según sus aplicaciones. Aquí las estrofas paralelísticas hacen que el conflicto humano entre los personajes sea de un vibrante dramatismo y que se perciba la fatalidad del destino. Sabemos que la épica no aspira a sorprender ni a crear asombro, sabemos que practica la esquematización y la generalización de los contenidos; en nuestro caso queda claro que el paralelismo está encaminado a estas dos finalidades, subrayando la antítesis entre Raúl y su madre, y aislando además dos estados de alma de valor absoluto que se nos muestran angustiosamente irreconciliables. No es cierto que la técnica paralelística sea estática; la serie de las estrofas continúa, culminando en la maldición de Aalais:

> En quant por moi ne le viex or laisier,
> Cil Damerdiex qi tout a a jugier,
> Ne t'en ramaint sain ne sauf ne entier!
>
> (vv. 1131-1133)

> (Ya que por mí no quieres dejarlo correr, ¡que Dios, el que juzgará todas las cosas, no te conserve ni sano, ni salvo ni entero!)

Que constituye el desahogo de una tensión que iba vibrando y acumulándose desde antes.

Vale la pena preguntarse qué sentido tiene la tragedia en la *chanson de geste*. Ya hemos dicho que el motivo trágico más constante es la necesidad de que las hazañas heroicas vayan repitiéndose hasta el infinito, la conciencia de que cuando cesa la actuación del héroe la estabilidad social, interior y exterior, se deteriora y decae. Ante la prueba de la vida cada personaje reacciona a su manera: hay la respuesta del traidor y la del leal, la respuesta del malvado y la del generoso, la respuesta del débil y la del fuerte, todas ellas diferentes cuantitativa y cualitativamente. Pero el carácter trágico de la vida es a menudo latente y a veces está reducido a un mero juego narrativo. En el caso del *Raoul de Cambrai,* como en otros, los motivos que desencadenan el mecanismo trágico, del que no hay escapatoria posible, son las contradicciones de la sociedad feudal agudizadas por la desmesura propia del personaje; a veces, como en nuestro caso, el protagonista posee una grandeza sombría que fascina y seduce, va a la perdición con un orgullo heroico que, si no despierta simpatía, por lo menos impone respeto. El sentimiento trágico que se desprende de una derrota es menos frecuente en la épica pero no menos solemne; no olvidemos que este elemento está presente a veces en la epopeya aunque sólo con carácter transitorio, ya que, por las razones que conocemos, termina resolviéndose siempre en un final triunfante. Pensemos por ejemplo en Roldán que a causa de su desmesura provoca el aniquilamiento de la retaguardia franca en Roncesvalles muriendo él mismo en el lugar; más tarde es vengado por Carlos.[52] Pensemos en la *Chanson de Guillaume,* en la que tras la derrota de un primer ejército cristiano en la que Vivien muere heroicamente, es destruido un segundo ejército del que se salva únicamente Guillermo en azarosas circunstancias, pero finalmente en una tercera batalla los sarracenos son definitivamente vencidos y la tragedia termina en un triunfo. En el *Roland* y en el *Guillaume* hallamos un sentido trágico de altos vuelos aunque no concluya en una catarsis final, en el *Raoul* el conjunto es más cruel y amargo; más allá del exterminio y de la muerte, que el destino y la soberbia de los hombres han hecho inevitables, no queda sino un recuerdo, admirado y reluctante a la vez, y una invitación a la medida, silenciosa pero elocuente.

## 5. EL MITO DEL HÉROE: VIVIEN Y ROLDÁN

Acabamos de ver cuáles son las posibilidades trágicas que tiene el poema épico, nos preguntamos ahora si el héroe puede alcanzar dimensiones míticas y de qué manera; pero no en el sentido de que éstas le provengan o deriven de un mito que existía anteriormente, sino dándose la circunstancia de que el mito proceda exclusivamente de él. Hemos aludido ya a las tres batallas de Archant, que constituyen la temática de la canción central del ciclo de Guillermo, la *Chanson de Guillaume.* En la primera batalla Vivien no puede pedir ayuda a Guillermo, de quien es sobrino,[53] y se enfrenta al enemigo sólo con su ejército, por lo que

52. Notemos que la muerte de Roldán no se produce al final del cantar sino a la mitad.
53. Se recordará lo que dijimos anteriormente a propósito de esta relación privilegiada.

es vencido. Leamos ahora la estrofá LXIX que precede inmediatamente la muerte del joven héroe:[54]

> Grant fu le chaud cum en mai en esté,
> E long le jur, si s'out treis jurz mangé.
> Grant est la faim e fort pur deporter,                840
> E la seif male, nel poet endurer.
> Par mi la boche vait le sanc tut cler,
> E par la plaie del senestre costé.
> Loinz sunt les eves, qu'il nes solt trover;
> De quinze liwes n'i out funteine ne gué                845
> Fors l'eve salee qui ert al flot de la mer;
> Mais par mi le champ curt un duit troblé
> D'une roche ben pros de la mer;
> Sarazins l'orent a lur chevals medlé.
> De sanc e de cervele fud tut envolupé.                850
> La vint corant Vivien li alosé,
> Si s'enclinad a l'eve salee del gué,
> Sin ad beu assez estre sun gré.
> E cil li lancerent lur espees adubé.
> Granz colps li donent al graver u il ert.                855
> Forte fu la broine, ne la pourent entamer,
> Que li ad gari tut le gros des costez,
> Mais as jambes e as braz e par el
> Plus qu'en vint lius unt le cunte nafré.
> Dunc se redresce cum hardi sengler,                860
> Si traist s'espee del senestre costé;
> Dunc se defent Vivien cum ber.
> Il le demeinet cun chiens funt fort sengler.

(Grande era el calor pues era mayo, y el día era largo, no había comido desde tres días. Grande era el hambre y dura

54. Los 3.500 versos que componen aproximadamente el *Guillaume* se dividen claramente en dos partes; aquí nos interesa la primera (que llega hasta el v. 1800), en la que los protagonistas son Vivien y Guillermo, mientras que la segunda gira alrededor de Rainouart, un ex sarraceno que pasa de la cocina del rey Luis a guiar con su rústico *tinel* ('bastón') la contraofensiva de los cristianos, con unas formas de tipo heroico-cómico. En esta segunda parte el poeta (que no es el mismo de la primera) hace que Guillermo encuentre a Vivien todavía vivo, pero no cabe duda de que se trata de una prevaricación destinada a engarzar las dos partes y a que el héroe pueda morir vencedor y no vencido. Sigo el texto de la edición de D. McMillan, París, 1949 (SAFT). Vid. el reciente estudio y edición de J. Wathelet-Willem, *Recherches sur la Chanson de Guillaume*, Université de Liège, Lieja, 1975.

de soportar, y la sed era mala, no se podía aguantar. Por en medio de la boca le salía la sangre clara, y también por la herida del costado izquierdo. El riachuelo está lejos, no puede hallarlo; en quince leguas no hay ni fuente ni vado excepto el riachuelo salado que va hacia las olas del mar; los sarracenos lo habían revuelto con sus caballos, bajaba lleno de sangre y de vísceras. Llegó allí corriendo Vivien el famoso, y se agachó sobre el riachuelo salado del vado, bebió de él hasta que estuvo satisfecho. Aquéllos le lanzaron sus espadas guarnecidas, grandes golpes le dieron en la arena sobre la que estaba. Fuerte era la coraza, no pudieron atravesarla, que le protegió la parte ancha de los costados, pero en las piernas y en los brazos y en todo el cuerpo hirieron al conde en más de veinte lugares. Entonces se pone en pie como un jabalí atrevido, desenvaina la espada del lado izquierdo, entonces se defiende Vivien como un valiente. Los otros le acosan como los perros al jabalí.)

La batalla se desarrolla en una playa desolada, el *aridus campus* de donde deriva *Archamp*;[55] la lucha dura desde algunos días y Vivien es el único cristiano que queda con vida: no puede hacer más que encomendarse a Dios y esperar que Guillermo llegue a tiempo no de salvarle a él, pues sus heridas son demasiado graves, sino al reino de Francia que está en un grave peligro. La comparación final de la lucha de Vivien con la de un jabalí atacado por una jauría de perros expresa plásticamente el heroísmo aislado y desesperado de nuestro personaje,[56] que es fuerte como el aludido animal y al igual que él lucha hasta la muerte sin rendirse. No cabe duda de que el poeta atribuye a la muerte de Vivien un valor especial dentro de la economía de su relato, ya que reserva a su descripción poco menos de 200 versos, desde el 760 al 930, pero ello encuentra su explicación en el sentido que tiene la muerte del héroe. La dimensión más auténtica de la historia se desprende de una filigrana cada vez más insistente. Vivien invoca la virgen María «que ne m'ocient cist felon Sarazin» («que no me maten estos sarracenos traidores») (v. 816), pero en seguida se arrepiente de haber pedido su salvación personal y suplica la

55. Cfr. R. Lejeune, «A propos du toponymes "l'Archamp" ou "Larchamp" dans la geste de Guillaume d'Orange», en *Actas del III Congreso de la Société Rencesvals,* Barcelona, 1967, pp. 143-151.
56. *Senglier,* 'jabalí', viene del latín *singulare* y en francés antiguo mantenía su relación con *sengle,* de *singulus* (cfr. *FEW,* XI, 648).

victoria para Francia; Dios no evitó su sacrificio y para redimirnos quiso sufrir en la cruz (vv. 820-824). La frase está hábilmente calculada sobre Mateo 26, 39 («Pater mi, si possibile est, transeat a me calix iste; verum tamen non sicut ego volo, sed sicut tu») («Padre mío, si es posible, pase de mí este cáliz; sin embargo, no se haga como yo quiero, sino como quieres tú») y 26, 42 («Pater meus, si non potest hic calix transire, nisi bibam illum, fiat voluntas tua») [57] («Padre mío, si esto no puede pasar sin que yo lo beba, hágase tu voluntad»). El tema de la sed sobre el que se construye la estrofa que hemos leído, queda justificado por el lugar en el que se desarrolla la batalla, pero nos recuerda el «Sitio» («Tengo sed») de Cristo crucificado (Juan 19, 28); al igual que él, Vivien bebe un líquido innoble.

La relación entre el sacrificio de Cristo y el de Vivien constituye una especie de vínculo figural invertido, en el sentido de que la figura es posterior en el tiempo a su cumplimiento, en lugar de precederle. Gracias a esta relación figural el héroe se transforma en mártir, en víctima de un sacrificio llevado a cabo con un rito heroico en el que se materializa una fe divina y humana, en Cristo y en Francia. El carácter trágico de la escena está investido de una profunda religiosidad que se caracteriza por una fusión sin residuos de ejemplaridad hagiográfica y de heroísmo. Pocas veces la Edad Media supo resolver como en esta escena el antagonismo entre la esfera espiritual y la terrenal. Se da por entendido que la figura del héroe moribundo, proyectada en la medida de Cristo, adquiere unas dimensiones de grandeza sublime que van más allá de la tragedia para instaurar el mito.

Las estrofas de la *Chanson de Roland* en las que se narra la muerte del héroe tienen un tono bastante parecido. El fatal desenlace se anuncia al comienzo de la batalla de Roncesvalles con un fenómeno atmosférico de portentosas dimensiones:

> CX.  En France en ad mult merveillus turment:
> Orez i ad de tuneire e de vent,
> Pluie e gresilz desmesureement;                    1425
> Chiedent i fuildres e menut e suvent,
> E terremoete, ço i ad veirement.
> Des Seint Michel del Peril josqu'as Senz,
> de Besençun tresqu'as porz de Guitsand,

---

57.  Cfr. Marcos 14, 35-36, y Lucas 22, 42.

N'en ad recet dunt li murs ne cravent.          1430
Cuntre midi tenebres i ad granz;
N'i ad clartet, se li ciels nen i fent.
Hume nel veit ki mult ne s'espaent.
Dïent plusur: «Ço est li definement,
La fin del secle, ki nus est en present!»        1435
Il ne le sevent, ne dïent ver nïent.
Ço est li granz doels par la mort de Rollant.

(En Francia se produce una tormenta muy asombrosa: hay
una tempestad de truenos y viento, lluvia y granizo en cantidad desmedida; caen los relámpagos numerosos y a menudo,
y la tierra se mueve, todo esto se produce en verdad. Desde
Saint-Michel-du-Péril hasta Saints, desde Besançon hasta el
puerto de Wissant, no queda casa en la que no se desmoronen
las paredes. En la parte de mediodía hay unas tinieblas muy
grandes; no hay claridad a menos que se rasguen los cielos.
Todos los que lo ven se atemorizan mucho. Dicen la mayoría:
«¡Esto es el final, el fin del mundo que se nos está presentando!» Pero no lo saben, no dicen la verdad. Esto es el gran
luto por la muerte de Roldán.)

Este prodigio expresa sin duda el dolor de la naturaleza por
la muerte de Roldán y por la desgracia que está a punto de caer
sobre Francia. Como de costumbre el narrador no pretende
despertar sorpresa —pues la notoriedad de la leyenda lo hace muy
improbable—, y se apresura a desmentir la sensación de seguridad que podía derivar del éxito declarado de las primeras esca-
ramuzas que acaba de narrar; el poeta está atento sobre todo a
preparar desde lejos la escena culminante del poema a la vez que
subraya su trágica ineluctabilidad, implícita en el dolor cósmico
que, al anticipar el acontecimiento, inevitablemente lo confirma;
antes y más allá de la conducta heroicamente imprudente del héroe, su destino está ya escrito, establecido por la naturaleza. Pero
no es suficiente; también en este caso tenemos que señalar un
elemento procedente del evangelio:

A sexta autem hora tenebrae factae sunt super universam te-
rram usque ad horan nonam [...] et terra mota est, et petrae
scissae sunt [...] viso terraemotu et his quae fiebant, timue-
runt valde.[58]

58. Mateo 27, 45, 51 y 54. Cfr. Lucas 23, 44 ss.; Apocalipsis 8, 5 y 16,

(Desde la hora sexta se extendieron las tinieblas sobre la tierra hasta la hora nona [...] la tierra tembló y se hendieron las rocas [...] viendo el terremoto y cuanto había sucedido, temieron sobremanera.)

También la muerte de Roldán, como podemos ver, repite el gran modelo de la Pasión. Leamos ahora la estrofa que describe el óbito del héroe:

CLXXVI.    Li quens Rollant se jut desuz un pin;    2375
           Envers Espaigne en ad turnet sun vis.
           De plusurs choses a remembrer lo prits:
           De tantes teres cum li bers cunquist,
           De dulce France, des humes de sun lign,
           De Carlemagne, sun seignor, kil nurrit.    2380
           Ne poet muer n'en plurt e ne suspirt.
           Mais lui meïsme ne volt mettre en ubli,
           Cleimet sa culpe, si priet Deu mercit:
           «Veire Paterne, ki unkes ne mentis,
           Seint Lazaron de mort resurrexis,    2385
           E Daniel des leons guaresis,
           Guaris de mei l'anme de tuz perilz
           Pur les pecchez que en ma vie fis!»
           Sun destre guant a Deu en puroffrit;
           Seint Gabriel de sa main l'ad pris.    2390
           Desur sun braz teneit le chef enclin;
           Juntes ses mains est alet a sa fin.
           Deus tramist sun angle Cherubin,
           E seint Michel del Peril;
           Ensembl'od els sent Gabriel i vint.    2395
           L'anme del cunte portent en pareïs.

(El conde Roldán se tumba bajo un pino. Vuelve su mirada hacia España. Se acuerda de muchas cosas: de las muchas tierras que ha conquistado como un valiente, de la dulce Francia, de los hombres de su linaje, de Carlomagno, su señor, que le ha criado. Llora y suspira por todo ello, no puede evitarlo. Pero no quiere olvidarse de sí mismo; se arrepiente

---

18 y 21 (que justifican el v. 1434). Véanse también las agudas páginas de C. Segre, «Schemi narrativi nella "Chanson de Roland", en *Studi Francesi,* V (1961), pp. 277-283.

de sus culpas y pide perdón a Dios: «¡Padre verdadero, que jamás mentiste, tú que llamaste a san Lázaro de entre los muertos, tú que salvaste a Daniel de los leones, salva mi alma de todos los peligros, por los pecados que he cometido en mi vida!» Ha ofrecido a Dios su guante derecho: San Gabriel lo ha tomado de su mano. Ha dejado caer su cabeza sobre su brazo; ha avanzado hacia su fin con las manos juntas. Dios le envía su ángel Querubín y San Miguel du Péril; con ellos vino San Gabriel. Todos ellos llevaron el alma del conde al paraíso.)

Emitir un juicio seguro sobre esta escena es muy delicado. Roldán es sin duda culpable de desmesura porque, para no comprometer su prestigio tocando el olifante, ha provocado la muerte de todos sus compañeros y la suya propia; tras el estudio del *Raoul de Cambrai* sabemos que el poeta puede sentir respeto ante la desmesura heroica, pero no es lógico esperar que la santifique o que la exalte.[59] Y sin embargo Roldán muere como un santo, y para ello es suficiente su sincero arrepentimiento y el hecho de caer como un mártir de la fe; pero la grandiosa solemnidad de su subida al cielo (vv. 2389-2396) no tiene que hacernos olvidar que a punto de morir sus pensamientos son sobre todo terrenales y feudales. Roldán recuerda su glorioso pasado de guerrero, su tierra (esta Francia que no es una entidad estatal abstracta, sino un concreto objeto de afectos), su linaje, el emperador, que ha sido su señor natural y que ha sido también quien lo ha «criado»;[60] el moribundo llora y suspira a causa de estos valores mundanos (v. 2381) y sólo en un segundo momento, cuando llega la hora extrema, se ocupa de la salvación eterna del alma recitando una especie de *Ordo commendationis animae*. Notemos que los valores terrenales aludidos están todos ellos formulados feudalmente y precisamente por ello tienen su culminación en Carlomagno, *sun seignor* (v. 2380); no hay distinción entre jerarquía afectiva y jerarquía feudal, porque sólo esta última cuenta: no hay una sola palabra para Alda la bella, la prometida del héroe. Roldán se

59. Los investigadores que defienden que la conducta del héroe es correcta en todo momento proyectan hacia atrás la santidad que éste adquiere en el momento de morir, anulando indebidamente la complejidad de los acontecimientos y de la misma escena final.

60. *Norrir* es un tecnicismo que quiere decir 'criar un joven en la propia mesnada [es decir en el grupo de aquellos que conviven con el señor] con la finalidad de hacer de él un caballero'.

dirige incluso a Dios igual que a un señor feudal, con el simbolismo implícito en la entrega del guante, acto de reconocimiento del vasallaje. La realidad es que, como en el caso de Vivien, no hay antagonismo entre valores feudales y valores cristianos, sino síntesis armoniosa, lo que no significa, sin embargo, que el héroe se anule en el santo. Roldán y Vivien son santos después de la muerte, pero hasta aquel momento extremo no son más que guerreros; he aquí, pues, la máxima exaltación del guerrero feudal que lo sacrifica todo ante su ideal de casta que de manera casi espontánea se sublima en una dimensión no propiamente religiosa pero de rito nacional, de mito de la sociedad feudal.

## 6. EL HÉROE VISTO A CONTRALUZ

Ya hemos visto que la épica está comprometida desde sus mismas raíces y que algunas veces alcanza solemnidades rituales y grandezas míticas. Sin embargo, es conveniente advertir que muy a menudo se mantiene bastante apartada de estos niveles, trivializando los presupuestos épicos en historias cuya superficialidad no tiene otro propósito que el de distraer; pero, aunque estos productos de serie son cuantitativamente los más abundantes en la poesía épica, no solamente no constituyen, como es obvio, los puntos cualitativamente más interesantes, sino que tienen un sentido propio en cuanto explotan, podríamos decir comercialmente, los resultados más altos a los que se refieren explícitamente. Pero los textos que nos interesan ahora no son éstos; nos conviene aclarar la incidencia de lo cómico en la poesía épica y sus modalidades —y como es lógico, no de lo involuntariamente cómico, es decir de lo que a veces nos resulta cómico a nosotros debido al cambio de los gustos a lo largo del tiempo y que está, por ejemplo, en la base de la ironía de Ludovico Ariosto—. El mundo antiguo había elaborado una calculada teoría del estilo sublime y le había asignado el género épico; obras como la *Eneida,* la *Farsalia,* la *Tebaida* obedecen a este precepto;[61] en ellas es inimaginable la

---

61. Para este tipo de problemas véase el estudio clásico de E. Auerbach, *Lenguaje literario y público en la antigüedad latina tardía y en la Edad Media,* Seix Barral, Barcelona, 1969. Ver también: F. Quadlbauer, *Die antike Theorie des genera dicendi im lateinischen Mittelalter,* Graz-Viena-Colonia, 1962. Pero vale la pena tener en cuenta el IV excursus de E. R. Curtius, *Literatura europea,*

intrusión de lo cómico. La tradición medieval incorporó plenamente la teoría de los estilos, y es evidente, por ejemplo, que la poesía amorosa pertenece al estilo más alto, tal como queda confirmado en las afirmaciones de Dante al respecto en su *De vulgari Eloquentia*. Uno de los signos más evidentes de la independencia de la poesía épica románica de esta tradición es precisamente la ausencia de distinciones rigurosas de niveles temáticos y estilísticos: la coexistencia de una inspiración solemnemente heroica con soluciones burlescas no rompe norma alguna y los investigadores modernos que la juzgan con sorpresa o con sospecha, están equivocados.

El poema del *Charroi de Nîmes* sigue inmediatamente en el ciclo de Guillermo al *Couronnement* y comienza con una de las mejores escenas de la épica francesa: la ira de Guillermo porque Luis se ha olvidado de darle su recompensa, su desprecio cada vez más duro hacia los mezquinos intentos del rey para contentarlo y finalmente la heroica petición de una tierra que Luis no posee porque le ha sido usurpada por los sarracenos y que Guillermo se dispone a reconquistar. Son pocos los fragmentos que igualan la sabia tensión de estos versos y pocas veces el ideal épico aparece expresado con mayor fuerza. Otro logro poético lo hallamos, como ya sabemos,[62] al cabo de poco, cuando Guillermo deja las tierras cristianas y se vuelve atrás para respirar el aire de su país, como para atesorar el último recuerdo de él antes de enfrentarse a lo desconocido. Pero la conquista de la ciudad de Nimes no se realizará a pecho descubierto, por la fuerza, sino gracias a la estratagema del «acarreo» que da nombre al poema: los guerreros cristianos se disfrazan de mercaderes y pueden entrar así en la ciudad, en la que más tarde empuñan las armas y desbaratan a los sarracenos. Pues bien, el poeta desarrolla dentro de este argumento dos motivos cómicos, el disfraz de los guerreros y el diálogo entre Guillermo y el rey Otrant. He aquí a Guillermo tras abandonar el escudo y la lanza:[63]

---

cit. Véase, también, H. R. Jauss, «Theorie der Gattungen und Literatur des Mittelalters», *GRLMA*, I, C. Winter, Heidelberg (1972), pp. 107-138; traducción francesa en *Poétique*, I, 1970; versión portuguesa en *História Literária como desafio à ciência literária. Literatura medieval e teoria dos géneros*, José Soares Martins edit., Vila Nova de Gaia, 1974.

62. Cfr. más arriba, pp. 186-187.
63. Sigo la edición de Perrier, cit., pp. 33-34.

Li cuens Guillelmes vesti une gonnele
De tel burel com il ot en la terre
Et es ses jambes unes granz chauses perses,
Sollers de beuf qui la chauce li serrent;
Ceint un baudré un borjois de la terre,                    1040
Pent un coutel et gaïne molt bele,
Et chevaucha une jument molt foible;
Dos viez estriers ot pendu a sa sele;
Si esperon ne furent pas novele,
Trente anz avoit que il porent bien estre;                 1045
Un chapel ot de bonet en sa teste.

(El conde Guillermo se vistió una saya del buriel que
había en la tierra y se puso en las piernas unas calzas azules,
zapatos de buey que se ajustaban sobre las calzas; llevaba
ceñido un cinturón como un burgués de la tierra, llevaba colgado un cuchillo en un forro muy bello; iba montado en una
cabalgadura muy débil; colocó en su silla dos estribos viejos;
las espuelas no eran nuevas, podría ser que tuvieran treinta
años; llevaba un sombrero de tela en la cabeza.)

El sobrino Bertran aparece disfrazado de forma no menos
ridícula conduciendo los bueyes que tiran de los carros en los que
se ocultan los guerreros; pero no tiene idea de cómo hacerlo y se
llena de barro y de cardenales hasta la nariz. Pero lo cómico llega
a su cumbre en el diálogo con el rey Otrant, que pregunta a
Guillermo quién es y de dónde viene (y éste le responde naturalmente con mentiras), luego le pregunta en qué países ha ejerci-
tado el comercio (y el héroe le hace una lista de los que ha conquistado), finalmente mirándolo se acuerda de Guillermo y empieza a hablarle mal de él y se va irritando hasta que termina por
tirarle de la barba arrancándole más de cien pelos.[64] Y en este
punto el diálogo lleno de equívocos y de dobles sentidos, que
seguramente divertían mucho al público, se cierra con las palabras
que el héroe dice para sus adentros:

«Por ce, s'ai ore mes granz sollers de vache,
Et ma gonele et mes conroiz si gastes,
Si ai ge nom Guillelme Fierebrace,
Filz Aymeri de Nerbone, le saige,

---

64. Vv. 1332 ss. Se trata de un gesto que encierra una ofensa muy grave.

> Le gentill conte qui tant a vassalage.                    1340
> Cist Sarrazins m'a fet ore contraire;
> Ne me connoist quant me tira la barbe:
> Mal fu baillice, par l'apostre saint Jaque.»

(«Sin embargo, si ahora llevo grandes zapatos de vaca, saya y correajes viejos, mi nombre es Guillermo Fierebrace, hijo de Aimeri de Narbona, el sabio, el noble conde que tiene tantos vasallos. Este sarraceno me ha ofendido; no me ha conocido al tirarme de la barba: me ha maltratado, por el apóstol Santiago.»)

La siguiente estrofa paralelística describe todavía la tensión, que estalla inmediatamente después, al subirse Guillermo en un poyete [65] y gritar:

> «Felon paies, toz vos confonde Deus!                      1360
> Tant m'avez hui escharni er gabé.
> Et marcheant et vilain apelé;
> Ge ne sui mie merchant par verté,
> Raol de Macre ne sui mes apelé.»

(«Paganos traidores, ¡que Dios os confunda a todos! Pues hoy me habéis burlado y escarnecido mucho, y me habéis llamado mercader y villano; yo no soy en absoluto un mercader, ya no me llamo Raúl de Macre.»)

Agarra entonces al hermano del rey y lo mata como hizo a su tiempo con Arneïs: es la señal de la batalla. Podemos ver, pues, que no solamente lo cómico convive con el más elevado dramatismo épico, sino que el paso de lo uno a lo otro es inmediato, como demostración, casi, de la falta total de prejuicios selectivos; es más, no cabe duda de que el poeta calculó previamente los efectos de una alternancia como ésta y supo explotarla hábilmente.

En otra canción del ciclo, el *Moniage Guillaume*,[66] se relata que el héroe está retirado en un monasterio con la intención de terminar sus días en él; pero las ansias, el deseo de mandar y

65. El poyete, en francés *perron*, es una gran piedra que solía haber delante de las casas para facilitar la subida y el descenso del caballo.
66. Existen dos redacciones de este poema, editadas por W. Cloetta, *Les deux rédactions en vers du Moniage Guillaume*, París, 1906-1911 (SAFT).

hasta de imponerse arbitrariamente, sus prejuicios aristocráticos provocan roces interminables con los monjes, para los que la presencia en la comunidad de este singular hermano resulta harto incómoda, a pesar de que él se arrepienta humildemente en cada ocasión. Al final los frailes deciden deshacerse de Guillermo enviándolo a comprar pescado a una localidad situada a orillas del mar, más allá de un bosque infestado de bandidos, que el viajero tiene que atravesar obligatoriamente; la condición monacal, sin embargo, explica el abad al héroe, prohíbe cualquier tipo de reacción, a menos que —se hace conceder Guillermo— los asaltantes pretendan robarle los calzones: incluso un fraile tiene obligación de defender su pudor. De vuelta para el convento Guillermo se las arregla para atraer a los bandidos, se deja robar y desnudar, pero cuando éstos tienen reparo de exponerlo al frío y quieren dejarle los calzones, Guillermo les anima diciéndoles que los lleva llenos de oro y de piedras preciosas. Pero en el momento en que el jefe de los bandidos se dispone a quitárselos, Guillermo se halla ya libre de tomar venganza, y utilizando como una clava la pata de su burro (que la recupera más tarde milagrosamente) dispersa a los salteadores. Estas indicaciones de contenido son suficientes para mostrar que todo el relato se mueve en un ambiente de comicidad, a veces incluso farsesca; en este caso lo cómico no se mezcla con lo épico como en el *Charroi,* sino que desemboca en lo milagroso sin demasiadas dificultades, para terminar en la exaltación final de Guillermo como santo: nueva prueba de la falta de prejuicios a nivel de relato y de la posibilidad de combinar lo cómico no sólo con lo heroico, sino incluso con lo religioso.[67]

Otra de las fuentes de elementos cómicos la hallan los poetas épicos en el amor, un sentimiento que suele tener un papel muy limitado en el contexto heroico. En el *Roland* no hay más que el episodio de Alda, brevísimo, en el que la muchacha muere fulminada por la noticia de la caída del héroe que era su prometido; aunque nos hallamos ante un registro profundamente trágico, el episodio es marginal, su peso en la economía del relato es muy limitado. Distinto es el caso de la *Prise d'Orange,*[68] la canción

---

67. El caso más macroscópico e inquietante es el del *Pèlerinage Charlemagne* en el que se combinan burdas fanfarronadas de los pares de Francia con milagros propiciados por las reliquias más venerables. Pero no es un problema que se pueda resolver en dos palabras; de todas maneras se trata de un texto atípico.

68. Edición de C. Régnier, *La Prise d'Orange,* París, 1967.

que en el ciclo de Guillermo va después del *Charroi*. Tras la
conquista de Nimes el héroe se aburre y desde la ventana del
castillo la primavera le inspira pensamientos nostálgicos, como si
fuera una joven dama enamorada; los temas tradicionales, los
lugares comunes de la poesía cortesana, aplicados al guerrero que
ha conquistado Nimes «par sa ruiste fierté» («por su ruda fie-
reza») (v. 47) adquieren matices divertidos. He aquí un comienzo
tópico:

> Ce fu en mai el novel tens d'esté;
> Florissent bois et verdissent cil pré,                     40
> Ces douces eves retraient en canel,
> Cil oisel chantent doucement et soëf.

> (Fue en mayo cuando empieza el verano; florecen los bos-
> ques y reverdecen los prados, las dulces aguas discurren por
> sus lechos, los pájaros cantan suave y armoniosamente.)

La seducción ejercida por la naturaleza hace que el héroe se
acuerde de la «grant joliveté» («gran alegría») (v. 52) que solía
experimentar en Francia y que se queje de no haberse traído
músicos y juglares «ne damoisele por noz cors deporter» («ni una
muchacha que nos distrajera») (v. 57); no tiene otro remedio que
maldecir a los sarracenos que no le dan ninguna molestia. Pero al
cabo de un rato Gillebert, que acaba de huir de los paganos de
Orange, le habla entre otras cosas de

> dame Orable, une roïne gente,
> Il n'a si bele desi en Orïente,
> Bel o le cors, eschevie est et gente,
> Blanche la char comme la flor en l'ente.                   205

> (la señora Orable, una reina gentil, no hay otra tan bella
> hasta Oriente, tiene un cuerpo bello, es cumplida y noble, sus
> carnes son blancas como la flor en la rama.)

Guillermo se enamora de ella inmediatamente (réplica irónica del
*amor de lonh* rudeliano) y afirma con resolución que no quiere
volver a llevar armas si no se apodera de «la dame et la cité»
(v. 266). Notemos que el poeta, con notable habilidad, no se limita a jugar con la comicidad del rudo guerrero exhalando sus-

piros y víctima fácil del amor, sino que combina esta línea irónica
con el tema de la avidez de conquista; Guillermo se informa alter-
nativamente sobre las riquezas de Orange y la belleza de Orable.
En este caso la canción tampoco degenera en poema heroico-cómico y, a pesar de utilizar con finalidades humorísticas una temática que en parte conocemos ya [69] y sobre todo la de tipo cortés
(que en el contexto es de efectos seguros,[70] precisamente por ser
ajena a la figura convencional del guerrero épico y a la de Guillermo de manera especial), sabe entretejerla con los motivos habituales de la lucha, del peligro y de la conquista, consiguiendo un
difícil equilibrio entre todos estos elementos, por lo que la lectura del poema resulta francamente sabrosa.

Creo conveniente puntualizar ahora que nuestras investigacio-
nes, ni por lo que a la épica se refiere ni por otros géneros, tienen
nada que ver con los puntos de vista preceptivos de otros tiempos,
sino que son puramente fenomenológicas. Nosotros no nos preguntamos, por ejemplo, cómo tiene que ser la épica romance, sino
únicamente cómo fue en la realidad, cuáles son sus características.
Y por eso podemos concluir lícitamente diciendo que lo cómico
y lo amoroso pueden intervenir en la épica sin que sus resultados
queden mínimamente comprometidos; por otra parte, sin embargo,
tenemos que precisar que el panorama épico medieval tiene su
centro y su periferia y que en el centro hallamos la problemática
histórica, social, feudal, guerrera y los tonos vigorosos y trágicos
que hemos ilustrado anteriormente, mientras que estas ocurrencias
humorísticas son indudablemente propias de la periferia;[71] pero, si

69. Por ejemplo cuando Guillermo, Guillebert y Guielin se disfrazan de
sarracenos para entrar en Orange, cuando el príncipe musulmán desahoga su
odio hacia Guillermo sin saber que lo tiene ante él o cuando el héroe responde
entre dientes a las ofensas ante las que no puede reaccionar sin traicionarse.

70. He aquí, pues, a Guillermo dentro de Orange ante mil peligros, sopor-
tando las insinuaciones de Guielin a propósito de sus dotes de «Don Juan»
(est. XVII); al cabo de poco los tres cristianos consiguen adueñarse del palacio
de Gloriete, donde se halla Orable, pero les sitian sin que les quede escapatoria
y de nuevo Guielin invita a su tío con ironía amarga para que aproveche la
ocasión y seduzca a la bella sarracena: ¿no están allí con esta finalidad?
(est. XXIX); cuando el héroe es capturado y encarcelado (tras haber ya conquistado el amor de Orable), empiezan las peleas de los enamorados: Guillermo está
enfadado porque cree que ella le ha traicionado y le ha hecho prender (est. XLIV).

71. Los inventarios de poesía épica que poseemos hasta la fecha, dentro de
las historias de la literatura o en monografías, están basados en otros criterios
(clasificación por ciclos, cronológica, etc.), pero creemos que una ordenación
orientada según las coordenadas morfológicas que hemos propuesto sería bastante
provechosa. Mientras que en sentido horizontal la distancia gradual del centro

la descripción del núcleo central es imprescindible, no deja de ser interesante también la exploración de las áreas adyacentes. Y ello no es debido a que nuestra sensibilidad, saturada ya por la insistente repetición de los temas principales, encuentra más alicientes en los temas que se salen de la norma, ni tampoco a que los productos excepcionales, que utilizan para sus efectos particulares la rotura imprevista de la norma, terminan por ratificarla (aunque ello sea *in absentia*); sino que depende del hecho de que en la periferia se perfilan las innovaciones y se determinan los contactos y los intercambios con otras experiencias literarias. Consideremos solamente dos puntos: relación con la historia (o seudohistoria) o con la narrativa de tipo folklórico; importancia del amor. En el centro del panorama épico el texto tiene un visible interés en ponerse en relación estricta con la historia, lo que se considera esencial, y en cambio se deja de lado el amor; mientras que hacia la periferia la historia queda cada vez más soslayada y en su lugar adquiere importancia la temática folklórica a la vez que se hace notar la presencia del amor. Pues bien, la materia de tipo folklórico y los temas amorosos están en el centro de la experiencia narrativa novelesca y las orientaciones que hemos adquirido a propósito de los caracteres fundamentales de los distintos tipos narrativos nos permiten precisamente evitar tanto las rígidas clasificaciones en géneros distintos como el análisis de todas las obras con un criterio tan diferenciador que el único instrumento de juicio se reduzca a cada una de ellas. Nuestra concepción, en cambio, nos permite una taxonomía más flexible sin perjudicar ni a los rasgos característicos de cada tradición en su totalidad ni a los específicos y definidores de cada uno de los textos.

---

a la periferia se podría fundamentar en la consistencia numérica de los distintos tipos, se podría introducir también un sentido vertical para poder distinguir cualitativamente las obras dentro de un mismo tipo.

Capítulo V

# LA EXPERIENCIA NARRATIVA

## 1. DE LA ÉPICA A LA NOVELA: EL «ENEAS»

Entre 1150 y 1170 un anónimo poeta francés se atrevió a medirse con la obra cumbre de la épica latina realizando una versión romance en octosílabos pareados (verso que será característico de la novela) de la *Eneida* virgiliana. El traductor no se proponía ni una versión literal del texto latino ni una transposición libre en la superficie pero fiel al espíritu del modelo; en realidad su obra es más la de un adaptador que la de un traductor, y su intención era hacer un producto de actualidad a base de unos materiales antiguos, no la de divulgar el conocimiento del poema de Virgilio. Guiado por este propósito, el anónimo intervino con toda libertad tanto en la estructura macroscópica de la obra latina, como en la microscópica o formal. Basta decir que mientras Virgilio había preferido empezar el poema *in medias res*, en el momento en que la flota troyana naufraga ante las costas de África, para que Eneas contara luego los acontecimientos anteriores a la reina Dido, el *Eneas* prefiere volver al *ordo naturalis,* y empieza con la caída de Troya, la fuga de Eneas y sus azarosos viajes; toda la primera parte, sin embargo, aparece notablemente abreviada: los libros I-VI de la *Eneida* se reducen a 3021 versos franceses,[1] mientras que los libros VII-XII corresponden a 7135 octosílabos. No es suficiente señalar que el libro III ha sido prácticamente suprimido y que el único añadido relevante del

1. Cito el *Roman d'Eneas* según la edición de J. J. Salverda de Grave, Halle, 1891, y utilizo libremente mi artículo «I nuovi valori del *Roman d'Eneas*», *Filologia e Letteratura,* XIII (1967), pp. 113-141.

adaptador es la amplia descripción de los amores entre Eneas y Lavinia, introducida, como es natural, hacia la parte final; lo que importa es que el interés del poeta y el de su público se centran en determinados temas, soslayando otros que para Virgilio tenían mucho sentido.

La *Eneida* es una obra de una complejidad notable, que expresa una visión del pasado, del destino y de la civilización de Roma. Para Virgilio y su público la historia de Eneas era a la vez remota y contemporánea, mítica y política y es precisamente la fusión íntima de los dos aspectos el factor que aleja significativamente a Virgilio de sus predecesores; también Nevio compuso una obra sobre Eneas y Dido y la fundación del reino latino, pero sólo Virgilio fue capaz de establecer una coherencia profunda entre mito e historia contemporánea. Las peripecias de Eneas y las empresas de Augusto se unen armoniosamente en un lazo dispuesto por el destino que es factor determinante de la grandeza de Roma; el remoto pasado de los desterrados troyanos estaba gobernado por los mismos principios políticos y religiosos que guiaban y justificaban la política de Augusto. La relación es tan íntima y perfecta que tiene valor tanto en el aspecto político, por la vigencia perenne del «Tu regere imperio populos» («Tú regirás a los pueblos con tu imperio») de Anquises, como en el ético, por la ejemplaridad de la pobreza sencilla y severa de Evandro, como también en el psicológico, por la fortaleza de carácter y la profunda religiosidad de Eneas, vinculado a los Penates de Troya más allá de sus deseos personales o de sus debilidades.

Este tejido ideal, tan sabiamente calculado, gobierna interiormente toda la estructura del poema y determina su significación. Por este camino la *Eneida* consigue interpretar valores y aspiraciones colectivos e institucionales y merece plenamente el calificativo de poema épico, superando de manera total la distinción entre epos popular y epos literario. Una reelaboración medieval tenía que conllevar necesariamente un desplazamiento radical de toda la estructura de la narración: habría sido absurdo ofrecer a un público francés del siglo XII los valores ético-políticos que constituían los fundamentos de la obra de Virgilio y que estaban totalmente caducados. Es cierto que el ideal de imperio, y especialmente el de Roma, jamás se borraron del todo, pero tenían vigencia únicamente para la cultura de una exigua minoría. El *Roman d'Eneas* es sin duda obra de un *litteratus* pero está escrito para los *illitterati* y, precisamente porque pretende ser una obra viva y actual, se adapta a unas nuevas dimensiones que resulten comprensibles y aceptables para sus contemporáneos. ¿Qué sentido podía tener la expresión «tantae molis erat Romanam condere gentem» («tan grande era la empresa de fundar la nación romana») (I, 33) para quien consideraba a los sarracenos descendientes de Rómulo y de César? [2] ¿Qué podía representar la *pietas* de Eneas, su sentido del deber hacia los Penates, para los barones feudales disipados e imprevisores, sin ningún freno ético-político y sobre todo desconocedores de cualquier perspectiva que no fuera la individualista, cuyos ocasionales conatos de sacrificio solían desembocar más fácilmente en la mortificación religiosa o en el monacato que en el plano de la conciencia social o estatal? El siglo XII, por otra parte, no conoció la íntima armonía entre el deber religioso y el deber político que es la más romana de las características de Eneas y que fue solemnemente revitalizada por Augusto.

Podemos ver, pues, que el sustrato ideológico del poema de Virgilio no tiene absolutamente nada en común con los valores histórico-políticos vigentes en el siglo XII. Está claro entonces que el *Eneas* no podía ser una obra épica, y no por defecto del original clásico, ni por incapacidad técnica del anónimo francés, ni por la interferencia de influencias literarias de carácter heterogéneo. Tampoco es la contaminación ovidiana lo que desequilibra la estructura establecida por Virgilio o debilita la inspiración épica: es que el poema en sus formas virgilianas había dejado de ser actual. Así pues la *Eneida* se presentaba como un conjunto de materiales míticos susceptibles de ser interpretados según una óptica nueva, que para el poeta francés no podía ser otra que la novelesca.

La primera urgencia era la de construir una nueva relación entre mundo narrativo y mundo contemporáneo. Es inevitable que el material narrativo, introducido en un contexto cronológico y nacional absolutamente extraño, sufra profundas transformaciones: el tiempo y los lugares en los que se desenvuelve Eneas no tienen ninguna relación conmensurable con el aquí y el hoy del siglo XII. Pero esta distancia, diametralmente opuesta a la postura de Virgilio, permite revestir las acciones, y todavía más las cosas, del fascinante color de lo maravilloso. En el mundo narrativo tienen

2. Cfr. p. 25.

cabida los sueños y todo lo extraordinario, pero en cambio no se pretende en absoluto que incluya una representación histórica fiel a la realidad: tanto los paisajes como las costumbres están adaptados a la actualidad sin ningún escrúpulo; Eneas nos es presentado como un señor feudal, Cartago como una ciudad medieval. La característica más constante de la actualización de Eneas es ésta precisamente, la mezcla de rasgos contemporáneos con dimensiones míticas, la transfiguración inmediata de lo cotidiano en una realidad más luminosa y perfecta, que es un típico distintivo de lo novelesco. Estas modificaciones implican también un cambio en las motivaciones profundas de la historia, pues ésta no puede ya basarse en los *fata* ('destino') de Roma: la reducción de la primera parte del relato, el desarrollo de la segunda y la inserción de los amores de Lavinia responden a la traducción de la historia de Eneas, la de la conquista de una mujer y de un feudo, a la transformación de la guerra entre troyanos e itálicos en rivalidades entre barones y guerra feudal entre pretendientes.

Si pasamos de considerar las macroestructuras a examinar las realizaciones concretas nos daremos cuenta de que la renovación es profunda y a la postre lograda. Pensemos, por ejemplo, en los riesgos que implica manipular la figura de Dido. También en el *Eneas* su enamoramiento madura en la tranquilidad de la noche, tras escuchar el relato del héroe. Pero los breves versos latinos

> At regina gravi iamdudum saucia cura
> vulnus alit venis et caeco carpitur igni.
> Multa viri virtus animo multusque recursat
> gentis honos: haerent infixi pectore vultus
> verbaque, nec placidam membris dat cura quietem.
>
> (IV, vv. 1-5)

(Pero la reina, ya gravemente herida del mal de amor, alimenta la herida de la sangre que corre por sus venas y es devorada por una ciega pasión. Tiene fijos en su alma el gran valor de este hombre y el esplendor de su raza. Su rostro y sus palabras los lleva grabados en su corazón, y una extraña inquietud le priva de su tranquilidad.)

se transforman en una descripción cuidada y detallista de la noche angustiosa. Es suficiente citar un fragmento:

Ne fust rien qu'ele dormist;
tornë et retorne sovent,
ele se pasmë et s'estent,                        1230
sofle, sospirë et baaille,
molt se demeinë et travaille,
tremble, fremist et si tressalt,
li cuers li ment et se li falt.
Molt es la dame mal baillie,                     1235
et quant ce est qu'el s'entroblie,
ensemble lui cuide gesir,
entre ses braz tot nu tenir;
entre ses braz le cuide estreindre.
Ne set s'amor covrir ne feindre                  1240
ele acole sos covertor,
confort n'i treuve ne amor;
mil feiz baise son oreiller,
tot por l'amor al chevalier.

(No hubo manera de dormir; da vueltas y más vueltas, se queda en suspenso y se despereza, sopla, suspira y bosteza, se agita mucho y se angustia, tiembla, se inquieta y se estremece, ha perdido el corazón y la mente. La dama es presa de muy mala pasión, y cuando se descuida, le parece que yace con él, que lo tiene desnudo entre sus brazos; cree que lo está estrechando entre sus brazos. No sabe esconder su amor ni fingir; acaricia su cubrecama, no encuentra en ello consolación ni amor; mil veces besa su almohada, sólo por el amor del caballero.)

La poderosa síntesis de los versos virgilianos, lenta en apariencia pero rica de nuevas instancias narrativas, está reemplazada por una atenta y escrupulosa descripción de la historia sentimental, sin ambiciones introspectivas, centrada, conforme a las enseñanzas ovidianas, en una detallada presentación fenomenológica. Desde el punto de vista del estilo la densidad de las relaciones retóricas da movilidad a un pasaje que es narrativamente estático. Por esta razón el fragmento medieval tiene una apariencia más crispada y nerviosa que el antiguo, pero en realidad es más lento e indeciso; basta compararlo con la mayor consistencia y el constante dinamismo del otro.

Pero el planteamiento estilístico no es lo único que ha cambiado. Al desaparecer las intervenciones de Venus, Juno y Cupido, Dido recupera toda su responsabilidad y la historia adquiere un sesgo distinto. El juicio moral es cruel: cuando la fama difunde la noticia del amor, éste es calificado de *putage, luxure* y parece que el relato tenga que transformarse en un ejemplo de inconstancia y sensualidad destinado a engrosar el caudal de literatura misógina que circula en todas las producciones medievales. Pero el poeta sabe controlar su tendencia moralizante; y así, cuando ha pasado el primer momento de triunfo descarado del pecado, no sólo parece olvidar la sombra de la culpabilidad, sino que es capaz de reconstruir psicológicamente los personajes, dulcificando la dura, aunque sufrida, determinación del Eneas virgiliano, y reemplazando los poderosos y dramáticos claroscuros de la Dido latina con la tierna elegía de su heroína. La Dido *infelix* e *incensa* ('enfurecida') es sólo *infelix*; el amor no le despierta odio, sino únicamente un pesar nostálgico, acompañado de sentimiento de culpa; su muerte es dulce y enternecedora. La heroína francesa nos seduce no por la sublimidad de su pasión o por su trágico final, sino por su feminidad indefensa. Aunque termine como suicida su muerte es casi cristiana; sus últimas palabras son:

> «Il [Eneas] m'a ocise a molt grant tort;
> ge li pardoins ici ma mort;
> por nom d'acordement, de pais
> ses guernemenz et son lit bais.
> Gel vos pardoins, sire Eneas.»
>
> (vv. 2063-2067)

(«Él me ha matado con una gran sinrazón; le perdono mi muerte; beso en signo de concordia y de paz sus vestidos y su lecho. Os lo perdono, Eneas.»)

El relato, que no tiene ya una justificación divina ni histórica, aparece motivado por la polaridad *amor-sen*; la culpa de Dido es su *folie*: «saveirs ne li valut neient» («el saber no le sirvió de nada») (v. 2144); pero es precisamente el fracaso humano del *saveir* lo que la hace tan conmovedora y cercana a nosotros, bastante más que en la versión clásica. La Dido del anónimo paga su culpa enteramente, no tiene salvación ni refugio de ninguna clase, ni siquiera en el Ades, donde permanece inexorablemente sola.[3]

3. En efecto, para nuestro poeta la heroína no se atreve a acercarse al marido Siqueo, ya que ha faltado a la fidelidad que le había prometido (vv. 2657-2662).

La intuición del poeta medieval fue capaz de crear un personaje nuevo que se desenvuelve en una atmósfera poética delicada y original, y lo consiguió limando la complejidad psicológica y la tensión dramática de la heroína antigua, dotándola de una gracia y una debilidad que a pesar de todo se nos antojan virginales.

No obstante las adaptaciones, las libertades y los añadidos derivados de una lectura muy moderna de la *Eneida,* el *Roman d'Eneas* deja traslucir determinadas debilidades que comprometen su equilibrio y nos obligan a considerarlo una obra lograda sólo en parte. El desarrollo de la narración, tras eliminar la perspectiva épico-histórica original, queda arbitrario o por lo menos poco significativo; la motivación del amor de Lavinia y de la conquista del Lacio entran en juego demasiado tarde, de manera que las aventuras de la primera parte no parecen tener una relación con el resto. Desde muchos puntos de vista el material virgiliano se resistía a una reelaboración integral capaz de satisfacer las exigencias contemporáneas; no fueron mucho más afortunados los intentos que, más o menos en los mismos años, se realizaron con el *Roman de Thebes* (de la *Tebaida* de Estacio) o con el *Roman de Troie.*

2.  «AU JOR DE PASQUE, AU TANS NOVEL, / OT LI ROIS ARTUS CORT TENUE» («EL DÍA DE PASCUA, EN PRIMAVERA, EL REY ARTURO REUNIÓ SU CORTE»)

En una fecha sin precisar, pero no muy alejada del año 1170,[4] un poeta que dice llamarse Chrétien de Troyes, empieza a escribir su primera novela con estas palabras:[5]

> d'Erec, le fil Lac, est li contes,
> que devant rois et devant contes                    20
> depecier et corronpre suelent

4.  Sigo a J. Frappier, *Chrétien de Troyes,* París, 1968,[2] p. 9.
5.  Las citas son de *Les romans de Chrétien de Troyes. I: Erec et Enide,* publicados por M. Roques, París, 1955 (CFMA). Hay algunos *romans* de Chrétien de Troyes traducidos al castellano: *Perceval o el Cuento del Grial,* traducción de M. de Riquer, Espasa-Calpe (Austral), Madrid, 1961; *Lanzarote del Lago o el Caballero de la Carreta,* traducido por C. García Gual y L. A. de Cuenca, Labor, Barcelona, 1976; *Erec y Enide,* con introducción, comentarios y notas de C. Alvar, María Victoria Cirlot y A. Rossell, Editora Nacional, Madrid, 1982.

cil qui de conter vivre veulent.
Des or comancerai l'estoire
que toz jorz mes iert an mimoire          24
tant con durra crestïantez;
de ce s'est Crestïens vantez.
Au jor de Pasque, au tans novel,
a Quaradigan, son chastel,                28
ot li rois Artus cort tenue;
einz si riche ne fu veüe,
que molt i ot boens chevaliers,
hardiz et conbatanz et fiers,             32
et riches dames et puceles,
filles de rois, gentes et beles;
mes einçois que la corz fausist,
li rois a ses chevaliers dist             36
qu'il voloit le blanc cerf chacier
pour la costume ressaucier.
Mon seignor Gauvain ne plot mie,
quant il ot la parole oïe:                40
«Sire», fet il, «de ceste chace
n'avroiz vos ja ne gré ne grace».

(el relato es de Erec, el hijo de Lac, el que ante reyes y
ante condes suelen estropear y corromper los que viven de
contar historias. Empezaré aquí la narración que será recordada
siempre, tanto como dure la cristiandad; de esto se enorgullece
Chrétien. El día de Pascua, en primavera, en su castillo de
Cardigan, reunió el rey Arturo a su corte; jamás se vio otra
tan rica, pues había muy buenos caballeros, valientes, belico-
sos y atrevidos, y damas ricas y doncellas, hijas de reyes, gentiles y bellas, y cuando hubo convocado a la corte dijo el rey
a sus caballeros que quería cazar el ciervo blanco para restau-
rar la costumbre. Al señor Gauvain no le gustaron las pala-
bas que oyó: «Señor», dijo, «de esta cacería no sacaréis ni
ventaja ni beneficio».)

Como puede observarse Chrétien empieza reconociendo que el
relato del que va a ocuparse es ya conocido gracias a los juglares
profesionales que sin embargo lo corrompen con sus intervenciones
y adaptaciones groseras; no pretende, pues, que la materia de su
obra sea fruto de su imaginación, se limita a prometer, implícitamente, una versión correcta y narrativamente válida. Podría ser
que nos hallásemos ante un topos, merced al cual, bajo la ga-

rantía de lo divulgado, se pasara de contrabando la más inédita de las invenciones, pero basta ver que al comenzar auténticamente la historia (vv. 27 ss.) se habla del rey Arturo como si todo el mundo supiera ya quién es y cuáles son las costumbres de su corte; Gauvain tampoco nos es presentado, con lo que se da por conocido su parentesco con el rey [6] y únicamente de Cardigan se especifica que es *son chastel* (v. 26). Ya es más difícil decidir si Chrétien supone que es conocida *la costume* de cazar el ciervo blanco o si, como es más probable, juega con la sorpresa: qué consecuencias pueden desprenderse de la caza lo explica en seguida Gauvain,[7] sin embargo queda en la oscuridad la razón de tal costumbre así como por qué el rey Arturo está dispuesto a restaurarla, y tal vez esta incertidumbre no es casual.

En realidad el rey Arturo no era un desconocido entre el público ya que se habla extensamente de él en una obra que no es de tipo novelesco sino historiográfico y que fue publicada en 1136 por el clérigo galés Godofredo de Monmouth: la *Historia regum Britanniae*. Se trata de una historia de los reyes de Gran Bretaña desde los tiempos más antiguos, los del fabuloso héroe epónimo Brutus, hasta la victoria definitiva de los anglosajones en el siglo VII. Tal historia otorga al reinado de un rey llamado Arturus un espacio desproporcionadamente amplio; Arturus vive en el siglo V, triunfando sobre los germanos y sobre los romanos, a quienes llega incluso a arrebatar la Galia. De no haberse producido la traición del sobrino Modredus, Arturo habría llegado hasta a adueñarse de Roma; pero aquél seduce a Guennevera, esposa del rey, por lo que Arturo tiene que volver a Bretaña. En la batalla decisiva Modredus muere y Arturo, gravemente herido, desaparece: algún día volverá para vengar a sus súbditos celtas, que vinculan a su persona sus esperanzas nacionales. El relato de Godofredo no es una novela, es seudohistoria, y no es nada fácil establecer si tiene algún tipo de relación con acontecimientos reales;[8] no es del todo imposible suponer que Arturo

6. Gauvain es sobrino de Arturo por línea femenina y por lo tanto entre él y el rey se reproduce el mismo vínculo que hemos visto tan a menudo en la épica.

7. Puesto que aquel que consigue matar el ciervo blanco tiene derecho a besar a la muchacha más bella que se halle presente, esta especie de juicio de belleza puede provocar enfrentamientos muy graves entre los caballeros.

8. Cfr. el capítulo de K. H. Jackson en la obra colectiva *Arthurian Literature in the Middle Ages*, edición de R. S. Loomis, Oxford, 1959.

hubiera sido uno de los jefes celto-romanos que controlaron las islas británicas tras la retirada de las legiones. De todas maneras Godofredo reelaboró profundamente la historia de Arturo, aunque no la inventó de la nada: el nombre de Arturo aparece en el siglo IX en obras históricas latinas y hay rastros de narraciones galesas en torno a su figura, anteriores a la obra de Godofredo.[9] No sabemos exactamente cuáles fueron las fuentes inmediatas de Godofredo; nos consta, en cambio, su finalidad política en sentido amplio: durante las luchas para la sucesión de Enrique I de Inglaterra el escritor se transformó en el portavoz de los celtas, que en un país dominado por los normandos, intentaban desempeñar un papel que les permitiera reconquistar un peso político.

De todas formas la *Historia* tuvo un éxito rápido y extraordinario; toda la Europa capaz de leer el latín no tardó en conocer a Arturo. No se hicieron esperar mucho las traducciones al francés: conocemos hasta siete de ellas,[10] pero la más afortunada fue el *Roman de Brut* del normando Wace, escrito en 1155 y dedicado a Leonor de Aquitania, reina de Inglaterra. Wace es quien menciona por vez primera la Tabla Redonda, que permitía mantener una igualdad absoluta entre todos los caballeros de Arturo; sin embargo, dice que ya es conocida, lo que parece confirmar la existencia de una leyenda artúrica paralela a la *Historia.* Sea como fuere, la materia utilizada por las novelas, empezando por el *Erec et Enide,* no procede de Godofredo, quien, como máximo, ofrece un marco general en el que se encuadran acontecimientos que tienen una relación sólo marginal con el rey, protagonista único de su porción de la *Historia*; los protagonistas de las novelas, en cambio, son casi siempre los caballeros. Esto no resta importancia, sin embargo, a la obra de Godofredo, cuyo

9. La literatura galesa e irlandesa de aquellos siglos era de tipo oral o tradicional y es difícil fechar los textos que a menudo han llegado a nosotros en copias manuscritas más modernas. Por ello, una corriente crítica se niega a admitir la existencia de una leyenda artúrica anterior a Godofredo, extrapolando la prudencia crítica en prejuicio; además del filón propiamente galés, del que investigadores muy serios han confirmado la antigüedad, hallamos también rastros de una tradición artúrica en textos hagiográficos antiguos; en ellos aparecen futuros caballeros de la Tabla Redonda, como por ejemplo Gauvain, y además estas versiones, a diferencia de las galesas, se muestran contrarias a Arturo. Sobre estos problemas hay información en *Arthurian Literature, op. cit.,* y en el primer capítulo del libro de Frappier, citado, pp. 5-62.

10. Cfr. J. S. P. Tatlock, *The Legendary History of Britain,* Berkeley, 1950, cap. XXI, y B. Blackey, en *Romania,* LXXXII (1961), pp. 44-70.

texto latino confería a los relatos artúricos una autoridad cultural no demasiado inferior a la que Virgilio proporcionaba a Eneas. Pero Arturo tenía la ventaja de que las novelas, esencialmente autónomas respecto de la seudohistoria, podían ser modeladas libremente según las intenciones de los poetas y las exigencias de su público, con una flexibilidad mucho mayor que la materia antigua.[11]

## 3. DEL MITO A LA NOVELA: EL HÉROE LIBERADOR

En la parte actualmente perdida de la novela de Tristán escrita por el anglonormando Thomas y que conocemos por fuentes indirectas,[12] se cuenta que un día llega a Cornualles un navío procedente de Irlanda. El barón que viaja en el navío se presenta ante el rey Marc e Iseo mientras Tristán está de caza. La reina reconoce inmediatamente en él a un antiguo pretendiente e informa al rey acerca de su raza y de su rango y le ruega que le honre debidamente. El extranjero dice que es juglar y, en efecto, lleva una arpa de oro. Marc lo invita a comer en su mismo plato [13] y

---

11. Para la literatura artúrica hay algunas obras de conjunto que resultan muy útiles: R. S. Loomis, *Arthurian Literature in the Middle Ages*, Clarendon Press, Oxford, 1959 (hay muchas reediciones); el vol. IV del *GRLMA* está dedicado al *roman* (Heidelberg, 1978); recientemente han aparecido algunas bibliografías, entre las que debemos destacar la de H. L. Sharrer, *A critical bibliography of Hispanic Arthurian Material*, I, Grant & Cutler (Research Bibliographies and Checklists), Londres, 1977, y la de C. E. Pickford y R. W. Last, *The Arthurian Bibliography*, D. S. Brewer, Londres, 1981; como manual de iniciación en la narrativa medieval, resulta muy asequible el libro de C. García Gual, *Primeras novelas europeas*, Istmo, Madrid, 1974.

12. No nos quedan más que fragmentos cuya mejor edición es la de B. H. Wind, Ginebra, 1960, pero la comparación del Tristán de Godofredo de Estrasburgo, de la saga noruega, del *Sir Tristrem* inglés, de la *Tavola Ritonda* italiana y de la *Folie Tristan* de Oxford, que derivan de él, permite una reconstrucción bastante fiel del texto original que fue llevada a cabo por J. Bédier en Thomas, *Le roman de Tristan*, I, París, 1902. La historia que resumimos se encuentra en las pp. 168-175, y no está confirmada por ningún otro texto del Tristán independiente de Thomas, si excluimos tal vez la *Folie* de Berna, y, con muchas diferencias, la novela en prosa. Para más detalles ver mi estudio «L'utilizzazione letteraria di motivi narrativa popolare nei romanzi di Tristano», en *Mélanges Jean Frappier*, del que aquí uso algunas páginas. La versión de Bédier ha sido reelaborada, a su vez, y traducida por A. Yllera, *Tristán e Iseo*, CUPSA, Madrid, 1978.

13. En la Edad Media los dos comensales, sentados uno frente al otro, comían del mismo plato; se entiende que Marc quiere honrar así al extranjero.

después le ruega que toque, pero el huésped se niega a mostrar su arte sin recompensa; el rey le promete que obtendrá lo que desee. Entonces el extranjero toca dos veces y pide luego a Iseo como recompensa. El rey se niega a dársela, pero el extranjero arguye que quien no sabe mantener su palabra es indigno de la corona y se dirige a los nobles que están presentes: está dispuesto a sostener sus derechos en el campo. Los nobles instan al rey para que cumpla su promesa y el extranjero marcha finalmente hacia su navío con Iseo llorando; la partida, sin embargo, no es inmediata porque la marea está baja y el barco no puede navegar. Mientras, Tristán vuelve a la corte, e informado de los recientes acontecimientos, se viste de juglar y se presenta en la ribera del mar con una cítara. El extranjero le promete un manto y un vestido si consigue consolar a Iseo tocando su instrumento. Tristán toca tan bien que el extranjero no se da cuenta de que sube la marea y que se acerca el momento de partir. Entonces Tristán se ofrece para llevar a la reina a bordo con su caballo para que no se moje, pero cuando la tiene en su montura huye burlándose del extranjero: «Tú conquistaste a Iseo con el arpa y yo te la he robado con la cítara.»

Schoepperle [14] ha demostrado que este tema está muy extendido en la literatura celta, pero tenemos que recordar también que el tema en cuestión, apenas desarrollado en un episodio marginal del *Tristán,* constituye el esquema de una novela de Chrétien de Troyes compuesta aproximadamente en los mismos años que la obra de Thomas. El *Chevalier de la charrette* empieza con la descripción de la corte del rey Arturo el día de la Ascensión. En plena fiesta entra un caballero armado que declara tener prisioneros en su país a caballeros, damas y doncellas del reino de Arturo; si un contrincante se atreve a enfrentarse con él en campo abierto podrá conseguir la libertad de estos prisioneros, pero a condición de que el adversario se juegue a la misma reina, Ginebra. Keu, el presuntuoso senescal, obtiene de Arturo la promesa de ser satisfecho en cualquier deseo y pide después autorización para responder al desafío. Arturo ha comprometido su palabra y no puede evitar el duelo, a pesar de que todo el mundo prevé el resultado: Keu es derrotado y es hecho prisionero junto

14. *Tristan and Isolt. A Study of the sources of the Romance,* Nueva York, 1960,[2] pp. 417-430.

con la reina. Al cabo de poco, Gauvain se lanza a la búsqueda de la reina y se encuentra con un caballero desconocido que persigue claramente la misma finalidad y que, tras una vacilación imperceptible, no duda en subirse a la carreta de un enano, símbolo de la máxima ignominia, equivalente a la picota. Un poco más adelante los dos caballeros se informan de que el raptor se llama Meleagant y es el hijo del rey de Gorre, reino «don nus estranges ne retorne, / mes par force el païs sejorne / an servitude et an essil» («del que ningún extranjero vuelve, sino que se queda a vivir a la fuerza en el país, en servidumbre y destierro»).[15] Para entrar en Gorre hay que vadear un río turbulento o bien por un puente sumergido a una distancia igual del fondo que de la superficie del agua, o bien por el puente de la espada, estrecho y cortante como la hoja de un cuchillo. El caballero desconocido se dirige hacia este segundo puente que jamás nadie ha logrado pasar, atravesando un país habitado por desterrados que no pueden volver al reino de Arturo y que le acogen como a un libertador. El héroe consigue superar el terrible puente y en un dramático combate con Meleagant rescata a Ginebra; en este momento sabemos que su nombre es Lancelot du Lac. Ginebra está ya libre pero su suerte queda definitivamente dirimida al cabo de un año, en un segundo duelo; todos los desterrados pueden volver a su patria.

No cabe duda de que este relato no es una invención de Chrétien. Aunque no tomáramos en consideración el bajorrelieve de la archivolta del portal norte de la catedral de Módena, de datación e interpretación discutibles,[16] nos sería de ayuda un pasaje de la *Vita sancti Gildae* de Caradoc de Llancarvan (probablemente anterior a 1136), en la que el raptor es Melvas, rey de Somerset, y su refugio es Glastonbury; allí Arturo rescata a su esposa gracias a la mediación de San Gildas. Sobre el rapto de Ginebra existen numerosas versiones más recientes que no vamos a citar ahora. Sin embargo, el relato de Chrétien es el que nos da el sentido más auténtico de la historia; poco antes de llegar al reino de Gorre el Caballero de la Carreta se para en una ermita cerca de la cual

15. Chrétien de Troyes, *Le chevalier de la Charrette,* publicado por M. Roques, París, 1958, vv. 641-643 (CFMA), traducido por C. García Gual y L. A. de Cuenca, ya cit.

16. Cfr. últimamente J. Stiennon y R. Lejeune, «La légende arthurienne dans la sculpture de la cathédrale de Modène», en *Cahiers de Civilisation Médiévale,* VI (1963), pp. 281-296.

hay un cementerio con tumbas destinadas a acoger a algunos caballeros del rey Arturo, entre los que está Gauvain. El caballero pide información a propósito de la mayor de las tumbas.[17]

> Et li hermites
> respont: «Jel vos dirai assez:
> c'est un veissiax qui a passez                    1884
> toz ces qui onques furent fet;
> si riche ne si bien portret
> ne vit onques ne ge ne nus;
> biax est dedanz et defors plus;                   1888
> mes ce metez en nonchaloir,
> que rien ne vos porroit valoir,
> que ja ne la verroiz dedanz;
> car set homes molt forz et granz                  1892
> i covandroit au descovrir,
> qui la tonbe voldroit ovrir,
> qu'ele est d'une lame coverte.
> Et sachiez que s'est chose certe                  1896
> qu'au lever covandroit set homes
> plus forz que moi et vos ne somes.
> Et letres escrites i a
> sui dïent: "Cil qui levera                        1900
> cele lanme seus par son cors
> gitera ces et celes fors
> qui sont an la terre an prison,
> don n'ist ne clers ne gentix hon                  1904
> des l'ore qu'il i est antrez;
> n'ancors n'en est nus retornez:
> les estranges prisons retienent;
> et cil del pais vont et vienent                   1908
> et anz et fors a lor pleisir."»
> Tantost vet la lame seisir
> li chevaliers, et si la lieve,
> si que de neant ne s'i grieve,                    1912
> mialz que dis home ne feïssent
> se tot lor pooir i meïssent
> Et li moinnes s'an esbahi
> si qu'a bien pres qu'il ne chaïr,                 1916
> quant veü ot ceste mervoille;
> car il ne cuidoit la paroille
> veoir an trestote sa vie.

17. Edición citada, pp. 58-59.

(Y el ermitaño contesta: «Os lo explicaré claramente: es
una tumba que sobrepasa a todas las que jamás han sido cons-
truidas; ni yo ni nadie vimos jamás obra más rica y mejor
hecha; es bella por dentro y por fuera más todavía; pero olvi-
daos de ello, que no la veréis por dentro; que si alguien
quisiera destaparla necesitaría siete hombres muy fuertes y
grandes para poderla descubrir, pues está cerrada por una gran
losa. Y sabed que es verdad que harían falta siete hombres
para descubrirla, más fuertes de lo que vos y yo somos. Y hay
letras escritas que dicen: "El que levantará esta losa, él solo
con su esfuerzo, sacará a aquellos y aquellas que están prisioneros de esta tierra, de donde no sale ni clérigo ni gentilhombre desde el momento en que entra en ella; y todavía no ha
vuelto nadie: los extranjeros están en prisiones; y los del país
van y vienen dentro y fuera a su gusto."» Seguidamente el
caballero coge la losa y la levanta sin que le resulte difícil,
mejor de lo que lo habrían hecho diez hombres que pusieran
en ello todo su empeño. El monje se quedó pasmado, que casi
cayó desvanecido, cuando vio esta maravilla; pues no creía
ver cosa semejante en toda su vida.)

Loomis objeta que «en lugar de ver una tierra de la que nadie
puede volver [el reino de Gorre], es un país del que todos vuelven vivos y felices: Lancelot, Keu, Gauvain, Ginebra y todos los
prisioneros de Logres».[18] Pero en el mundo mítico sucede a menudo que se pueda volver del país del que nadie vuelve: naturalmente esto es posible gracias a las hazañas maravillosas de un
héroe extraordinario. Con ello no se pretende decir que las historias de los raptos de Iseo y Ginebra sean historias míticas; el
mito de la liberación del reino de los muertos aparece en estos
relatos como visto en transparencia, como una filigrana, más
subrayada y aparente en el caso de Chrétien, menos en Thomas:
en realidad el valor mítico es algo totalmente remoto, la historia
ha pasado a través de un filtro folklórico y se ha incorporado a
la narrativa popular. En este punto se plantea la cuestión de si el
filtro fue céltico o no lo fue. Debido a la cristianización tardía y a
la continuidad de una tradición literaria vitalísima, mantenida por
recitadores profesionales, el mundo céltico conservó un patrimonio

18.    *Arthurian Tradition and Chrétien de Troyes*, Nueva York-Londres, 1961,[3]
p. 220. El reino de Logres es el de Arturo, es decir la traducción novelesca de la
Gran Bretaña.

mítico muy rico incluso con posterioridad a la conversión al cristianismo; en la mitología celta la Ultratumba desempeñaba un papel notable, pues los celtas la concebían en relación continua con el mundo de los vivos.[19] Podría ser que en nuestro caso el tema fuera de procedencia céltica, pero es frecuente que el núcleo originariamente céltico de la leyenda artúrica absorba y tiña superficialmente materiales narrativos extendidos entre otras poblaciones del área cultural francesa. Por otra parte, el folklore francés, tanto si era de origen galo, latino o germánico, no podía diferir tanto del bretón hasta el punto de que el trasiego que hemos señalado fuera imposible o descarado. En realidad la temática de la narrativa popular euroasiática es fundamentalmente homogénea y relativamente limitada [20] y procede en gran parte, como en nuestro caso, de la trivialización de relatos míticos y rituales. La novela medieval explotó abundantemente esta enorme reserva de temas, conduciéndolos por un proceso ascensional, no hacia nuevos valores religiosos sino hacia una significación de tipo literario; el origen céltico de la materia prima es un hecho relativamente secundario ya que el sentido de la producción novelesca es otra cosa muy distinta, y muy importante.

Para empezar es decisivo que reconozcamos en el material narrativo de la novela unos orígenes más folklóricos que literarios (y sobre todo clásicos) o nacidos de la imaginación creadora de los autores.[21] La recuperación filológica de la tradición latina medieval que se ha llevado a cabo en los últimos cincuenta años conlleva una valoración excesiva de la influencia de las obras antiguas o latinas en general en las romances, incluso desde el punto de vista de la temática; se llega hasta a anular cualquier distinción entre cultura latina medieval y cultura romance contemporánea.[22] En realidad, las fuentes clásicas que se han propues-

19. Para estas concepciones cfr. J. de Vries, *La religion des Celtes*, París, 1963, pp. 255-263.

20. Cfr. S. Thompson, *El cuento folklórico*, Universidad Central de Venezuela, Caracas, 1972, y A. Aarne-S. Thompson, *The Types of the Folktale. A Classification and Bibliography*, Helsinki, 1964;[2] es especialmente útil el extenso repertorio, ya clásico, del mismo S. Thompson, *Motif-Index of Folk-Literature*, 6 vols. (reedic.), Indiana University Publications, Bloomington, 1955-1958.

21. Lo que no significa excluir estas dos posibilidades, sino considerarlas menos frecuentes y sobre todo menos representativas.

22. Existe una formulación extrema de esta tesis en los estudios de A. Viscardi, por ejemplo en sus *Letterature d'oc e d'oïl*, Florencia, 1967, con bibliografía.

to cubren una parte muy pequeña de la producción en lengua romance, además no se trata de una cuestión cuantitativa sino cualitativa: no es lo mismo decir que un tema determinado dentro de una obra literaria específica es de origen clásico o folklórico, ya que su timbre y su tono son absolutamente distintos. Cuando leemos una obra literaria, todos sus valores quedan siempre determinados en consideraciones diferenciales, calculando la selección de valores comparables a ellos tanto en el presente como en el pasado; por esto quien utiliza un material que está ya formado en otra obra, establece las significaciones de la suya con arreglo a las de la realización precedente. De esta manera adquirirán un sentido y un peso tanto su respeto por la fuente como sus innovaciones y sus distintos modos. No es concebible la abstracción del contexto tradicional y contemporáneo sin la renuncia a todo criterio válido, con lo que uno se expone a dar unos bandazos incontrolables, como sucede, por ejemplo, cuando se lee y se juzga una obra de una cultura totalmente ajena a la nuestra, o poco conocida.

Volvamos al episodio de Thomas. Está claro que la historia se presenta hondamente desmitificada, que el caballero no es el rey de los muertos; pero el oyente medieval conocía muchas otras versiones del mismo tipo narrativo y podía identificar con relativa facilidad la filigrana mítica, volviendo a percibir a través de las palabras del poeta el timbre de lo misterioso y lo fascinante, y de esta manera precisamente iba descubriendo la intencionada novedad de Thomas, llegaba a captar con seguridad el tono específico que el poeta había querido poner en la novela a través de un complejo juego de relaciones interiores y exteriores a la misma. La reacción ante la lectura del *Chevalier de la Charrette* no podía ser muy diferente, aunque sus resultados eran distintos, con arreglo a las distintas intenciones de Chrétien. En efecto, todos los materiales narrativos son polimórficos, pero no hasta el punto de llegar a la total anulación de las significaciones adquiridas a través de la elaboración tradicional.

Lo expuesto no pretende que volvamos a separar la cultura latina de la romance; significa que cada una de ellas tiene que tomarse en consideración dentro de su tradición específica. Un ejemplo aclarará lo que estamos exponiendo. Ya habrá notado el lector que el tema al que nos estamos refiriendo es el mismo de Orfeo y Eurídice; en el siglo XII existía un *lai* francés de Orfeo del que no nos queda más que una versión inglesa escrita entre 1250 y 1330.[23] Una mañana de mayo Heurodis, la esposa de Sir Orfeo, se duerme en un jardín y sueña con un rey con una corona luciente como el sol, que le ordena que al día siguiente esté en aquel mismo sitio, porque él se la llevará a su país, del que le va enseñando los castillos, los bosques y los campos. A pesar de las precauciones de Sir Orfeo, el día siguiente Heurodis desaparece misteriosamente. Orfeo va errante y desesperado con su arpa y los días más calurosos de verano ve algunas veces al rey de las hadas y reconoce a Heurodis entre su séquito, pero no puede acercársele. Finalmente consigue penetrar a través del agujero de una roca en el reino maravilloso y puede entrar en el luminoso castillo del rey, en el que halla a personas muertas que yacen como si estuvieran dormidas. El rey escucha cómo toca el arpa y le promete lo que desee en recompensa. Orfeo pide a Heurodis y el rey, por fidelidad a su palabra, no puede negársela. Sir Orfeo vuelve con su esposa a su tierra en la que ya nadie le reconoce.

Además de su elevada calidad poética y del hecho de que nos proporciona otra versión, con algunas variantes, de la historia del rapto de una mujer por obra de un ser misterioso, el *Sir Orfeo* tiene un valor incalculable porque muestra cómo un tema clásico, de cuyo origen se tiene una seguridad total, puede ser sumergido de nuevo en una atmósfera mágica, volviendo a adquirir un tono que las versiones literarias antiguas, las que pudo conocer el poeta francés (fuente del anónimo inglés),[24] habían perdido completamente desde hacía tiempo. El *Sir Orfeo*, pues, confirma la tesis de que entre el mundo clerical y el popular no existían barreras insalvables, pero no en el sentido de que el segundo se nutría unilateralmente de los jugos vitales del primero, sino debido a que se producía entre ambos una íntima compenetración. El punto de convergencia estaba en determinadas tendencias e intereses típicamente medievales, especialmente en el gusto por lo fantástico, no como finalidad en sí misma, sino como vehículo de lo mágico y lo misterioso, aunque siempre tales elementos aparecían subyugados y casi reducidos a la fuerza por el hombre según su voluntad y sus dimensiones.

23. Cfr. *Sir Orfeo*, edición de A. J. Bliss, Oxford, 1966.[2]
24. Es decir Ovidio, *Metam.*, IV, 614 ss. y X, 1 ss.; Virgilio, *Georg.*, IV, 453 ss.; Boecio, *De consol. Phil.*, III, XII.

Es un hecho incontestable que la literatura romance poseyó y difundió valores, sentidos y gustos nuevos, que no se hallaban expresados en la literatura latina, sea porque esta última quedó más vinculada a la tradición, sea por la estrechez del ambiente en el que nacía y al que se dirigía. La poesía romance tenía un público mucho más amplio y en gran parte *illitterati,* que elevó a nivel cultural no sólo los temas que le eran familiares sino también los materiales narrativos que conocía, como sus mitos, sus leyendas, sus cuentos. La revolución cultural con sus dos caras, lingüística y temática, fue también una revolución social: los comienzos de las literaturas romances acercaron la cultura a clases nuevas, a menudo vírgenes de cualquier tipo de experiencia literaria, acrecentó de golpe el porcentaje de público literario en el conjunto de la población. Y como los realizadores materiales de este fenómeno revolucionario fueron una clase de *litterati* capaces de dar forma a las nuevas exigencias o unos cantores profesionales que supieron adaptarse al nuevo nivel que se esperaba incluso de obras en lengua romance, la ósmosis de la cultura latina y un cierto tipo de continuidad con ella estaban aseguradas. Pero lo que nos interesa ahora es precisamente el nivel en el que se fijó la nueva producción; es aquí donde empieza, con posterioridad o durante la crisis a la que nos hemos referido, una nueva selección de estilo, de temas, de público. La novela, junto a la lírica, queda plenamente incluida en ella.

## 4. La aventura como destino personal: Ivain y Perceval

La hazaña del héroe novelesco se distingue de la del héroe épico empezando por el nombre, *aventure,* «aventura». Se trata de un derivado del latín *adventura,* participio de futuro de *ad venire* (es decir «lo que está a punto de suceder»), cuyo uso substantivado está documentado únicamente en francés; dado que el participio de futuro es ajeno a la lengua popular y que es improductivo en romance, *aventure* es una palabra propia de un ambiente de cultura que pretende expresar a través de ella una forma muy especial de experiencia.[25] La aventura no es nunca

---

25. Cfr. R. R. Bezzola, *Le sens de l'aventure et de l'amour (Chrétien de Troyes),* París, 1947.

gratuita, casual, no se presenta indiscriminadamente a cualquiera. Existe una especie de misteriosa correspondencia entre un hombre y su aventura, pues es una experiencia absolutamente individual, sin posible participación de otros, bien distinta de la hazaña épica que involucraba a toda una colectividad y era protagonizada por determinados individuos que descollaban por alguna capacidad externa, como su fuerza superior o sus dotes militares. La situación de la novela es totalmente distinta: pensemos, por ejemplo, en Keu, el senescal de Arturo, que intenta repetidamente entrar en la aventura —tal como hemos visto al comienzo del *Chevalier de la Charrette*— y fracasa una y otra vez. No se trata únicamente de incapacidad física de enfrentarse al caballero desconocido, sino sobre todo de razones morales, «orguel, outrage et desreison», como dicen los caballeros de la corte, que excluyen a Keu de la experiencia de la aventura. El carácter doblemente personal de la aventura resulta evidente precisamente en la decisión del caballero que deja la corte y se encamina solo hacia el bosque, sin ninguna seguridad de que hallará pruebas que midan su valor pero confiando en que un destino inconcreto pero personalísimo se las tiene preparadas. Encontrar una aventura es ya una señal, incluso antes de que ésta llegue a una conclusión feliz, aunque la verdadera aventura termina cuando la prueba ha confirmado la calidad del caballero, su adecuación al destino.

La novela del *Chevalier au lion,* que Chrétien iba componiendo paralelamente a la *Charrette,*[26] empieza como el *Erec.* Por Pentecostés, uno de los momentos tópicos de la aventura, el rey Arturo convoca su corte y uno de sus caballeros, Calogrenante, cuenta que siete años antes, mientras iba solo *querant aventures* (v. 175), por el bosque de Brocelianda se alojó una noche en el castillo de un caballero muy cortés y de su bella hija. A la mañana siguiente siguiendo su camino por el bosque encontró a un villano, un ser casi bestial, a quien preguntó si era posible encontrar aventuras por allí: «avanture, por esprover / ma proesce et mon hardement» (vv. 362-363). El villano contesta: «d'aventure ne sai je rien» (v. 368) (y esta ignorancia confirma la naturaleza aristocrática, rigurosamente selectiva de la aventura), pero le comunica que cerca de aquel sitio hay una fuente que hierve a

26. Cfr. J. Frappier, «Le roman en vers en France au XIIᵉ siècle», *GRLMA*, IV, pp. 255-262.

pesar de estar muy fría, a la sombra de un árbol siempre verde
que lleva colgando una cadena con un recipiente de hierro que
sirve para tomar agua de la fuente; si el caballero tira el agua
sobre una piedra que está cerca de la fuente se desencadenará una
terrible tempestad. Calogrenante se acercó a la fuente y provocó
la tempestad. Al volver el buen tiempo compareció un caballero
enfurecido que le preguntó por los motivos del desafío y del daño
que representaba para él el gesto del caballero artúrico. Calogrenante se enfrentó a la aventura imprevisible pero esperada, pero
fue desarzonado y perdió el caballo que quedó en poder del vencedor, de manera que no tuvo otro remedio que volver vergon-
zosamente desarmado y sin montura al castillo del amable huésped de la noche anterior que le acogió sin alterar su cortesía no
obstante el fracaso de la aventura, pues jamás nadie había vuelto
de la fuente, ni vencedor ni vencido.

Calogrenante durante siete años no ha tenido ánimos para
relatar su desdicha, que apasiona ahora a toda la corte, de manera que Arturo decide ir a ver las maravillas de la fuente. Yvain,
un primo de Calogrenante, se interesa más que los demás y ocul-
tamente y solo se apresura a preceder a la corte repitiendo el
camino y las experiencias de Calogrenante; a pesar de los siete
años que han pasado nada ha cambiado. Esta vez, sin embargo,
el guardián de la fuente, herido de muerte, huye hacia su castillo perseguido por Yvain que quiere capturarlo vivo o muerto
para tener una prueba de su proeza. Ambos atraviesan al galope
una ciudad fortificada que parece desierta, hasta llegar a la puerta
del palacio abierta de par en par. Pero, apenas ha pasado el caballero herido, baja una puerta ante Yvain mientras otra se cierra
a sus espaldas, cortando de un tajo a su caballo: el héroe queda
atrapado en el hueco del portal de entrada. El verdadero comienzo de la aventura no son las maravillas de la fuente sino esta
persecución y esta captura. Yvain, en efecto, se casa con la viuda
del guardián de la fuente y se transforma en guardián él mismo,
por lo que vence luego a Keu, que se presenta con el rey Arturo
para comprobar los prodigios de la fuente de Brocelianda, y más
tarde protagoniza unos nuevos acontecimientos de los que volveremos a hablar. La aventura que era ajena e imposible para el
horrible villano del bosque, se presenta a Calogrenante pero,
para decirlo de alguna manera, lo rechaza; Yvain, en cambio, la
supera y ello le abre un complejo itinerario de sucesos caballe-

rescos. Es evidente que Yvain supera una prueba que su primo no había podido vencer, pero en realidad hay un condicionamiento recíproco entre el héroe y su aventura: el caballero está a la altura de la aventura y ésta le pertenece. Tenemos la tentación de designar a este condicionamiento con el nombre de predestinación.[27]

El *Conte del Graal,* la última de las obras de Chrétien de Troyes,[28] es todavía más ilustrativa para la finalidad que nos proponemos. Leamos ahora algunos versos de la escena inicial, en los que el joven protagonista que vive en el bosque junto a su madre, habla con ésta de un encuentro extraordinario que ha tenido:

> «Mere, dont ne soliez vos dire
> Que li angle et Diex, nostre Sire, 384
> Sont si tres bel c'onques Nature
> Ne fist si bele creature,
> N'el monde n'a si bele rien?»
> «Biax fix, encor le di je bien. 388
> —Jel di por voir, et di encor.»
> «Taisiez, mere, ne vi je or
> Les plus beles choses qui sont,
> Qui par le gaste forest vont? 392
> Il sont plus bel, si com je quit,

---

27. Como prueba de que la aventura puede escapar a quien la busca, veamos lo que dice el poeta de Ivain, que está decidido a seguir las huellas de Calogrenant:

> il vialt estre jusqu'a tierz jor
> an Broceliande, et querra,
> *s'il peut,* tant que il troverra
> l'estroit santier tot boissoneus...
>
> (vv. 696-699)

(quiere hallarse al cabo de tres días en Brocelianda y buscará, *si puede,* hasta hallar el estrecho camino emboscado...)

Como puede verse Ivain no está seguro, en absoluto, de poder encontrar el difícil camino que lleva al castillo del cortés valvasor y luego a la fuente.

28. Iniciado después de 1181 no se llevó a término seguramente a causa de la muerte del poeta. Para introducirse en su compleja problemática véase: J. Frappier, *Chrétien de Troyes,* pp. 169-209, y R. S. Loomis, *The Grail from Celtic Myth to Christian Symbol,* Cardiff-Nueva York, 1963; vid., también, M. de Riquer, *La leyenda del Graal y temas épicos medievales,* Edit. Prensa Española, Madrid, 1968.

Que Diex ne que si angle tuit.»
La mere entre ses bras le prent
Et dist: «Biax fix, a Dieu te rent,      396
Que molt ai grant paor de toi.
Tu as veü, si com je croi,
Les angles donte la gent se plaignent,
Qui ocïent quanqu'il ataignent.»      400
«Non ai, voir, mere, non ai, non!
Chevalier dïent qu'il ont non.»
La mere se pasme a cest mot,
Que chevalier nomer li ot.[29]      404

(«Madre, ¿no solíais decir que los ángeles y Dios, nuestro Señor, son tan bellos que jamás Naturaleza hizo criaturas tan bellas, y que el mundo no posee cosas tan hermosas?» «Hijo mío, todavía lo digo. Lo digo como cosa cierta, y lo repito.» «Callad, madre, ¿no vi acaso yo ahora a lo más hermoso que existe pasar por el gran bosque? Son más bellos, por lo que creo, que Dios y que todos sus ángeles.» La madre lo tomó entre sus brazos y dijo: «Hijo mío, te encomiendo a Dios, pues tengo mucho miedo por ti. Tú has visto, según pienso, a los ángeles de los que se quejan las gentes pues matan a todos los que encuentran.» «¡No vi a éstos, madre, es cierto, no vi a éstos! Dicen que tienen por nombre caballeros.» La madre se pasmó ante esta palabra, cuando oyó que nombraba a los caballeros.)

La madre explica entonces al muchacho que se ha retirado a vivir con él fuera del mundo precisamente para impedir que conozca ni siquiera el nombre de la caballería, que ha sido la causa de la muerte de su padre y de sus hermanos mayores; pero la revelación de la realidad caballeresca ha fulgurado al joven como una visión del paraíso. La blasfema comparación de los vv. 393-394 es debida, más que a la burda inexperiencia del chico, a la profunda impresión que le ha provocado la revelación de sí mismo, el redescubrimiento de su propia naturaleza ignorada, que la rús-

29.  Cito de Chrétien de Troyes, *Le roman de Perceval ou Le conte du Graal*, publicado por W. Roach, Ginebra-Lille, 1956, p. 12. Recientemente ha aparecido otra edición de esta obra de Chrétien, preparada por F. Lecoy en «Classiques français du Moyen Âge», 2 vols., Champion, París, 1975. El *Perceval* ha sido traducido por M. de Riquer, como ya indiqué más arriba.

tica vida del bosque no ha logrado borrar completamente. La vocación caballeresca es irresistible, la madre no podrá detener a su hijo decidido a marcharse; éste no se detiene y no retrocede ni siquiera cuando, al volver la cabeza por última vez hacia su casa, «ve a su madre tumbada al pie del puente, y yacía exánime como si estuviese muerta» (vv. 622-625). No es el destino lo que obliga al joven sino su naturaleza, pues Perceval (éste es el nombre del muchacho, del que el lector será informado mucho más tarde) es hijo de un valiente caballero. La Edad Media tenía una fe absoluta en los lazos de la sangre, que si en algunas ocasiones eran causa de inmovilismo social y de prejuicios, aquí, en cambio, justifican la impetuosa irrupción de un carácter natural al que nada puede frenar. En efecto, Perceval no sabe nada del mundo y de la vida caballeresca, es un muchacho de una virginidad cultural y moral absolutas; el poeta sigue con irónica simpatía su viaje hasta la corte de Arturo, a la que acude por ser el centro de toda caballería, cometiendo un sinfín de *gaffes*. La corte está conmovida por uno de aquellos desafíos exteriores que de vez en cuando, en los momentos señalados por el destino, la sacuden: el Caballero Rojo del bosque de Quinqueroi tras entrar jactanciosamente en la sala, ha arrancado de la mano de Arturo la copa en que bebía el rey y ha arrojado con gesto villano su contenido sobre la reina; está esperando ahora fuera de palacio que alguien le dispute con las armas la posesión del mismísimo reino de Logres. La entrada de Perceval en la sala es de lo más torpe; no logra comprender quién es el rey y tienen que indicárselo, después capta la atención del soberano, inmerso en sus pensamientos, con un gesto desgarbado (le arroja sobre la mesa su sombrero), muestra luego un total desinterés por los graves problemas del momento y pide perentoriamente que le armen caballero sin dilación. Hay que añadir que ha entrado en la sala con sus miserables vestidos de leñador galés y montado en su caballo (del que no quiere bajar). A primera vista su actitud es casi tan ofensiva como la del Caballero Rojo, pero los actos que para el segundo están calculados, son inocentes en Perceval. Su aspecto es simpático y además:

> Cler et rïant furent li oeil
> En la teste au vallet salvage.
> Nus qui le voit nel tient a sage,

> Mais trestot cil qui le veoient,
> Por bel et por gent le tenoient.[30]
>
> (vv. 974-978)

(Claros y sonrientes eran los ojos en la cabeza del muchacho salvaje. Nadie al verlo lo considera sabio, pero ahora todos los que le miraban lo hallaban hermoso y apuesto.)

Si esto no fuera suficiente, he aquí que al entrar el joven en la sala se produce un hecho maravilloso:

> A une pucele veüe
> Bele et gente, si le salue,
> Et ele lui et si li rist,
> Et en riant itant li dist:
> «Vallet, se tu vis par eage,
> Ce pens et croi en mon corage
> Qu'en trestot le monde n'avra,
> N'il n'ert ne on ne l'i savra,
> Nul meillor chevalier de toi;
> Einsi le pens et cuit et croi.»
>
> (vv. 1035-1044)

(Ha visto a una doncella bella y gentil, y la saluda y ella a él y le sonríe, sonriendo le dice lo siguiente: «Muchacho, cuando seas mayor, pienso y creo esto en mi corazón, que en todo el mundo no habrá ni hubo ni se conocerá un caballero mejor que tú; así lo considero, lo pienso y lo creo.»)

La muchacha no reía desde hacía seis años y un tonto, portavoz tradicional de verdades incomprensibles, solía decir que volvería a sonreír sólo cuando viera a «aquel que tendrá el señorío sobre toda caballería» (vv. 1061-1062). También en este caso es difícil decir en qué sentido Perceval se nos presenta como un predestinado; pero, efectivamente, un personaje secundario le reconoce maravillosamente y sus dotes, más allá de lo que podía resultar evidente, se revelan a la intuición del rey Arturo. El des-

---

30. Esto comporta un juicio positivo de sus cualidades. Como dirá el rey Arturo reprendiendo a Keu que acaba de ofender al joven, «aunque el joven sea torpe, tal vez es noble y esto le viene de la educación, que ha recibido de un mal maestro: puede ser que se transforme en un gallardo caballero» (vv. 1012-1016). Como sabemos Perceval no había tenido maestro alguno.

cubrimiento de sí mismo, que había empezado con el hallazgo de los caballeros en el bosque, se va haciendo cada vez más claro y muy pronto se enfrenta a una prueba decisiva. El muchacho antes de entrar en el palacio ve al Caballero Rojo, le gustan sus armas y las pide al rey, que no está precisamente en condiciones de dárselas; al salir de la sala se produce un altercado entre él y el caballero, tras el cual Perceval lo mata con una jabalina, arma de caza y no de combate caballeresco, pero la única que el joven sabía manejar. Las armas que había deseado son suyas, la corte de Arturo queda libre de un enemigo orgulloso y fuerte, Perceval —convertido en el nuevo Caballero Rojo— parte hacia la aventura.

El momento culminante de su historia es cuando es hospedado en un castillo que se le aparece de repente en un paraje desierto;[31] el dueño del castillo es un rico señor que no puede ponerse en pie a causa de una enfemedad. Poco después de la llegada de Perceval se presenta un joven que entrega a su señor una espada «de un acero tan fuerte que nunca podrá ser partido excepto en una circunstancia especial que conoce únicamente aquel que la forjó» (vv. 3139-3143); se la manda su sobrina para que la regale a quien quiera a condición de que lo haga con tino.

> Tantost li sire en ravesti
> Celui qui laiens ert estranges
> De cele espee par les ranges,
> Qui valoient un grant tresor.
>
> (vv. 3158-3161)

(Inmediatamente el señor la ciñó al que era extranjero en el castillo con su vaina y cinturón, que valían un gran tesoro.)

Llegamos así a la escena central de la novela:

> Uns vallés d'une chambre vint,
> Qui une blanche lance tint                    3192

31. Un hombre que pescaba desde una barca en un río, le había dicho que le hospedaría en su palacio y le había señalado el camino, pero al llegar a la colina no vio más que cielo y tierra (v. 3039) y maldijo al pescador que al parecer le había engañado. «Entonces vio cerca de sí la cima de una torre que apareció» (vv. 3050-3051) y descubrió el castillo.

Empoignie par le mileu,
Si passa par entre le feu
Et cels qui el lit se seoient.
Et tot cil de laiens veoient                    3196
La lance blanche et le fer blanc,
S'issoit une goute de sanc
Del fer de la lance en somet,
Et jusqu'a la main au vallet                    3200
Coloit cele goute vermeille.
Li vallés voit cele merveille
Qui la nuit ert laiens venus,
Si s'est de demander tenus                       3204
Coment ceste chose avenoit,
Que del chasti li sovenoit
Celui qui chevalier le fist,
Qui li ensaigna et aprist                        3208
Que de trop parler se gardast.[32]
Et crient, se il le demandast,
Qu'en le tenist a vilonie;
Por che si nel demanda mie.                      3212
Atant dui autre vallet vindrent,
Qui candeliers en lor mains tindrent
De fin or, ovrez a neel.
Li vallet estoient molt bel                      3216
Qui les chandeliers aportoient.
En chascun chandelier ardoient
Dis chandeilles a tot le mains.
Un graal entre ses deus mains                    3220
Une damoisele tenoit,
Qui avec les vallés venoit,
Bele et gente et bien acesmee.
Quant ele fu laiens entree                       3224
Atot le graal qu'ele tint,
Une si grans clartez i vint
Qu'ausi perdirent les chandoiles
Lor clarté come les estoiles                     3228
Font quant solaus lieve ou la lune.
Aprés celi en revint une
Qui tint un tailleoir d'argant.

32. El precepto de la discreción se lo enseña al joven Gornemant de Goort, quien le acoge en su castillo después de que éste deja la corte de Arturo; le enseña también el manejo de las armas, lo arma caballero y le enseña los principios de la moral caballeresca.

Li graaus, qui aloit devant, 3232
De fin or esmeré estoit;
Prescïeuses pierres avoit
El graal de maintes manieres,
Des plus riches et des plus chieres 3236
Qui en mer ne en terre soient;
Totes autres pierres passoient
Celes del graal sanz dotance.
Tout ensi com passa la lance, 3240
[Par devant le lit s'en passarent]
Et d'une chambre en autre entrerent.
Et li vallés les vit passer,
Ne n'osa mie demander 3244
Del graal cui l'en en servoit,
Que toz jors en son cuer avoit
La parole au preudome sage.

(Vino un muchacho de una habitación llevando una lanza blanca empuñada por el centro, y pasó entre el fuego y los que estaban sentados en la cama. Y todos los de dentro veían la lanza blanca y el hierro blanco; de la punta de la lanza salía una gota de sangre que caía con su color rojo hasta la mano del muchacho. El joven que había llegado la noche anterior se abstuvo de preguntar la razón de ello, ya que se acordó de la recomendación que le había hecho un caballero, que le enseñó que se guardara de hablar demasiado. Y creyendo que si hacía preguntas lo considerarían un villano, no pidió la razón de aquel hecho. Mientras, se acercaron otros muchachos llevando en sus manos unos candelabros labrados de oro fino. Los muchachos que llevaban los candelabros eran muy hermosos. En cada candelabro ardían por lo menos diez velas. Una doncella llevaba entre sus dos manos un grial y venía con los muchachos; era bella, gentil e iba bien arreglada. Cuando la doncella entró llevando el grial, se formó un resplandor tal que las velas perdieron claridad, como las estrellas cuando salen el sol o la luna. Después de ésta venía una que llevaba una patena de plata. El grial que iba delante era de oro fino y puro; llevaba el grial piedras preciosas de muchas clases, y eran las más ricas y las más caras que hay en la mar y en la tierra; superaban las piedras del grial sin duda a todas las demás. Igual como pasó la lanza, pasaron ante la cama y fueron de una habitación a otra. El joven los vio pasar y no osó preguntar, pues tenía siempre presentes las palabras del sabio gentilhombre.)

Durante la espléndida cena el graal[33] vuelve a pasar por la sala cada vez que se sirve un plato y Perceval reprime repetidamente su curiosidad. A la mañana siguiente cuando se despierta en la habitación que le ha sido asignada, no encuentra a nadie que le ayude a ponerse las armas; no hay alma viviente en el castillo, el caballo de Perceval está solo en el patio, el puente levadizo está bajado como si todo el mundo hubiera salido al alba. Apenas el joven ha pasado el puente, éste se levanta a sus espaldas. Al cabo de poco alcanza una explicación parcial de todos estos misterios; una muchacha encontrada en el bosque, al ver que Perceval está fresco y descansado en un lugar que está alejado muchas millas de cualquier habitación humana y al escuchar algunas explicaciones del protagonista, se da cuenta de que éste ha sido huésped del rico Rey Pescador, un soberano herido que no puede estar de pie ni a caballo, y que sin duda se habría curado junto con su tierra desolada si Perceval hubiera formulado la pregunta del Graal.[34] La muchacha, que resulta ser prima de Perceval, le dice además que no se ha atrevido a hacer la pregunta a causa de un pecado con el que se ha manchado: su madre murió de pena en el momento de la partida de éste, no fue un simple desmayo.

Es ésta una de las historias más fascinantes y afortunadas de la literatura medieval; no vamos a hablar ahora ni de sus fuentes, tema sobre el que la moderna investigación ha formulado hipótesis tan numerosas como irreconciliables, ni del sentido último que Chrétien quería expresar, pues la muerte le impidió terminar la novela, de tal manera que los continuadores antiguos pudieron inventar las soluciones que les parecieron mejores, dejando a la crítica sumida en una perplejidad total. Nos interesa ahora la trayectoria de Perceval desde el bosque al castillo del Graal, cómo y de qué manera se transforma en modelo de caballeros, qué sentido tenía todo ello para el público.

Ya hemos hablado a propósito de *Yvain* de la aventura in-

---

33.   Según Elinando de Froidmont (siglo XIII) un *graal* es una «scutella lata et aliquantulum profunda, in qua pretiosae dapes cum suo jure divitibus solent apponi gradatim» («una escudilla ancha y algo profunda en la que se suelen poner manjares exquisitos con todo lo que le pertenece para los ricoshombres»); véase el documentado estudio de M. de Riquer, *La leyenda del Graal,* cit.

34.   Es aquí donde la muchacha le pregunta el nombre, y el joven «que no conocía su nombre, adivina y dice que se llamaba Perceval el Galés y no sabe si dice o no la verdad; lo dice pero no lo sabe» (vv. 3573-3577).

dividual; en el caso de Perceval la cosa está más clara todavía. Su camino está jalonado de signos premonitorios de su destino de gloria que va madurando para él y sólo para él (desde la sonrisa de la muchacha hasta la espada que le regala el Rey Pescador), pero además la aventura central se presenta como algo todavía más selectivo que la del bosque de Brocelianda. En aquel caso era difícil encontrar el camino correcto, aquí el castillo del Graal se aparece únicamente a Perceval, normalmente no existe y al principio su prima no lo tiene en cuenta siquiera. Obsérvese todavía, a propósito de lo que se nos antoja como predestinación del caballero para su aventura, que se confirma nuestra opinión de que se trata de una especie de reconocimiento inquebrantable. Perceval se desenvuelve, aparentemente desconocido, en un mundo del que lo ignora todo; sin embargo, desde las primeras escenas, cuando no es más que un rústico joven de los bosques, primero el jefe de los caballeros y más tarde el rey Arturo experimentan una misteriosa simpatía (en sentido etimológico) para con él. La muchacha de la sonrisa llega incluso a ver su destino heroico, el rico Rey Pescador reconoce inmediatamente que él es el destinatario de la espada maravillosa, la muchacha del bosque no sólo puede explicarle dónde ha estado, sino que también sabe que su madre ha muerto y puede relacionar su culpabilidad con el silencio respecto del grial. Hay más: ella lo conoce y él no, ella sabe todo lo referente a la espada; no es un caso aislado. Más tarde se descubre que el Rey Pescador es primo de Perceval y que el grial sirve al padre del rey, hermano de la madre del héroe y por lo tanto tío suyo, igual que el ermitaño que revela al joven todos estos insospechados parentescos. El protagonista, en conclusión, se mueve en un mundo que tiene una dimensión de misterio precisamente porque no dispone de las nociones necesarias para interpretarlo, nociones que, sin embargo, otros parecen poseer.

Ya que la perspectiva del lector es la misma del protagonista, nos movemos en una realidad que parece estar esperándonos y que se nos va revelando en su plenitud poco a poco. No cabe duda de que el *Conte del Graal* es entre otras cosas un *Bildungsroman,* la historia de una formación humana; lo que pasa es que esto no sucede a nivel informativo, la novela no se transforma en un manual de caballería aunque posea casi todos sus elementos. Vemos todo lo que va haciendo Perceval para adquirir gradualmente la conducta y la ética de un caballero, pero lo que realmente cuenta es que esta maduración exterior se va insinuando insensiblemente en la personalidad del joven y la enriquece; de esta manera Perceval es digno cada vez de pruebas más elevadas, hasta la visita al castillo del Graal. Y si bien se muestra inmaduro para esta experiencia, ésta le sirve de punto de partida para otras y también para nuevos aprendizajes no sólo caballerescos sino incluso morales, que es verosímil pensar que lo habrían hecho digno de formular la pregunta liberadora en una eventual segunda visita al castillo del Rey Pescador. Nótese una sutil distinción: en la escena que hemos leído Perceval calla por un precepto de moral mundana (el guardarse de hablar demasiado [v. 3209], como le había enseñado Gornemant de Goort), pero más tarde descubre que la causa verdadera es su pecado.[35] Una perspectiva mundana se sublima y se integra en razones estrictamente morales y religiosas; cuando visita el castillo del Graal, Perceval es ya un perfecto caballero pero no es todavía un perfecto cristiano. Vemos, pues, que el sentido más profundo de la aventura es una ocasión de realizar la propia madurez y de ponerla a prueba, y aquí está también la razón de su naturaleza intrínsecamente individual.

Todas estas características distinguen las historias novelescas de las épicas, pues ante éstas el narrador prevé una reacción distinta del público. En efecto, la aventura de la novela, no es sólo una prueba y una epifanía individual; es también selectiva, y en un sentido doble. Así pues, en primer lugar la aventura escoge a sus héroes a través de una discriminación que en parte es irracional pero que presenta como dato indiscutible la extracción social; este concepto vale también para la épica, cuyos protagonistas son siempre nobles (y de la nobleza más alta), sólo que en la novela queda más destacado, precisamente porque la «elección» aísla automáticamente a los héroes de la masa con un criterio que no es el de la épica, mensurable feudalmente según las tierras que se poseen, los siervos, las riquezas, sino que corresponde a otra esfera más sutil, más irreal y por ello más fascinante, de superioridad interior, de aristocracia nacida de la experiencia y de la fama. En segundo lugar, los problemas que el héroe épico, destacándose de la masa, conseguía resolver eran problemas coti-

35.  Se lo confirma un tío ermitaño en los vv. 6392-6402, que le revela que sólo las oraciones de ella a Dios le han permitido superar las desgracias que han seguido a su culpa.

dianos estilizados: la salvación de una invasión enemiga, la conquista de nuevas tierras, luchas interiores. Eran problemas comprensibles para todo el mundo, interesaban a todos y todos se podían considerar implicados en ellos, aunque fuera desde el exterior. En la novela, por el contrario, la selección de los protagonistas es también una selección de problemas y de valores. Los problemas y los valores de las novelas de que hemos hablado hasta ahora son el amor y la perfección caballeresca, su posibilidad de conciliación, su casuística inagotable: problemas escogidos para un público escogido. El público de la épica comprendía idealmente a toda la colectividad, el de la novela es una *élite* poco más amplia que la de·la lírica cortés. Y es más amplia porque no se limita a los que tienen experiencia del amor y de la poesía sino que admite a la clase de los caballeros en su totalidad, por lo menos en la medida en que es capaz de participar en la dialéctica de autoconciencia y de idealización que le propone el autor de novelas. De esta manera el panorama sociológico de la literatura románica se complica y presenta sucesivamente nuevas delimitaciones interiores;[36] en ellas sigue manteniéndose la relación dialéctica entre cultura mediolatina y experiencia literaria románica, de la que hablábamos en el apartado anterior, pero además se patentiza aquí la vertebración interior del mundo románico y su capacidad de construir, a partir de los estímulos revolucionarios que hemos visto, nuevas selecciones y por ello nuevas *élites* y nuevas elaboraciones a niveles culturales y estilísticos muy refinados de materiales de un origen a menudo muy modesto.

## 5. LA ELECCIÓN COMO RECURSO DE LIBERTAD

Ya sabemos que el caballero desconocido que persigue a la reina Ginebra y a su raptor encuentra en un momento determinado una carreta conducida por un enano. Chrétien nos cuenta que se trata de una de aquellas carretas que solían utilizarse antaño para llevar a los malhechores por las ciudades; el que había subido una vez en una de ellas, perdía todo su honor. El caballero, que va a pie, le pregunta al enano si ha visto pasar a la reina y éste le responde:[37]

36. Que en la realidad producen una gama casi infinita de matices.
37. Edición citada, p. 12.

«Se tu viax monter
sor la charrette que je main,
savoir porras jusqu'a demain
que la reïne est devenue.»

(vv. 356-359)

(«Si quieres subir a la carreta que conduzco podrás saber
mañana lo que le ha sucedido a la reina.»)

Pero Lanzarote vacila, porque Razón le sugiere que no haga
nada que pueda deshonrarle; pero Amor le ordena que suba «y
sube, porque no le importa nada el deshonor, ya que amor lo
manda y lo quiere» (vv. 375-377). En cambio Gauvain, como
sabemos, no sube a la carreta.

Pues bien, el sacrificio de la carreta es tan relevante que da
nombre al protagonista y a la novela y ofrece la posibilidad a
Lanzarote de superar la aventura,[38] además llega hasta a determinar sus mismas relaciones con Ginebra. Tras la derrota de Meleagant, el rey de Gorre conduce al vencedor ante la mujer amada, por la que éste ha luchado tanto, y que finalmente está libre;
pero Ginebra se muestra enojada y calla. El rey le dice: «He
aquí a Lanzarote, deberíais estar contenta de verle»; pero ella
contesta: «¿Yo? Señor, no puede darme ningún gusto; no me
importa verle» (vv. 3945-3946). Esta frialdad sorprendente tendrá una explicación más adelante, cuando Ginebra dirá a su amante: «¿Cómo? ¿No habéis tenido acaso vergüenza de la carreta y
no habéis vacilado? Montasteis de mala gana en ella después de
haber tardado dos pasos» (vv. 4484-4487).

Lo que importa aquí no es la entrega total y ciega que la
mujer pretende de su amigo, que sin embargo le ha dado pruebas
extraordinarias de su espíritu de sacrificio y de su amor; lo notable es la característica situación de elección en la que la aventura sitúa al héroe y que no es más que otro de sus aspectos
constantes, el aspecto que devuelve al caballero, más allá de cualquier forma de predestinación, su propia libertad. En el caso de
la *Charrette,* como en muchos otros, la encrucijada en que se halla
situado el protagonista tiene un fondo mágico muy someramente
disimulado; el enano es un típico personaje de ultratumba,[39] la

38. Que en cambio Gauvain no podrá seguir hasta el fondo.
39. Cfr. V. J. Harvard, Jr., *The Dwarfs of Arthurian Romance and Celtic
Tradition,* Leiden, 1958.

carreta infamante es un símbolo cargado de sentidos,[40] no sabemos cómo Ginebra puede estar al corriente de la instantánea vacilación del amigo. Nos interesa el carácter totalmente dialéctico de la situación, aclarado por el rápido debate entre Razón y Amor, personificados. De esta manera, resumiendo una situación irracional y maravillosa en un esquema que entonces era normal por la enseñanza de la dialéctica en todas las escuelas hasta el punto de imprimirse en la *forma mentis* de todos los que habían estudiado, los poetas de la Edad Media devolvieron a sus protagonistas una libertad individual que todo parecía negarles. En el momento de tomar una decisión ignoran cuáles van a ser las consecuencias de su acto, pero éste no se define en vista de ellas, no se guía por la consideración de los resultados; el hombre sopesa únicamente su conducta, la adapta no a las apremiantes exigencias de la conveniencia pragmática, sino a la corrección formal. La elección se presenta así como un salto hacia lo desconocido que no se ha intentado prever en absoluto; existe, sin embargo, confianza en que una elección respetuosa de los cánones proporcione un éxito feliz. Así pues, paradójicamente el aspecto de la situación que parece más libre, es decir la elección en sí misma, en realidad está profundamente condicionado por los códigos de conducta (amoroso, caballeresco, feudal, etc.), mientras que los resultados de la acción, que en principio imaginamos en estricta dependencia de datos exteriores, desconocidos pero bien concretos, se consideran determinables a través de las formas de la elección misma. Lo confirma la conducta de Perceval en el Castillo del Graal: el protagonista no se plantea cuáles serán las posibles consecuencias de su silencio o de su pregunta, sino únicamente si sería o no correcto según la ética caballeresca formular esta pregunta; y al decidir, no sin algo de razón, que no sería correcto, calla, convencido de que su decisión, ya que se adapta a los cánones, tendrá buen resultado; y a la mañana siguiente no se le ocurre sospechar que el castillo abandonado y el puente levantándose a sus espaldas puedan tener relación alguna con su silencio. Pero el caso de Perceval demuestra también que la elección humana puede fallar, que los puntos de referencia pueden ser inadecuados. De una situación de libertad puede nacer incluso la tragedia.

40. Nótese la observación de Chrétien de que todos los que ven la carreta suelen persignarse y pronunciar conjuros (vv. 341-344).

Esto es lo que sucede en el relato de la *Chastelaine de Vergi,* de un autor desconocido del siglo XIII.[41] La duquesa de Borgoña está enamorada, de forma culpable, de un caballero de su corte, que no le corresponde porque está vinculado sentimentalmente con la castellana de Vergi, que le ama en secreto con la condición de que nadie conozca nunca sus relaciones. Ante las reiteradas insinuaciones de la duquesa, el caballero se atreve a decirle que la rechaza porque ama a otra mujer; la duquesa, herida por la negativa, cambia en odio su amor y denuncia a su marido un imaginario intento de seducción por parte del caballero.[42] El duque se enfrenta con el caballero y, desconfiando de la defensa que éste le presenta, le impone que revele el nombre de la mujer amada o que se vaya al destierro:

Cil ne set nul conseil de soi,
que le geu a parti si fort
que l'un et l'autre tient a mort;                    270
quar, s'il dit la verité pure,
qu'il dira s'il ne se parjure,
a mort se tient, s'il mesfet tant
qu'il trespasse le couvenant
qu'a sa dame et a s'amie a,                          275
qu'il est seürs qu'il la perdra
s'ele s'en puet apercevoir;
et s'il ne dit au duc le voir,
parjurés est et foimentie,
et pert le païs et s'amie;                           280
mes du païs ne li chausist,
se s'amie li remainsist
que sor toute riens perdre crient.
Et por de qu'adés li sovient
de la grant joie et du solaz                         285
qu'il a eü entre ses braz,
si se pense, s'il la messert
et s'il par son mesfet la pert,
quant o soi ne l'en puet mener,
comment porra sanz li durer.                         290

41. El texto citado es de la edición de F. Whitehead, Manchester, 1951;[2] es anterior a 1288.

42. Tal esquema narrativo está muy divulgado y es antiguo, se encuentra en la Biblia (José y la mujer de Putifar) y en Homero (Belerofonte); cfr. Thompson, *The Types of the Folktale,* cit., pp. 375, 390, 461.

(Aquél no hallaba en sí mismo ninguna solución, pues la situación estaba planteada de manera tan dura, que ambas alternativas le parecían mortales; si dice la pura verdad, que es lo que dirá si no se hace perjuro, se tiene por muerto, ya que su culpa será tan grande que violará el acuerdo que tiene establecido con su dama y amiga, y está seguro de que la perderá si llega a enterarse de ello; y si no dice la verdad al duque es un perjuro y un fementido, y pierde a su país y a su amiga; pero poco le importaba el país si hubiera podido conservar a su amiga, que es lo que más teme perder. Y por lo que en aquel momento le viene al recuerdo de la alegría y del gozo que ha alcanzado entre sus brazos, cree que, si la traiciona y si la pierde por su culpa, al no poderla llevar consigo, sin ella no podrá sobrevivir.)

La alternativa está bien clara y esta vez el caballero no toma en consideración las reglas de conducta cortés sino los resultados de su elección. No deja de ser significativo, sin embargo, que una vez decidido por el menor riesgo (el de perder posiblemente a la mujer en lugar de perder la patria e irremediablemente a la mujer con ella), el caballero cita el canto del Castellano de Couci,[43] que en un poema llora sobre la felicidad perdida, casi como si quisiera crearse una coartada ante la gravísima culpa que está a punto de cometer: la defección al precepto del secreto de amor. Pero cuando, animado por las promesas de reserva por parte del duque, nuestro caballero pronuncia el nombre de la castellana de Vergi, se desencadena implacablemente el mecanismo de la tragedia. La inalterada amistad entre el caballero y el duque alimenta las sospechas de la duquesa que, tras sonsacar a su marido el nombre de la rival, se apresura a demostrar a esta última, apenas se le presenta ocasión, que está al corriente de su secreto; la castellana, al enterarse de que su amigo ha roto la promesa, muere de dolor y el caballero se suicida sobre su cuerpo.

Pero la tragedia que acabamos de describir, está ya implícita en el dilema: «l'un et l'autre tient a mort» (v. 270). La rigurosa formulación del *jeu parti*[44] nos presenta la ilusión medieval de poder atrapar la cambiante incertidumbre del alma humana, su

43. Para este poeta, que escribió entre los siglos XII y XIII, cfr. *Chansons attribuée au Chatelain de Couci,* edición de A. Lerond, París, 1964.
44. Que es el término técnico que designa un género poético en el que dos interlocutores defienden soluciones opuestas de un mismo problema planteado por la teoría o la práctica de la conducta cortés.

sorprendente irracionalismo, precisamente dentro de las redes del racionalismo más casuístico. En realidad el material narrativo de la novela, debido a la fundamental individualidad que hemos glosado anteriormente, invitaba a concentrar el relato en el interior del alma humana; pero la narrativa precedente no ofrecía ningún ejemplo ni ninguna ayuda para esta difícil tarea con sus héroes extrovertidos propios de la épica y ni siquiera la lírica, planteada siempre en términos de exposición a un púbico; podía servir, más que en una medida muy reducida, para resolver el problema del análisis psicológico. Los poetas hallaron dentro de la tradición latina el ejemplo del monólogo y les pareció la forma más adecuada para realizar sondeos de lo desconocido; pero el monólogo no se usó indiscriminadamente: estuvo reservado a la discusión de las alternativas de conducta, a la disquisición casuística.[45] Tal vez descubierto por el autor del *Eneas,* el monólogo tuvo una aceptación extraordinaria en el siglo XII:[46] en el *Tristán* de Thomas, por ejemplo, el protagonista analiza en centenares de versos todos los aspectos de la situación de Iseo la rubia, que se ha quedado con el rey Marc, y si le conviene casarse con Iseo de las blancas manos, recurriendo a todos los expedientes y recursos de la dialéctica y de las disputas que eran habituales en las escuelas de aquellos tiempos.[47] Podríamos decir que jamás, antes de nuestros días, ha intentado la narrativa con un empeño tan heroico y con medios tan pobres penetrar en las profundidades del alma humana. Al margen de los resultados obtenidos la utilización del monólogo demuestra que hubo un desplazamiento del interés de los relatos desde los hechos en sí mismos a su significación en la perspectiva individual del protagonista, a la elección responsable de su destino que éste realiza a ciegas pero racionalmente, y además demuestra también la capacidad de utilizar para esta finalidad técnicas expresivas de procedencia heterogénea y en parte imprevisible.

La motivación de estos intentos de introspección, la causa que pone en marcha y justifica la historia novelesca es generalmente

45. En esto el monólogo novelesco se distingue claramente de los ocasionales monólogos épicos que son o 'en voz baja' (como los de Guillermo cuando está disfrazado) o diálogos con Dios (como el de Roldán moribundo).

46. Cfr. I. Nolting-Hauff, *Die Stellung der Liebeskasuistik im höfischen Roman,* Heidelberg, 1959, pp. 30 ss.

47. *El caso de la Chastelaine de Vergi* ha evolucionado más (el texto es tardío) y el monólogo se halla reemplazado por el discurso indirecto.

la más personal: el amor. Entre los textos que hemos utilizado hasta ahora sólo el *Graal* reserva al amor un lugar secundario aunque no marginal. La hazaña de Lanzarote depende totalmente de su entrega amorosa a la reina; el *Tristán* es la historia del amor pecaminoso pero irrenunciable de dos amantes, que sólo la muerte puede anular; en el *Erec* y el *Yvain* la acción principal está siempre determinada por la problemática de amor conyugal y caballería; en la *Chastelaine de Vergi* la tragedia estalla por el choque entre el amor secreto y feliz de los dos enamorados y el amor pecaminoso e imposible de la duquesa. El lugar central ocupado por el amor acerca sin duda la temática novelesca a la lírica, transformando a menudo el mundo narrativo en la figuración de un cosmos enteramente construido a partir de unas medidas ideales procedentes de la poesía cortés y que sería difícil hallar en la vida real. Pero, a pesar de que también en la novela el amor conserva la función selectiva y ennoblecedora que hemos estudiado en la canción, no se transforma en el filtro único de toda la realidad humana, no encarna sus múltiples aspectos, sino que se limita a motivar los hechos desde el exterior, a definir sus valores, de tal manera que aquella compleja dialéctica de la vida humana que en la canción tendía a resumirse en un diálogo entre el autor y la dama, conserva aquí su multiformidad. Los antagonismos entre el individuo y la sociedad en que vive, el mundo en que se desenvuelve, no se anulan sino que subsisten con toda su fuerza.

## 6. LA SOCIEDAD COMO LÍMITE: TRISTÁN E ISEO EN EL BOSQUE

En el *Roman de Tristran* de Béroul los dos amantes, sorprendidos por el rey Marc, son condenados a muerte y consiguen salvarse a duras penas huyendo al bosque de Morrois, en el que permanecen largo tiempo; en esta versión, sin embargo, el filtro que ambos bebieron en el barco que conducía a Iseo de Irlanda a Cornualles y que los mantenía irresistiblemente unidos, tiene una duración limitada a tres años que se cumplen precisamente cuando Tristán e Iseo se hallan en Morrois:[48]

48. Cito de Béroul, *The Romance of Tristan*, edición A. Ewert, Oxford, 1958, pp. 64-66. He tratado de los problemas de este texto en el libro *Il «Roman de Tristant» di Béroul*, Turín, 1963.

L'endemain de la saint Jehan
Aconpli furent li troi an                    2148
Que cil vin fu determinez.
Tristran fu de son lit levez,
Iseut remest en sa fullie.
Tristran, sachiez, une doitie                2152
A un cerf traist, qu'il out visé,
Par les flans l'a outreberset.
Fuit s'en li cerf, Tristran l'aquet;
Que soirs fu plains tant le porseut.         2156
La ou il cort aprés la beste,
L'ore revient, et il s'areste,
Qu'il ot beü le lovendrant;
A lui seus senpres se repent:                2160
«Ha! Dex», fait il, «tant ai traval!
Trois anz a hui, que rien n'i fal,
Onques ne me falli pus paine
Ne a foirié n'en sorsemaine.                 2164
Oublié ai chevalerie,
A seure cort et baronie;
Ge sui essillié du païs,
Tot m'est falli et vair et gris,             2168
Ne sui a cort a chevaliers.
Dex! tant m'amast mes oncles chiers,
Se tant ne fuse a lui mesfez!
Ha! Dex, tant foiblement me vet!             2172
Or deüse estre a cort a roi,
Et cent danzeaus avonques moi,
Qui servisent por armes prendre
Et a moi lor servise rendre.                 2176
Aler deüse en altre terre
Soudoier et soudees querre.
Et poise moi de la roïne,
Qui je doins loge por cortine;               2180
En bois est, et si peüst estre
En beles chanbres, o son estre,
Portendues de dras de soie;
Por moi a prise male voie.                   2184
A Deu, qui est sire du mont,
Cri ge merci, que il me donst
Itel corage que je lais
A mon oncle sa feme en pais.                 2188
A Deu vo je que jel feroie
Molt volentiers, se je pooie,

Si que Yseut fust acordee
O le roi Marc, qui'st esposee,                    2192
Las! si qel virent maint riche ome,
Au fuer qu'en dit la loi de Rome».
Tristran s'apuie sor son arc.
Sovent regrete le roi Marc,                       2196
Son oncle, qui a feit tel tort,
La feme mise a tel descort.

(El día después de San Juan se cumplieron los tres años
que duraba la fuerza de aquel vino. Tristán se levantó de su
lecho, Iseo se quedó en su yacija. Sabed que Tristán disparó
una flecha a un ciervo que vio y le atravesó los costados. El
ciervo huyó y Tristán lo persiguió; lo persiguió tanto que
oscureció. Mientras corría tras el animal, llegó la hora en que
bebió el filtro, y se paró; se arrepintió mucho consigo mismo:
«¡Ay Dios!», dijo, «¡he sufrido tanto! Hoy hace tres años, y
no falta ni un día, que no me han dejado las penas ni en
día de fiesta ni entre semana. He olvidado la caballería, y la
corte tranquila y la nobleza; estoy desterrado del país, no
tengo pieles de precio, no estoy en la corte como caballero.
¡Dios! ¡Cómo me habría amado mi tío querido si no me hubiese portado mal con él! ¡Ay Dios! ¡Me veo en tan mala
situación! Debería estar ahora en la corte del rey, con cien
jóvenes a mis órdenes, que fueran buenos para las armas y
para servirme. Debería ir a otras tierras a luchar y a ganar la
soldada. Y me pesa por la reina a quien doy una cabaña en
lugar de cortinas; está en el bosque y tendría que estar en
bellas habitaciones, como le pertenece, rodeada de telas de
seda; por mi culpa ha tomado un mal camino. Pido piedad
a Dios que es Señor de este mundo, que me dé valor para
dejar a mi tío y a su esposa en paz. Voto a Dios que lo haría
muy a gusto si pudiera, de manera que Iseo volviera con el
rey Marc, con quien está casada, ¡ay de mí!, tal como lo
vieron muchos hidalgos, según manda la ley de Roma». Tristán se apoya en su arco. Se arrepiente a menudo de la ofensa
que ha hecho al rey Marc causando tanto deshonor a su
mujer.)

La primera cosa de que se arrepiente el héroe cuando llega la
hora fatal, no es del gravísimo pecado que ha cometido durante
tanto tiempo, ni de la no menos culpable falta a sus deberes para

con el rey Marc, que además de su tío también es su señor feudal;[49] se arrepiente en primer lugar de haber pasado tantas penalidades y sobre todo de haberse mantenido alejado de la vida caballeresca a causa del amor (vv. 2165-2166), privándose de los lujos de aquélla («*vair* y *gris*», es decir pieles de ardilla, v. 2168) y de sus honores (el servicio de cien jóvenes, vv. 2174-2176). Cuando piensa en Iseo (vv. 2179 ss.) no deja de reprocharse haberla obligado a vivir en la miserable cabaña del bosque, abandonando sus bellos aposentos adornados con cortinajes de seda.[50] No queremos decir con esto que se eche de menos la presencia de la culpabilidad moral y feudal; tales sentimientos aparecen claramente en los vv. 2171, 2188 y 2197-2198. Lo que sucede es que la culpabilidad moral queda subordinada al tema fundamental del monólogo, que es el del hombre en su sociedad. Y ello no puede sorprendernos si pensamos que todo el episodio de la vida de los amantes en el bosque de Morrois está montado sobre este motivo. La fuga de la corte transforma en una pesadilla, en un incesante peligro, su principal problema, el de las relaciones con los demás con sus inevitables hipocresías y astucias. La problemática social, visible en toda la novela, se plantea aquí en unos términos extremados, tiende a presentarse como antagonismo y lucha a muerte entre el hombre y la sociedad. El aislamiento de los amantes es de por sí enfrentamiento y crisis; la vida misma está en juego: «si él [Marc] nos encontrara o consiguiera capturarnos, nos haría quemar o ahorcar» (vv. 1557-1558).[51]

En el bosque de Morrois las exigencias de Tristán e Iseo se reducen a las necesidades más imprescindibles, una choza y comida. La soledad y el miedo son los motivos dominantes, que les inducen a abandonar por las mañanas los lugares en que han pasado la noche. «¿Acaso hubo nunca alguien», se pregunta el poeta (v. 1784), «que sufriera tanto?».

Claro está que su amor puede desarrollarse ahora en plena libertad, sin subterfugios, y ello parece justificar y vencer los

49. Tristán no es propiamente un vasallo del rey Marc, o por lo menos nunca se habla de sus feudos; Marc le ha *nourri* ('criado') y le ha hecho caballero y por ello Tristán está en una situación análoga a la de Bernier con relación a Raoul de Cambrai.

50. Y no se está engañando: el monólogo de Iseo paralelo y contemporáneo (vv. 2201 ss.) desarrolla este tema y otros análogos.

51. El rey ha publicado un bando que obliga a todos los súbditos a entregarle a Tristán vivo o muerto: cfr. vv. 1370-1376.

sufrimientos, pero no consigue anularlos: «llevan una vida áspera y dura; pero se aman tanto mutuamente que el uno con la ayuda del otro no experimenta dolor» (vv. 1364-1366). Ya hemos visto que al desvanecerse el efecto del filtro el elemento existencial vuelve a adquirir todo su peso; por otra parte el poeta ya había observado que «nadie se amó tanto con mutuo amor ni lo pagó tan duramente» (vv. 1791-1792), y, al final, cuando el condicionamiento mágico del filtro se agota, el precio se revela demasiado elevado. Queda claro que para Béroul la oposición entre el hombre y la sociedad, con sus imposiciones y sus leyes, no puede resolverse felizmente con el aislamiento.

Distinta fue la concepción de Thomas, el autor anglonormando de otro *Tristán,* cuyo planteamiento fue llevado a una solución más extremada por el poeta alemán Godofredo de Estrasburgo.[52] En esta versión los amantes no huyen al bosque para escapar de una persecución, sino que el propio rey Marc, convencido de su amor, los invita a alejarse de la corte y del reino; los dos jóvenes hallan refugio en una cueva del bosque, que resulta ser una especie de templo profano de la diosa Minne, el Amor. Nos encontramos ante una celebración muy elaborada (todos los detalles de la cueva tienen también una interpretación alegórica) y refinada del amor perfecto desarrollándose en un marco ideal. Los amantes se quedan voluntariamente solos [53] y no tienen necesidad de nada, porque el amor perfecto se basta a sí mismo y no necesita ni compañía social ni satisfacción de las exigencias materiales: «Todo lo deseable que se podía imaginar sobre la tierra o en otra parte, lo hallaban en ellos mismos.»[54]

Encontramos en este poema la representación más intransigente y poéticamente más lograda del amor como valor culminante y absoluto, plenamente autosuficiente y asocial, perfecto precisamente por su carácter asocial. Sin embargo, es muy poco frecuente que los autores medievales de novelas compartan esta fe, que podríamos llamar mística, en la solución de todos los conflictos

52. Se ha perdido el fragmento correspondiente del original de Thomas; se puede ver la reconstrucción en J. Bédier, *op. cit.,* I. Para Godofredo véase Gottfried von Strassburg, *Tristano e Isotta,* traducción de O. Gogala di Leesthal, Turín (1955), pp. 280 ss. Versión castellana de B. Dietz, Editora Nacional, Madrid, 1982.

53. En Béroul los acompaña Governal, el ayo de Tristán, que aquí, en cambio, vuelve a la corte.

54. Traducción it., pp. 283-284.

entre amor y sociedad. El caso de Béroul es sin duda ejemplar, a pesar de su carga de trágico pesimismo. El texto de su novela se nos ha conservado en un manuscrito único mutilado al principio y al final, por lo que empezamos a leer el relato cuando los dos amantes se citan cerca de una fuente; el rey Marc, que ha descubierto el subterfugio, se ha encaramado a un árbol para poderles sorprender, pero, gracias a la sombra producida por la luz de la luna, los dos jóvenes descubren el acecho a tiempo y mantienen un diálogo fingido que consigue disipar las sospechas del rey. Iseo, sin embargo, queda angustiada por el peligro a que se ha expuesto y por la indigna comedia que ha tenido que representar. La misma casualidad que hace empezar la novela con una emboscada, la cierra con otra, pues el último episodio que nos conserva el manuscrito explica que uno de los barones que odian a Tristán está espiando desde una ventana una de sus citas secretas con la reina, pero la sombra le traiciona también a él y Tristán consigue alcanzarle con una flecha. Los amantes siempre consiguen salvarse pero su situación implica un riesgo incesante, sus vidas están siempre en peligro, su pasión no tiene nada que ver con la descansada felicidad de la *Minnegrotte* de Godofredo. Para Béroul la sociedad es un límite insuperable para la libre actuación de los protagonistas y, al ser los datos de la historia fijos e inmutables, la solución tiene que ser desesperadamente trágica.

La conciencia del carácter asocial del amor y de la tragedia que puede desencadenarse de su choque con las reglas de la comunidad social aparece también muy acusada en otra de las obras maestras de la novelística medieval: el anónimo *Mort le roi Artu*.[55] Arturo ignoró durante mucho tiempo los amores de Lanzarote y Ginebra, sin sospechar siquiera. Pero un día tuvo la revelación, primero sólo probable y luego absolutamente evidente; se desencadenó, pues, una guerra sin cuartel entre el rey y su caballero, que se vio obligado a refugiarse en Francia, donde le siguió el rey Arturo, dejando en manos de su sobrino Mordred (que en realidad era su hijo incestuoso) el reino de Logres. Mientras la guerra civil diezmaba a los caballeros artúricos, Mordred

55. Es la parte final del *Lancelot en prose*, compuesta hacia 1230. Cfr. *La mort le roi Artu*, edición de J. Frappier, Ginebra-Lille, 1954, y J. Frappier, *Étude sur la mort le roi Artu*, Ginebra, 1961 ² (traducido por C. Alvar, *La muerte del rey Arturo*, Alianza Editorial, Madrid, 1980).

se apoderó a traición del reino y se hizo proclamar rey. Arturo tuvo que cruzar la Mancha para luchar contra el usurpador y en la llanura de Salisbury los dos ejércitos se enfrentaron en una batalla en la que el mundo artúrico se hundió sangrientamente: Arturo mató a su hijo traidor, pero éste le hirió mortalmente y la vida del rey no duró mucho. Lanzarote, que no tomó parte en la batalla de Salisbury, se hizo monje y también Ginebra terminó en un convento. El reino ideal de la caballería, cuyo emblema inmortal es la Tabla Redonda, ha acabado ya para siempre, arruinado por la antigua culpa de Arturo y sobre todo por los amores de Ginebra y Lanzarote. A diferencia de las distintas redacciones del *Tristán,* en las que la historia termina con la trágica muerte de los amantes, aquí la pasión engendra un grandioso «crepúsculo de los dioses», descubriendo las contradicciones interiores del universo aparentemente sereno de la Tabla Redonda y provocando su destrucción. Mejor aún que en el *Tristán,* donde a fin de cuentas la tragedia está limitada al destino particular de los dos protagonistas, el anónimo ha conseguido plasmar aquí con notables logros narrativos su conciencia del contraste insuperable entre amor (en la acepción de amor cortés) y sociedad.

7. La sociedad como fin: la «Joie de la Cort»

Sin embargo, no hay que creer que la problemática de las relaciones entre individuo y sociedad, y en especial de las que nacen de la situación amorosa, en la novela medieval esté destinada a desembocar siempre en soluciones trágicas. A menudo sucede que se producen determinados tipos de convergencia, en ocasiones hasta involuntariamente, pero que sirven para transformar el antagonismo en solidaridad. Ya conocemos un caso en el que hallamos algo así: en el *Chevalier de la Charrette* las hazañas de Lanzarote están motivadas únicamente por su amor hacia la reina Ginebra (amor adúltero y asocial pero cuyas posibilidades trágicas no están desarrolladas por Chrétien); y estas hazañas tienen como consecuencia la liberación de los prisioneros del reino de Gorre, que gracias a la victoria del héroe pueden volver a la tierra de Logres. Pero se trata de una consecuencia puramente casual desde el punto de vista del protagonista, que actúa aquí sin ningún interés por la suerte de tantos infelices, pues está místicamente concentrado en su pasión personal.

Chrétien de Troyes se planteó más de una vez el problema que nos ocupa, desde su *Erec et Enide,* cuya acción principal no se desarrolla a partir de la cacería del ciervo blanco,[56] sino que arranca del olvido por parte de Erec, marido feliz de Enid, de sus actividades de caballero. Una noche Erec ve que su esposa, que sabe que los compañeros del marido la culpan a ella de todo, llora y se queja por ser la causa de su desgracia, y entonces, dándose cuenta de la situación que se ha producido, decide volver a enfrentarse con la aventura llevando ante sí a Enid, con órdenes de que no le dirija la palabra en ninguna ocasión, ni siquiera para avisarle de la presencia de un peligro. Los acontecimientos sucesivos desarrollan el tema doble de las dudas de Erec sobre los sentimientos de Enid, que se ponen a prueba en situaciones peligrosas, y a la vez intentan resolver el conflicto entre amor conyugal y valor caballeresco suscitado al principio por la *recreantise*[57] de Erec. De esta manera las hazañas cada vez más difíciles que realiza Erec, que le valen para recuperar su decaída fama caballeresca, van acompañadas por pruebas del amor de Enid, de manera que al final los dos esposos no solamente se sienten en perfecta armonía, sino que tras tantas vicisitudes vividas en común, consiguen que se desvanezca cualquier sombra de antagonismo entre amor y caballería. Cuando Erec, teniendo a Enid entre sus brazos, le dice:

> Dulce hermana mía, os he sometido a todas las pruebas. Ahora no os preocupéis más, que ahora os amo más que antes, y a mi vez estoy seguro de que vos me amáis perfectamente. Quiero estar ahora para siempre, como lo estuve antes, completamente a vuestras órdenes; y si vos me habéis dicho alguna cosa mala, os absuelvo y perdono de la culpa y de la palabra (vv. 4882-4893),

parece que estamos ya al final de la novela, pues todos los problemas planteados al comienzo aparentan haberse resuelto. Pero

---

56. A la que se hacía alusión en el fragmento leído en el segundo parágrafo de este capítulo.

57. Propiamente es el acto del guerrero que se declara vencido y se pone a discreción del enemigo, y por extensión expresa la cobardía del que no quiere luchar.

Chrétien no se contenta con esta solución privada y termina su novela con un episodio final que es portador de un mensaje más amplio.

Ya de vuelta Erec y Enid pasan por las proximidades de un castillo y el caballero propone pasar la noche en él a pesar de los avisos de un amigo que le acompaña: en aquel castillo existe una costumbre terrible y si Erec lo visitara no podría dejar de enfrentarse a ella. Estas palabras tienen la virtud de despertar la curiosidad del protagonista que va efectivamente al castillo y es magníficamente recibido. Se entera en seguida de que la aventura a la que tendrá que hacer frente al día siguiente lleva el nombre misterioso de *Joie de la Cort,* 'alegría de la corte', nombre que fascina a Erec acrecentando sus deseos de entrar en liza. Con el nuevo día el caballero marcha hacia la aventura, de la que nada sabe, entre la conmiseración de las gentes del castillo. El rey conduce a Erec hasta un vergel cerrado dentro de una pared de aire que se puede atravesar únicamente a través de una abertura. El lugar es encantador, un típico *locus amoenus* de la tradición retórica: los pájaros vuelan cantando maravillosamente, crecen especias de todas clases, las flores y los frutos son perennes porque el vergel no conoce el invierno sino que disfruta de una eterna primavera. Pero cuando Erec y los que le acompañan penetran en él se encuentran con un espectáculo horrible: una hilera de picas llevando cada una una cabeza con su yelmo puesto todavía. Son los restos de quienes se han atrevido con la aventura antes de Erec; sólo queda un palo vacío y tiene un cuerno colgando. El rey le explica que la prueba consiste en luchar con el caballero que vive en el vergel, que suele cortar las cabezas de sus adversarios vencidos y clavarlas en los palos; aquel que consiguiera vencer a este caballero tendría que tocar el cuerno y con ello destruiría el hechizo del vergel. Una vez a solas con su destino Erec avanza y halla a una bella muchacha en una cama de plata a la sombra de un árbol, intenta acercarse a ella pero en seguida aparece un gigantesco caballero que lo desafía. La lucha es durísima y arriesgada, pero al final Erec consigue ganar y perdona la vida a su enemigo, obligándole a narrar su historia. Nos enteramos entonces de que el caballero ama desde hace mucho tiempo a la muchacha del lecho de plata y de que le ha prometido hacer cualquier cosa que le pida; ella le ha impuesto que se retiren juntos al vergel y que desafíe y mate a todos los que se le acerquen. El caballero se ha visto obligado a hacer todo esto, aun a pesar suyo, para no faltar a su palabra:

> La verité vos en ai dite,
> et, sachiez bien, n'est pas petite
> l'enors que vos avez conquise.
> Molt avez an grant joie mise                          6068
> la cort mon oncle et mes amis,
> c'or serai hors de ceanz mis;
> et por ce que joie an feront
> tuit cil qui a la cort vanront,                        6072
> Joie de la Cort l'apeloient
> cil qui la joie an atandoient.
> Tant longuemant l'ont atandue
> que premiers lor sera randue                           6076
> par vos, qui l'avez desresniee.
> Molt avez matee et fosniee
> mon pris et ma chevalerie,
> et bien est droiz que je vos die                       6080
> mon nom, quant savoir le volez:
> Moboagrins sui apelez,
> mes ne sui mes point coneüz,
> an leu ou j'aie esté veüz,                             6084
> par remanbrance de cest non,
> s'an cest païs solemant non;
> car onques tant con veslez fui,
> mon non ne dis ne ne conui.                            6088

(Os he dicho la verdad, y, sabedlo bien, no es pequeño el honor que habéis conquistado. Habéis dado gran alegría a la corte de mi tío y a mis amigos, pues ahora saldré de aquí; y porque todos los que irán a la corte experimentarán una gran alegría, la llamaban Alegría de la Corte los que esperaban la alegría. La han esperado mucho tiempo y les será entregada primeramente por vos, que la habéis conquistado. Habéis humillado y vencido mi valor y mi caballería, y tenéis derecho a que os diga mi nombre, ya que lo queréis saber: me llamo Moboagrín, pero no soy en absoluto conocido en ningún lugar en el que haya sido visto por el recuerdo de este nombre, si no es en este país; pues nunca, mientras fui joven, dije mi nombre y no fui conocido.)

El sonido del cuerno librará a Moboagrín, destruirá el hechizo y entonces «empezará la Alegría» (v. 6097).

No está muy claro a primera vista el sentido de esta historia. Es muy probable que nos hallemos ante un relato de origen mítico, que a través de los nombres de los personajes deducimos que pertenece al mundo céltico; tal vez se trata de una nueva versión de la leyenda del héroe que rescata a algunos prisioneros de Ultratumba, tal vez no es más que la liberación de un hechizo maléfico. Pero en nuestro relato el sentido es indudablemente distinto, el mito tiene una finalidad muy alejada de la que pudiera tener originalmente. ¿Cuál es el sentido del mismo nombre, *Joie de la Cort*? Parece que al nivel más explícito se refiere a la gran fiesta que tiene lugar tras la victoria de Erec,[58] pero la razón del entusiasmo popular parece que no reside únicamente en el triunfo, y por lo tanto en la supervivencia de un caballero extranjero, ni tampoco en la derrota de Moboagrín. Nadie vuelve a ocuparse de este último tras haber sido liberado de su opresiva obligación, y los habitantes de la tierra tampoco tenían nada que temer de una aventura que estaba reservada únicamente a aquellos que, como Erec, venían de fuera.

El sentido más profundo se nos revelará si volvemos a considerar la representación del vergel. El vergel nos recuerda, en efecto, la *Minnegrotte* de Godofredo de Estrasburgo, ya que al igual que aquélla es un lugar hechizado para vivir el amor aisladamente, en la sede de una felicidad autónoma de cualquier condición exterior, que se defiende del mundo con una muralla que no se puede apreciar pero que es insuperable. Aquí, sin embargo, el amor no logra anular todos los vínculos con la sociedad, no alcanza una total autosuficiencia; sólo la muchacha es enteramente feliz: Moboagrín, en cambio, no ha olvidado la vida, no ha olvidado la caballería de la que ha tenido que separarse para encerrarse en el vergel. No tiene nombre porque nadie lo ha podido conocer fuera de aquel lugar (v. 6088); la pena que sienten sus amigos por su destino (v. 6069) es comparable a la que sentían los amigos de Erec, a juzgar por las lamentaciones de Enid. El protagonista, sin embargo, fue capaz de liberarse por sí solo del círculo mágico del amor que amenazaba con ahogarlo, en cambio Moboagrín juró defender el vergel y así su liberación es

58. En efecto en los vv. 6340-6341 leemos: «Trois jorz dura la Joie antiers, / einz qu'Erec pooïst torner» («tres días enteros duró la alegría antes de que Erec pudiera volver»); y en el v. 6358: «Departi sont, la Joie fine» («Se han marchado, la alegría termina»).

a la vez el fin de su reputación como caballero (vv. 6078-6079).

Pero hay algo más. La *Minnegrotte* conlleva un aislamiento casi absoluto de los amantes; aquí, en cambio, la hilera de palos atestigua horriblemente que la felicidad privada de los dos jóvenes ha costado la vida a muchos caballeros: los amantes y la sociedad conservan una relación, antagónica y violenta, que pesa trágicamente hasta que suena el cuerno liberador. Chrétien no cree que el sueño de Thomas, y más tarde de Godofredo, se pueda llegar a realizar: el amor asocial, el amor que llega a su realización plena sólo si se aísla del mundo, es un ideal peligroso, que les cuesta muy caro tanto a los amantes como a la sociedad, es una perfección imperfecta, cruel y nociva. La felicidad de sólo dos personas equivale a la infelicidad de todos los demás, el final de esta autonomía disparatada es la Alegría de la Corte. Se ha utilizado el mito original para expresar el trágico peligro que encierra el amor cortés.

Pero Chrétien, en oposición a Béroul, considera que la contraposición es superable, que la verdadera felicidad, aunque sea la felicidad amorosa, se alcanza sólo con la integración total de los amantes en la sociedad. No en vano la aventura de la Alegría de la Corte se presenta a Erec al final de la novela que lleva su nombre. Para empezar su historia personal se parece bastante, como ya se ha observado, a la de Moboagrín; ahora bien, las aventuras que ha ido superando han resuelto la problemática del protagonista en un plano únicamente individual, mientras que la Alegría de la Corte extiende el alcance de la solución a un ámbito más amplio y de manera más ambiciosa: el rescate de Erec de la *recreantise* se cumple cuando éste solventa no sólo su problema sino un problema colectivo, cuando devuelve la *joie* no sólo a sí mismo y a Enid sino a toda la *Cort*. Se llega entonces a la culminación, y no es casual que en el episodio siguiente describa la vuelta de los dos esposos a la corte de Arturo y su coronación.[59]

Tal vez el *Erec* es la novela que dibuja de manera más completa el ideal de la integración de los valores amorosos en una sociedad que demasiado a menudo se consideró contraria a ellos. Por esta razón puede parecer que nos hallamos ante un caso aislado, pero en realidad la preocupación por resolver en beneficio

59. El padre de Erec, el rey Lac d'Estre-Gales, lo ha dejado como heredero de su reino.

LA EXPERIENCIA NARRATIVA 315

colectivo la aventura individual del protagonista de la novela es un fenómeno constante en la literatura medieval. El mundo artúrico se nos presenta como un universo ordenado que tiene por centro la Tabla Redonda; pero al principio de cada relato, según un esquema arquetípico de la narrativa universal,[60] un elemento que irrumpe desde el exterior (el Caballero Rojo, o Meleagant, por ejemplo) compromete la armonía de forma aparentemente irreparable, ya que Arturo y su corte parecen incapaces de reaccionar y como paralizados frente al atentado. Esta situación es reveladora del profundo sentimiento de inseguridad de la sociedad medieval, de su oscuro temor ante la amenaza de un peligro; sin embargo, se nos perfila también a la vez su optimismo, su confianza, que no es irracional ya que está fundamentada en el hombre. En efecto, aparece siempre un caballero, generalmente poco famoso y a veces hasta desconocido (como Perceval o Lanzarote), que asume el riesgo de la aventura, que desde este punto de vista se nos revela como acontecimiento necesario para restablecer el equilibrio que se ha roto. La hazaña del héroe es algo absolutamente personal, irrenunciable y sin posibilidad de ser compartido con otros, pero su resultado no es gratuito, no tiende sólo a acrecentar de forma egoísta la gloria personal; además de esto adquiere una dimensión significativa más profunda en cuanto contribuye a restablecer una situación de armonía. Por ello la corte de Arturo es también el término de la acción, igual que había sido su principio. A lo largo de su itinerario los héroes artúricos actúan como individuos con un destino personalísimo de madurez y perfeccionamiento, pero también les vemos eliminar gran número de antiguas costumbres bárbaras,[61] por lo que conservan un cierto aire de héroes civilizadores. Para ellos la sociedad no es un límite sino un fin; sin embargo, sus historias no son asimilables a las de la épica, pues existen clarísimas características diferenciadoras. En la novela el espacio y el tiempo no corresponden en absoluto a una esquematización de la realidad contemporánea, por lo que las aventuras se producen más allá de cualquier cuadro histórico reconocible, ni tampoco encontramos que los sentimien-

60. Cfr. V. J. Propp, *La morfología del cuento*, Madrid, 1971.
61. Cfr. E. Köhler, «La rôle de la "coutume" dans les romans de Chrétien de Troyes», *Romania*, LXXXI (1960), pp. 386-397, y también en el volumen *Trobadorlyrik und höfischer Roman*, Berlín, 1962, pp. 205-212, con traducción francesa, París, 1974.

tos nacionales o regionales tengan ningún peso; a los caballeros
no se les caracteriza por su procedencia, que por lo general es
vagamente céltica. El carácter social de la novela es, pues, absoluto, casi se nos presenta como trascendente; está dirigida a los
caballeros, no a los franceses o a los castellanos. En la novela
no se refleja una colectividad determinada ni se celebra su destino histórico, sino que se representa una clase que, desde su
internacionalismo, encuentra en ella sus ideales, sus normas de
conducta, los fines últimos que desea alcanzar.

## 8.  DEL CUENTO FANTÁSTICO AL REALISMO: LA «PESME AVENTURE» Y JEAN RENART

Erec tuvo que enfrentarse a la aventura de la *Joie de la Cort*
porque una noche se separó de su ruta y pidió hospitalidad en
un castillo que halló por casualidad en su camino. Esta situación
se repite constantemente en las novelas y también de esta manera
Ivain llega al castillo de la *Pesme Aventure* «porque el día iba
declinando».[62] Igual que Erec, Ivain es acogido con compasión
por los habitantes, que le aconsejan que no pida alojamiento en
aquel lugar; incluso el portero le recibe groseramente:

> Et mes sire Yvains, sanz response,
> par devant lui s'an passe, et trueve
> une grant sale haute et nueve;                 5184
> s'avoit devant un prael clos
> le pex aguz reonz et gros;
> et par entre les pex leanz
> vit puceles jusqu'a trois cenz                 5188
> qui diverses oevres feisoient:
> de fil d'or et de soie ovroient
> chascune au miaulz qu'ele savoit;
> mes tel povreté i avoit                        5192
> que deslïees et desceintes
> en i avoit de povreté meintes;
> et as mameles et as cotes
> estoient lor cotes derotes,                    5196
> et lor chemises as dos sales;

---

62.  Chrétien de Troyes, *Le chevalier au lion,* ed. cit., v. 5105, p. 155.

les cos gresles et les vis pales
de fain et de meseise avoient.

(Y el señor Ivain, sin responder, pasa ante él y encuentra
una gran sala alta y nueva; y delante tenía un recinto cerrado
por estacas agudas, redondas y grandes; y entre las estacas
vio a trescientas doncellas que hacían trabajos de distintas
clases: cada una de ellas trabajaba con hilo de oro y seda lo
mejor que sabía; pero reinaba allí tal pobreza que había muchas desarregladas y malvestidas a causa de la pobreza; y sus
trajes estaban rotos sobre el pecho y en los costados, y llevaban camisas sucias sobre las espaldas; tenían los cuerpos flacos
y los rostros pálidos por el hambre y la miseria.)

Las muchachas explican al protagonista que el rey de la *Isle as
puceles* fue vencido muchos años atrás dentro de aquel castillo por
dos seres diabólicos (hijos de una mujer y de un demonio) y que
logró rescatarse a cambio de un tributo anual de treinta doncellas, hasta el día en que los dos seres malignos sean vencidos
en una batalla:

Mes molt di ore grant enfance
qui paroil de la delivrance
que ja mes de ceanz n'istrons;
toz jorz dras de soie tistrons,                    5292
ne ja n'en serons mialz vestues;
toz jorz serons povres et nues,
et toz jorz fain et soif avrons;
ja tant chevir ne nos savrons                      5296
que mialz en aiens a mangier.
Del pain avons a grant dongier
au matin petit, et au soir mains,
que ja de l'uevre de noz mains                     5300
n'avra chascune par son vivre
que quatre deniers de la livre;
et de ce ne poons nos pas
assez avoir viande et dras                         5304
car qui gaaigne la semainne
vint solz n'est mie fors de painne.
Mes bien sachiez vos a estros
que il n'i a celi de nos                            5308
qui ne gaaint cinc solz ou plus.
De ce seroit riches uns dus!

Et nos somes ci an póverte,
s'est riches de nostre desserte                    5312
cil por cui nos nos traveillons.

(Pero dice ahora una gran locura el que habla de nuestra
liberación, porque jamás saldremos de aquí; tejeremos siempre
telas de seda y no iremos nunca vestidas mejor; siempre se-
remos pobres e iremos desnudas, y siempre tendremos hambre
y sed; y no podremos conseguir en absoluto comer mejor. Con
gran dificultad obtenemos poco pan por las mañanas, y por
la noche menos, que por el trabajo de nuestras manos cada
una de nosotras no obtiene para su sustento más que cuatro
dineros por libra; y con esto no podemos conseguir mucha comida ni muchos trajes, pues quien gana veinte sueldos por
semana no está libre de sufrimientos. Pero sabed en verdad
que no hay ninguna de nosotras que gane cinco sueldos o más.
¡Con esto se podría enriquecer un duque! Y nosotras estamos
aquí pobremente, se enriquece con nuestro servicio aquel para
quien trabajamos.)

Como es previsible Ivain vence a los seres demoníacos y destruye la *Pesme Aventure,* poniendo en libertad a las trescientas
doncellas. Repetimos que el planteamiento del relato es análogo
al de múltiples aventuras resueltas por caballeros artúricos, de
tal manera que el episodio aparentemente podría incluirse en las
consideraciones expuestas hasta ahora. La novedad está en el destino de las trescientas muchachas, pues es totalmente ajeno a los
esquemas habituales de la novela. En efecto, su condición no corresponde a un encarcelamiento porque vemos que realizan trabajo remunerado; en realidad nos hallamos ante la primera representación literaria de una fábrica, que evoca una industria textil, y ello no tiene nada de casual; pues es sabido que la rama
textil no sólo era la más desarrollada de la industria medieval,
sino también que era característica de la Francia norte-oriental
y de Flandes, por lo que era familiar para Chrétien y para su
público.[63] A través de los detalles que nos da el poeta podemos
deducir que se trata de una producción muy refinada, de borda-
dos de oro y seda (v. 5190), que las muchachas cobran a destajo,
recibiendo cada una apenas una sexagésima parte del valor efec-

63. Recordemos que Chrétien era de Troyes, capital de la Champagne.

tivo de su trabajo,[64] de manera que sus ingresos no llegan a los cinco sueldos por semana, muy por debajo de lo indispensable que aquí se valora en veinte sueldos (cfr. vv. 5305-5306). La situación de la industria textil, muy distinta de los demás tipos de producción que conservaban el modelo artesano, era efectivamente la de un nutrido y miserable proletariado dependiente de un escaso número de empresarios.[65] Sería difícil imaginar un cuadro de esta situación más eficaz y emotivo que el que nos presenta Chrétien, con la descripción del aspecto triste y miserable de las muchachas (vv. 5192 ss.), de sus inhumanas privaciones (vv. 5292 ss.) y de su explotación (vv. 5311 ss.). Puede sorprender que un autor de novelas ponga empeño en pintar un tema que incluso los autores didácticos evitan o soslayan; en realidad la perspectiva de Chrétien no es más que la de su público aristocrático, que ni participa en el desarrollo industrial contemporáneo ni siquiera lo entiende, fiel a su prejuicio en contra de cualquier clase de trabajo y también del dinero: el profundo desprecio experimentado ante ambas cosas podía justificarse a través de la condena eclesiástica de todas las actividades relacionadas con la usura. Al margen de toda consideración humanitaria Ivain es aquí un representante perfecto de la concepción aristocrática, según la cual el trabajo del siervo es más digno y menos cruel que el del obrero.

Sin embargo, ahora tenemos que subrayar que un episodio tan propio de la experiencia de todos los días y tan sensible a la problemática social de la época se nos presenta encuadrado en un contexto narrativo de elevada fantasía. El origen diabólico de los que hacen posible la *Pesme Aventure* es evidentemente un nuevo signo del desprecio de Chrétien, pero no cabe duda de que el poeta sintió la necesidad de manipular el dato objetivo hasta situarlo a un nivel que recuerda la leyenda del Minotauro o del Morholt de *Tristán,* pues era el único medio que hacía posible la inserción de un rasgo realista dentro de su relato.

Pero la narrativa francesa sentía cada vez con más fuerza la necesidad de sustituir íntegramente los argumentos de tipo fantástico con unos contenidos más próximos a la realidad. Tenemos un documento muy significativo de este fenómeno en un relato

64. Una libra equivale a 20 sueldos y un sueldo a 12 dineros; cada obrera ganaba 4 dineros por libra producida (v. 5302).

65. Ver por lo menos H. Pirenne, *Storia economica e sociale del medioevo,* Milán, 1957, pp. 205-209.

cuyo original francés se ha perdido y que conocemos a través de
una versión alemana, titulada *Moriz von Craûn*,[66] versión que parece fechable hacia 1200. Se trata de una historia de amor cortés: Moriz ama a la duquesa de Beaumont, quien le exige como
prenda de amor la victoria en un torneo. Moriz organiza de
manera espléndida el torneo y resulta vencedor, y luego se acerca
al castillo para recibir el premio de amor; mientras espera a la
duquesa, fatigado por la confrontación caballeresca, es vencido por
el sueño, lo que suscita las iras de la dama, que, ofendida, le
hace despertar y despedir. Al rechazar la duquesa todas las excu-
sas, Moriz penetra en sus estancias, la posee ante su estupor y
su espanto y después, tras sacarse el anillo recibido como prenda,
se lo devuelve y se marcha. La duquesa vigila el campo desde las
torres del castillo de Beaumont, pero Moriz no vuelve más. El
argumento no hace más que relacionar temas narrativos que no
son nuevos con la casuística del amor cortés (el caballero que falta
a su promesa amorosa, aunque sea involuntariamente, la dama que
no cumple la suya y es castigada por ello), pero no consiste en
esto la novedad. Aquí lo notable es la atrevida identificación
de los personajes con el duque Mauricio II de Craon y con la
duquesa de Belmonte, individuos de carne y hueso. Mauricio
murió en 1196 y es, pues, probable que estuviera todavía vivo
cuando el anónimo poeta francés le atribuyó la historia novelesca
en cuestión, tanto si era verdadera como falsa. Un atrevimiento
como éste, que acerca violentamente el espacio y el tiempo narrativos a los reales, tiene tal vez como punto de partida las actividades de Mauricio como poeta lírico,[67] pero no deja de ser
un ejemplo, aunque aislado, de una fuerte exigencia de realismo.

Otro camino menos directo pero más calculado y afortunado
es el que siguió Jean Renart a principios del siglo XIII. Al comienzo de su *Escoufle* escribe:[68]

66. Cfr. la edición de U. Pretzel, Tübingen, 1962. Para este tema ver
R. Harvey, *Moriz von Craûn and the Chivalrich World*, Oxford, 1961, y J. Bum-
ke, *Die romanisch-deutschen Literatur-beziehungen im Mittelalter*, Heidelberg,
1967, p. 39.

67. Cfr. A. Lângfors, *Les chansons attribuées aux seigneurs de Craon*, Helsinki, 1917.

68. Cfr. la edición de H. Michelant y P. Meyer, París, 1894 (SAFT). Para
todos los problemas planteados por este texto ver R. Lejeune-Dehousse, *L'oeuvre
de Jean Renart*, París, 1935.

Mout voi conteors ki tendent
A bien dire et a recorder
Contes ou ne puis acorder
Mon cuer car raisons ne me laisse.
Car ki verté trespasse et laisse
Et fait venir son conte a fable,
Ce ne doit estre cose estable
Ne recetée en nule court.

(vv. 10-17)

(Veo muchos poetas que tienen tendencia a recïtar o a recordar relatos en los que no puedo fijar mi memoria porque
mi razón me lo impide. Pues si alguien va más allá de la verdad y permite que el argumento se transforme en fantasía, no
debería ser su canto cosa permitida ni acogida en corte alguna.)

El rechazo de la *fable* y la exigencia de *verté,* paralela a la
que se produce en los mismos años (el *Escoufle* es de 1200-1202)
entre los primeros historiadores que escribieron en prosa, se resuelve claramente en una petición de verosimilitud que haga el
*conte* aceptable para la *raison.* Un breve examen del *Roman de la
Rose* o del *Guillaume de Dole,* obra más madura de Jean Renart,[69]
nos revelará cómo se puede llevar a la práctica este propósito.
El argumento es como sigue: el emperador Conrado de Alemania
se enamora de oídas de Leonor, hermana de Guillermo de Dole,
caballero de origen modesto y muy apreciado por el soberano; el
senescal, con intención de arruinar a Guillermo e impedir la
boda, presume de haber mantenido relaciones íntimas con la muchacha, de quien conoce por casualidad un detalle físico recóndito.
Cuando parece que todo está perdido, Leonor (a quien nadie
conoce) se presenta en la corte y acusa al senescal de violencia
y de robo contra su persona. El senescal se declara inocente y
prueba con un juicio de Dios su afirmación de no haber visto
nunca a la joven, pero precisamente gracias a esto, cuando ella
revela su identidad, desmiente su precedente insinuación, y así la
verdad y la justicia triunfan y Conrado puede casarse con Leonor. Como puede verse la *verté* que buscaba Jean Renart no está
en el argumento, pues el que acabamos de reseñar deriva del
conocido motivo folklórico de la muchacha acusada injustamente

69. El último editor, F. Lecoy (París, 1965), la considera del año 1228
aproximadamente.

que prueba su inocencia.[70] Sin embargo, la opción no es totalmente neutra, ni siquiera a este nivel, porque raramente la novela
cortés atribuye un papel tan importante a un personaje feme-
nino, cuya suerte no está confiada aquí a un valiente caballero
ni tampoco al hermano, sino que es defendida por la propia
Leonor. La novedad de la novela está sobre todo en el acercamiento de la historia desde una lejanía mítica a un ambiente de
verosimilitud y normalidad. Los nombres mismos son probables
(hubo Conrados emperadores de Alemania antes de 1228 y también después), estamos lejos de las formaciones vagas e imprecisa-
mente célticas de las otras novelas; los lugares en que se desarrolla
la acción no son menos cercanos y conmensurables (no el reino de
Logres, una Inglaterra mítica, sino el valle del Rin y las cercanías
de Lieja). La acción se sitúa en un confuso pasado, pero todos los
detalles corresponden a la situación contemporánea, las costumbres, las instituciones, las diversiones (todo esto sucedía en realidad también antes);[71] llega a producirse el hecho de que todos
los participantes al torneo de Saint-Trond son efectivamente caballeros nobles cuya identificación es posible, no como en el
*Moriz von Craûn,* es decir en el sentido de que todos llevan su
nombre real y exhiben las características reales de sus prototipos,
sino por el cuidado con que se han escogido solamente los caballeros que en los años en que Jean vivía estaban en condiciones
de participar en el torneo, con exclusión de los títulos nobilia-
rios por cubrir o representados por niños o ancianos incapacitados
para tomar parte en él.

Después de tantas experiencias narrativas más evolucionadas,
la exigencia de verosimilitud de Jean Renart puede parecernos trivial, falta de relevancia; en realidad el hecho de que no formara
escuela y cayera pronto en el olvido[72] es debido a la excentricidad
de sus gustos respecto a los de la época. La nueva historiografía
en lengua vulgar estaba ya dando satisfacción a las necesidades
de representaciones realistas. La novela tomó un camino muy

70. Cfr. Aarne-Thompson, *op. cit.,* nn. 882 y 892. El argumento de la
*Cymbeline* de Shakespeare años más tarde será análogo.

71. Una innovación importante y afortunada es la de poner canciones en
boca de los personajes (canciones que se citan, pues, dentro del texto); son
estrofas líricas de moda cantadas efectivamente en los castillos de Francia en
aquellos años. Cfr. Lejeune, *op. cit.,* p. 372.

72. Aunque no faltan las obras que siguieron su ejemplo como la ya citada
*Chatelaine de Vergi.*

distinto al que había señalado Jean Renart, intentó activar sus vínculos con la realidad pero no en el sentido de la verosimilitud, es decir con medios cualitativos, sino con recursos cuantitativos.

## 9. EL SUEÑO ENCICLOPÉDICO DEL SIGLO XIII: LA NOVELA COMO «SUMMA»

Ya hemos señalado en su lugar que se llevó a cabo una organización cíclica de las canciones de gesta de Guillermo de Orange; se trata de una tendencia antigua, nacida en el siglo XII. No cabe duda de que la alentaron tanto la demanda del público que pedía nuevas historias de sus héroes favoritos o de sus parientes, hijos o padres, como la facilidad con que los relatos históricos o seudohistóricos, a través de la referencia constante e inevitable a los carolingios, tendían a fundirse entre ellos sin solución de continuidad, igual que en una sucesión real de acontecimientos.[73] El caso de la novela es bastante distinto; la tendencia unificadora no nace aquí de una hipótesis cronológica preexistente sino del prestigio ejemplar e ideal de la corte de Arturo, un prestigio tan fuerte que es capaz de absorber dentro de la órbita artúrica elementos de procedencia diversa. Es probable que el mismo Chrétien actuara de esta manera, es decir ambientando alrededor de Arturo, por influencia del libro de Godofredo de Monmouth,[74] historias que procedían de un repertorio temático muy distinto. Es también casi seguro que el fenómeno se repitió con el *Tristán,* novela que fue relacionada a *posteriori*[75] de maneras distintas y al parecer falsas, con la corte del rey Arturo.

Entre finales del siglo XII y principios del XIII la tendencia anteriormente descrita se hizo general y se llegó a la fusión de dos temas narrativos de origen distinto, que por razones de diversa índole se transformaron en los fundamentos de la historia unitaria y global del reino artúrico. Son el tema de Lanzarote y el de Perceval, el primero tan íntimamente vinculado al episodio del trágico final de la Tabla Redonda, que es imprescindible

73. Sobre la tendencia cíclica de la épica ver las indicaciones de A. Micha en *Geschichte der Textüberlieferung,* II, Zurich (1964), pp. 221-223.

74. Cfr. más arriba p. 274 y ss.

75. En Thomas, por ejemplo, Arturo no tiene ninguna relación con la historia de Tristán.

para narrar su historia; el segundo tan fascinante y abierto, por obra de los continuadores de Chrétien, a sentidos de profunda religiosidad, que se situaba automáticamente como aventura culminante de cualquier visión total del universo artúrico.[76] No nos interesa aclarar ahora si realmente fue Robert de Boron el primero que redactó un relato global[77] ni tampoco podemos detenernos en la inmensa composición en prosa del *Lancelot-Graal* que en los primeros decenios del siglo XIII constituyó la culminación de este tipo de elaboraciones.[78] Los problemas que suscitan estas obras enormes, extrañas y a menudo contradictorias son muchos y muy complejos,[79] pero lo que queremos señalar aquí es la evidente intención de lograr una totalidad narrativa, una totalidad enormemente amplia, difícil de conseguir, pero efectivamente deseada. No es válido observar que éste fue el propósito que se hizo un autor o un refundidor o un copista que trabajaba por encargo o por lo menos que tenía la seguridad de satisfacer una demanda del público; es más, esta última eventualidad es todavía más significativa, porque no nace solamente del deseo de poseer un libro único que de forma relativamente económica contenga la mayor parte de los materiales novelísticos,[80] sino que corrobora la aspiración a una novela que resuma todas las novelas, revela la utopía de la novela como *summa historiarum* unitaria.

Veamos el caso del *Tristán*. Más o menos en los mismos años del *Lancelot* en prosa, también la historia de los amantes de Cornualles es narrada de nuevo sin su primitiva forma métrica, pero en realidad se ha transformado en el esqueleto de un dilatado relato en el que las aventuras de los personajes más dispares se

---

76. Repetimos que el poeta de Troyes dejó esta novela sin terminar.

77. Robert de Boron escribió hacia finales del siglo XII las tres novelas *Joseph d'Arimathie*, *Merlin* y *Didot Perceval* (que incluye una *Mort Artu*), que constituyen una historia completa del grial, identificado con la copa de la última cena.

78. Se trata de un ciclo de cinco grandes novelas: *Estoire del Saint Graal*, *Merlin*, *Lancelot* propiamente dicho, *Queste del Saint Graal* y *Mort Artu* (la *Queste* y la *Mort Artu* han sido traducidas por C. Alvar: *Demanda del Santo Graal*, Editora Nacional, Madrid, 1980; *Muerte del rey Arturo*, Alianza Editorial, Madrid, 1980).

79. Cfr. J. Frappier en *Arthurian Litterature*, cit., pp. 295-324. Cfr. también *GRLMA*, IV, pp. 503-625, en donde se recogen trabajos de distintos autores.

80. Para estos códices, que recogen una amplia gama de obras hasta el punto de constituir por sí solos toda una biblioteca, cfr. Micha, *op. cit.*, pp. 211 a 216.

enlazan con las de los protagonistas y emergen violentamente a primer plano.[81] De esta manera se pierde la linearidad de la historia y las páginas se vuelven dispersivas y lentas; pero no sería justo que nos quejáramos de la falta de una buena arquitectura, que formuláramos una acusación de mala estructuración. En realidad hay un exceso de arquitectura, está hipertrofiada a causa de la ilusión de poder integrar en su línea constructiva una totalidad finita de anécdotas novelescas, de poder poblar el texto no con una selección de personajes, sino con todos los personajes (como límite) de la tradición. Contrariamente a lo que podemos presumir hoy, este propósito se consideró fracasado en la época, y no por exceso sino por defecto. Los lectores no consideraron que la novela ofrecía demasiado material, sino demasiado poco; en lugar de simplificar se preocuparon de acrecentar y complementar, reuniendo, por ejemplo, la historia de Tristán con el *Lancelot* en prosa o con otra inmensa compilación, el *Meliadus* de Rusticiano de Pisa.[82]

Ya hemos utilizado la palabra *summa* y creemos conveniente establecer un paralelismo explícito con las grandes enciclopedias teológicas de la época, como la de Santo Tomás, o tal vez mejor aún con obras como el *Speculum maius* de Vicente de Beauvais.[83] El punto en común entre esta obra y nuestras compilaciones es precisamente la ambición de reflejar una totalidad en su conjunto; en nuestro caso no se trata del mundo real sino del universo de la ficción, y ello nos corrobora la importancia de esta tendencia así como su vinculación a una profunda exigencia de los tiempos. Notemos, sin embargo, que los *specula* novelescos son cronológicamente anteriores a los otros; he aquí un signo inequívoco de que la voluntad de representación global se realizó en el terreno de la novela con más facilidad que en otras partes. Nos hallamos, en efecto, ante la tentativa de reflejar el mundo del hombre como un cosmos infinito de relaciones ordenadas, lo que es de fácil realización en el campo de la novela, ya que en ella el poder demiúrgico del hombre se desarrolla libremente.

Como ya sabemos el siglo XIII fue testigo de la consolidación

81. El hilo de Ariadna para estos emboscados acontecimientos es el libro de E. Löseth, *Le roman en prose de Tristan, le roman de Palamède et la compilation de Rusticien de Pise*, París, 1891.

82. Cfr. R. L. Curtis, *Le Roman de Tristan en prose,* I, Munich, 1963, p. 15.

83. Cfr. *La pensée encyclopédique au Moyen Âge*, Neuchâtel, 1966.

de las Universidades, a través de las cuales se difundió con más profundidad el pensamiento aristotélico y junto a éste una vigorosa tendencia naturalista de orígenes bastante complejos. Las grandes universidades crearon un vasto ambiente cultural, que no vivía ya disperso y aislado dentro de una sociedad indiferente, sino que crecía concentrado, rico en tensiones y debates, fecundo en su turbulencia, agresivo. La cultura ya no estaba reservada a una *élite* de *litterati* cuyas características ya hemos señalado en su lugar; existían ya las órdenes mendicantes, dominicos y franciscanos, cuya activísima labor en los ambientes universitarios representaba una toma de contacto con el mundo exterior, una vía abierta a la ósmosis. Se formuló por vez primera en estos años la idea de difundir ampliamente en la lengua del pueblo una teoría de la realidad. Jean de Meung, un poeta de quien poca cosa sabemos,[84] es quien se propuso esta finalidad hacia 1270 y de manera muy singular. Unos cuarenta años antes un paisano suyo de quien no conocemos más que el nombre, Guillermo de Lorris, dejó inacabado un relato alegórico de 4.000 versos de genuina mentalidad cortés, el *Roman de la Rose*. En él se narra el sueño de un amante que habiendo visto en un jardín la rosa, la flor más bella, y deseando adueñarse de ella, se ve obstaculizado en la consecución de sus deseos por una serie de personajes alegóricos por lo que la historia se transforma en una especie de sitio. La narración de Guillaume de Lorris crea una tersa atmósfera lírica, es uno de los frutos más delicados de la civilización cortés. Nada entorpece o molesta la traducción figurativa de una historia exquisitamente interior como la de un enamoramiento. Jean de Meung vuelve a tomar el relato donde lo dejó su predecesor y lo lleva hasta la previsible conquista de la rosa, pero añade a los 4.028 versos de Guillaume otros 18.000, que no contienen una acumulación de intrigas y derivaciones narrativas como sucede en las novelas en prosa; en realidad la personalidad y los gustos de Jean de Meung estaban muy lejos de los del poeta de Lorris, eran incluso contrarios a los de éste. El autor de la segunda parte

84.   Información sobre él y sobre Guillaume de Lorris se hallará en Guillaume de Lorris y Jean de Meung, *Le Roman de la Rose,* publicado por F. Lecoy, I, París, 1965, pp. v-x. (CFMA); la edición completa se compone de tres tomos editados en 1966 y 1970. También hay la edición de E. Langlois, París, 1914-1924 (SAFT). Jean de Meung se llamaba más exactamente Jean Chopinel o Clopinel. (El episodio de Pigmalión del *Roman de la Rose* ha sido publicado y traducido por L. Cortés Vázquez, *Pigmalión,* Salamanca, Universidad, 1980.)

operó una reducción del argumento fundamental a elemento secundario, elevando a primer plano su revuelta pero apasionada visión del mundo, cuya exposición está confiada a los locuaces personajes a los que concede la palabra. Son personajes creados por Guillaume junto a otros introducidos por el propio Jean, a menudo muy poco pertinentes para una historia de amor alegórica, como Genio o Naturaleza,[85] pero muy adecuados a la finalidad que se proponía el autor. A través de esta segunda parte se va dibujando una visión del mundo notablemente anticortés, fiel a la corriente misógina siempre presente en la tradición medieval, abierta a la sátira más cáustica de los vicios humanos, y especialmente de la hipocresía, pues las violentas polémicas que acompañaban el controvertido afianzamiento de las nuevas órdenes religiosas habían vigorizado y afilado este tipo de ataques. Más allá de esta discontinua pero comprometida descripción de la sociedad humana, Jean de Meung traza una cosmología naturalista centrada en el obrar incesante de una naturaleza a la que Dios ha delegado la dirección del mundo sublunar y cuya finalidad es hacer posible la producción continuada de seres destinados a la inevitable destrucción en manos de la muerte, con lo que se expresa la desilusionada conciencia del amor como estímulo imprescindible para la reproducción.

Jean de Meung no fue un pensador original, las fuentes de su poesía no son difíciles de estudiar y no hay que buscarlas entre las producciones más elevadas de la filosofía del momento sino entre obras de segunda fila y hasta superadas. El enorme éxito del *Roman de la Rose* [86] no se explica por sus valores científicos o filosóficos ni por el vigor inquebrantable que Jean supo imprimir a su texto. La clave del éxito reside en el hecho de que la obra abría perspectivas inesperadas y amplísimas a un público muy numeroso porque se presentaba en la lengua de todos, utilizando una parábola narrativa convencional, que un público aristocrático o por lo menos cortés aceptaba como algo propio, y despertaba la admiración del sector burgués al pertenecer a un nivel sociocultural que éste se ponía como meta. El resultado volvía a ser una *summa,* pero esta vez no era ya de elementos novelescos, el

85. Que recoge del *De Planctu Naturae* de Alain de Lille (siglo XII).
86. Cfr. Lecoy, *op. cit.,* pp. XXVIII-XXXV, con las pertinentes indicaciones bibliográficas.

cosmos ficticio de un universo fantástico, sino que describía la realidad propiamente dicha. El nuevo público, heterogéneo y ambicioso, se encontraba de repente a la altura de un realismo bastante distinto del que había concebido Jean Renart, y de unas posibilidades de síntesis muy alejadas de las que actúan en el *Lancelot* en prosa: el público del *Roman de la Rose* descubría que podía manejar una concepción del mundo humano y sobrehumano adecuada, expresada en su lengua, comprensible para todos. La narrativa se planteaba de nuevo, con ambición más descubierta, como *speculum mundi,* conseguía acoger dentro de sí, con un logro feliz e inesperado, toda la realidad tal como es, haciendo posible un viejo sueño utópico.

El siglo XIII es fascinante precisamente por su carga inexhaurible de ambición. Pocos años después de Jean de Meung, otro escritor muy distinto a él pero nutrido con la misma savia universitaria que hizo posible la concepción del *Román de la Rose,* proyectó un plan narrativo todavía más sorprendente en ciertos aspectos. Ramon Llull, el franciscano catalán que ya conocemos,[87] escribió sucesivamente dos novelas que realizan un propósito enciclopédico de manera mucho más sistemática que las obras francesas aludidas hasta ahora; se trata del *Blanquerna* y del *Fèlix* o *Libre de meravelles.*[88] No encontramos aquí contradicción alguna entre línea narrativa y voluntad didáctica. El *Fèlix* adquiere la forma elemental de una encuesta, procedimiento que ya hemos hallado en el *Libre d'Amic e d'Amat*; el protagonista va recorriendo el mundo admirando cuanto encuentra a su paso y formulando a los sabios preguntas y más preguntas sobre Dios, los ángeles, los elementos, las plantas, los metales, las bestias, el hombre, el cielo, el infierno; y así en diez libros se dibuja una especie de enciclopedia teológica y natural en la que el esquema del diálogo (que había sido utilizado ya en otras enciclopedias medievales de tipo popular) se amplía en un argumento narrativo, sin duda esquemático, pero capaz de sintetizar los datos informativos con el estado de alma, admirado y de una curiosidad insaciable, del protagonista; por este camino el *Libre de meravelles* es también a su manera un *Bildungsroman.*

---

87. Cfr. el párrafo 5 del cap. II, pp. 113-122.
88. Ambos se pueden leer en el volumen I de las *Obres essencials,* cit.; para la fecha de composición del Blanquerna, cfr. p. 114, n. 37; el *Fèlix* fue escrito entre el 1286 y el 1294.

El *Blanquerna* tiene, como sabemos, un desarrollo sencillo pero muy hábil: a través del relato de la vida de los padres del protagonista y de Blanquerna mismo, de un primer período de vida ermitaña al pontificado y de nuevo a la ermita, halla ocasión de describir todos los estados de la vida humana. Claro está que se trata de una visión dominada por la vida religiosa, ante la cual el estado laico es marginal y casi instrumental; esto es intrínseco a la concepción del mundo apasionadamente cristiana de la que hace gala Llull y que culmina, como hemos visto, en el misticismo del *Libre d'Amic e d'Amat,* sin embargo el autor no se olvida de lo que está fuera de la vida estrictamente religiosa. El componente misionero y reformador, en efecto, es esencial para el escritor catalán, que no escribió su *Blanquerna* para representar cómo es el mundo del hombre sino para pintar cómo debería ser. La parábola de Blanquerna está determinada ante todo por su capacidad de reformar cualquier institución humana a la que se encuentre vinculado según un riguroso proyecto lógico que se realiza en gran escala cuando es aplicado desde la sede pontificia, la más alta concebible; la reforma instaura una nueva norma de vida tendente a establecer plenamente el reino de Cristo. Leamos ahora precisamente el fragmento de la elección del pontífice. Los cardenales acaban de escoger a Blanquerna, que es obispo, como nuevo papa:[89]

E digueren *Veni Creator Spiritus* e *Te Deum laudamus,* e volgueren Blanquerna asseure en l'apostolical cadira; mas Blanquerna no ho volc, e dix aquestes paraules:

«Fama és per tot lo món que apostoli poria, ab sos companyons, ordenar quaix tot lo món, si·s volia; e car lo món sia en tan gran discòrdia e desordenament, temedora cosa és ésser apostoli, e significada és en l'apostoli gran colpa si no usa de son poder en ordenar lo món. On, com jo sia indigne d'haver tan gran poder, per ço car he defalliment de saber e voler, per açò tan noble ni tan gran poder apostolical no deu ésser comenat a frèvol saber e voler; e per açò renuncii a l'apostolical poder, e deman que·m sia feta responsió a les qüestions que he posades en esta cort.[90]»

89. Cfr. *Obres essencials,* cit., pp. 226-227.
90. Blanquerna había propuesto una serie de *questiones quodlibetales* (una de las formas más típicas de discusión de la escuela medieval) antes de la muerte del papa. Cfr. ibídem, p. 224.

(Y recitaron *Veni Creator Spiritus* y *Te Deum laudamus*, y quisieron que Blanquerna se sentara en la silla apostólica; pero Blanquerna no quiso, y dijo estas palabras:

«Es fama en todo el mundo que el papa podría, junto con sus compañeros, ordenar casi todo el mundo si se lo proponía; y estando el mundo en tan gran discordia y confusión, es tarea temible la del papa, y grande es la culpa del papa si no emplea su poder para ordenar el mundo. Y así, ya que yo soy indigno de tener un poder tan grande, porque me faltan saber y voluntad, por ello no debe encomendarse un poder tan noble y tan grande como el del papa a un saber y una voluntad débiles, y es por esto que renuncio al poder papal, y pido que se responda a las preguntas que he formulado ante esta corte.»)

Pero al insistir los cardenales Blanquerna termina diciendo:

«Defall-me saber e voler com sia egual a poder apostolical. Si per vosaltres som elet a papa, ajuda us deman com Déus sia conegut e amat, e com son poble per ell sia benauirat. Si no ho fèts, tort me fèts e pecat.» Tots los cardenals li prometeren agradablement que li ajudarien a tota sa volentat, segons la libertat del poder e·l saber que Déus lur havia donat, e segons lo càrrec en què Déus havia subjugada lur volentat en ella a servir. Enaprés lo bisbe Blanquerna fo papa creat.

(«Me faltan saber y voluntad para ser digno del poder papal. Si soy elegido papa por vosotros, os pido ayuda para que Dios sea conocido y amado, y para que su pueblo sea feliz por su causa. Si no lo hacéis seréis reos de culpa y de pecado.» Todos los cardenales le prometieron con agrado que le ayudarían con toda su voluntad, según les permitía el poder y el saber que Dios les había dado, y según el compromiso con que Dios había subyugado su voluntad para servirle. Seguidamente, el obispo Blanquerna fue elegido papa.)

La novela puede parecer esquemática en determinadas ocasiones, de una frialdad constructiva que deja entrever las ingenuidades de su concepción; pero, aunque no tuviéramos en cuenta la habilidad narrativa de Llull que es capaz de dar calor vital incluso a las páginas de construcción más geométrica, hallaríamos en este mismo esquematismo un apasionamiento por la utopía, una fuerza en la imaginación, una voluntad indomable y conmovedora que terminan por arrebatar al lector. De tantos y tantos sueños en torno a una *societas cristiana,* de un teocratismo riguroso, el de Llull es uno de los más convincentes y vitales porque no está alimentado por ambiciones de supremacía política y no se traduce en implicaciones jurídicas sino que se centra en la caridad y en el amor, en la íntima vinculación a Cristo, y conserva toda la vitalidad, armónica dentro de su diversidad, de un mundo que Llull no quiere paralizar sino únicamente liberar de sobreestructuras engañosas, para devolverle su avenencia originaria y feliz con la divinidad y por lo tanto consigo mismo.

Desde las novelas francesas en prosa hasta Llull el siglo XIII dibuja una grandiosa parábola de una coherencia poco frecuente. Tenemos primero la ambición de crear universos unitarios y totalizadores con materiales de ficción, a esto se sobrepone la intención descubierta de traducir dentro de las dimensiones de una novela en verso una visión global del mundo humano y sobrehumano tal como es en realidad, con sus imperfecciones y con su vertiginoso y perenne movimiento de creación y destrucción. En Llull la descripción del mundo natural y divino, considerado como algo inmutable, se escinde de la visión utópica de una sociedad humana reformada a todos los niveles, que ha alcanzado de nuevo la perfección perdida. Poco más tarde, en Dante, se realizará una grandiosa proyección de todo el mundo humano sobre un fondo todavía más definitivo, un fondo en el que su dispar multiplicidad se ordena bajo unas medidas solemnes, el mundo de la eternidad. La acumulación cada vez más atrevida de contenidos terminará por producir un *speculum mundi* que suma la dimensión divina a la humana, la moral a la natural, en una síntesis que sólo la Edad Media osó llevar a cabo.

# ÍNDICE